# LES BROUILLARDS DE LA GUERRE

# Du même auteur

*Les Médias russes*, La Documentation française, 1996.
*Quand les médias russes ont pris la parole*, L'Harmattan, 1997.
*Chienne de guerre*, Fayard, 2000, prix Albert-Londres, Le Livre de Poche, 2001.
*Algérienne*, de Louisette Ighilahriz, récit recueilli par Anne Nivat, Fayard-Calmann-Lévy, 2001.
*La Maison haute*, Fayard, 2002, Le Livre de Poche, 2004.
*La Guerre qui n'aura pas eu lieu*, Fayard, 2004.
*Lendemains de guerre en Afghanistan et en Irak*, Fayard, 2004, Le Livre de Poche, 2007.
*Par les monts et les plaines d'Asie centrale*, Fayard, 2006.
*Islamistes, comment ils nous voient*, Fayard, 2006, Le Livre de Poche, 2010.
*Bagdad Zone rouge*, Fayard, 2008.

En collaboration avec :
Jean-Jacques Bourdin, *À l'écoute*, Anne Carrière, 2007.
Daphné Collignon, *Correspondante de guerre*, Soleil Productions, 2009.

Anne Nivat

# Les Brouillards de la guerre

Dernière mission
en Afghanistan

Fayard

Couverture Atelier Didier Thimonier
Photo © Daimon Xanthopoulos/Gamma-Rapho

ISBN : 978-2-213-66584-9

*À la mémoire du caporal Steve Martin*


*À mes deux hommes, Jean-Jacques et Louis*

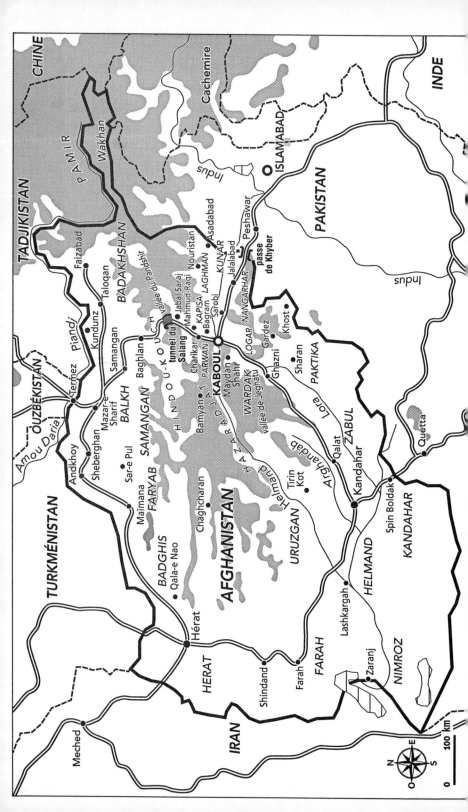

# De l'utilité (parfois) de passer à la télévision

Chemise blanche sans cravate sous une veste sombre, le front large, les cheveux bruns tombant sur la nuque, moustache et bouc soignés, l'animateur Guy A. Lepage, l'ancien « gars » dans la comédie de situation *Un gars, une fille*, version québécoise, est une véritable star au Québec. Ce 14 mars 2010, en arrivant sur le plateau de « Tout le monde en parle[1] », il descend avec aisance les marches, serre longuement des mains avant de gagner la table haute au milieu du studio. Les acclamations du public redoublent à l'entrée du « fou du roi », équivalent québécois de Laurent Baffie, un certain Dany Turcotte.

L'invité principal est, bien sûr, une vedette de la télévision : un sympathique animateur qui a gagné

1. « Tout le monde en parle » est une émission québécoise diffusée le dimanche soir à une heure de grande écoute. Le concept de Thierry Ardisson diffusé sur France 2 jusqu'en 2006 a été vendu « clés en mains » aux Canadiens.

9

un grand nombre de « trophées » et que la production a décidé, ce soir, pour le plus grand plaisir du public, de faire s'adonner à ses propres jeux. Suivent le neveu et la fille d'une femme décédée au bout de quatre jours passés dans un corridor des urgences ; le neveu, qui est aussi aide-soignant dans l'établissement où elle est morte, dénonce les conditions qui y règnent : les civières d'ambulance servent de lits d'hôpital ! Puis c'est le tour d'une actrice et d'une œnologue primée meilleure sommelière des Amériques 2009. Enfin, après une bonne heure et demie d'émission, je pénètre « dans l'arène » sur la musique très rock de Clark et Park, accompagnée des commentaires de Lepage et sous les applaudissements du public : « Voici la grande reporter Anne Nivat, venue au Québec pour une conférence sur les cent ans du *Devoir*[1]. » S'adressant à moi, une Française, Lepage a gommé son accent chantant québécois comme pour mieux marquer ma différence.

— Anne Nivat, bienvenue à « Tout le monde en parle » ! Vous avez couvert les plus grands conflits, vous fréquentez des endroits plutôt minés : êtes-vous prisonnière de la guerre ?

— Si l'on veut récolter de l'information hors de la bulle, il faut aller sur le terrain, en revenir vivant et raconter ce qu'on y a vu et vécu...

---

1. *Le Devoir* est le principal quotidien francophone au Québec. J'avais été invitée à son anniversaire pour donner une conférence sur l'indépendance du journalisme.

– Vous vous fondez parmi la population, vous fuyez les grands hôtels pour journalistes, les circuits organisés. Avez-vous l'impression que, parfois, les journalistes se laissent aller à faire du tourisme journalistique ?

– Les guerres, c'est de plus en plus compliqué à couvrir, et, dans le même temps, leur médiatisation est de plus en plus importante ! En avril 2003, il fallait être en Irak, alors qu'il ne se passait encore rien : on attendait le début des hostilités. Ce qui m'intéresse, c'est d'être là avant que la meute ne rapplique, ou encore après, quand elle est repartie... Être au plus près, me faufiler partout comme une petite souris, car on ne prête jamais vraiment attention à une femme !

– Comment faites-vous pour gagner la confiance des gens ?

– Je ne cache pas qui je suis, j'habite chez des particuliers, je ne descends jamais à l'hôtel, car ce serait déjà se faire remarquer, faire montre d'une tout autre attitude. Je voyage avec les moyens locaux, les taxis communs, à pied, en bus. Pour moi, l'absence de protection égale la meilleure des protections. Je n'oserais pas interviewer un Irakien ou un Afghan dans la rue, engoncée dans un gilet pare-balles, avec trois mercenaires pour me protéger. Si je veux que la personne me parle, encore faut-il que je me mette à son niveau...

— Vous êtes ici au Québec : pourquoi ne portez-vous pas le costume traditionnel ?

Un membre de l'équipe apporte un costume sur un cintre : une pelisse, un chapeau de fourrure. La salle rit.

— Il est à vous ! me lance Lepage.

— D'accord, demain je le mets, puisque je dois aller à Québec !

— Vous verrez : à Québec, toutes les femmes sont habillées comme ça !

L'animateur recouvre son sérieux après avoir jeté un coup d'œil sur ses fiches.

— Comprenez-vous les femmes qui, en Occident, portent la burqa ou le niqab ?

— C'est une bonne question. Dans leur pays, je m'adapte à leurs traditions : je suis voilée, pour ma propre sécurité mais aussi par respect pour les gens ; ils m'accueillent, donc je me plie à leurs us et coutumes. La première question qu'on me pose est souvent : êtes-vous musulmane ? Je leur réponds non, ils m'écoutent et comprennent. Ce sont eux qui finissent par aborder le sujet des musulmans vivant dans mon pays, qui, selon eux, devraient s'adapter à la France comme moi, je le fais chez eux...

— Vous avez passé illégalement des centaines de postes de contrôle. Carburez-vous au danger ?

— J'allais vous dire : je n'ai pas peur du danger *a priori*, mais j'ai peur une fois plongée dans la guerre. Il est impossible de dire qu'on n'a pas peur.

– Vous vous êtes fait bombarder ?

– J'ai connu des moments où je ne pouvais même plus avaler ma salive, tellement j'avais la frousse. J'étais sûre que c'était la fin, ma propre fin. Oui, plusieurs fois, en Tchétchénie, avec d'autres Tchétchènes, nous avons eu la chance de nous en sortir, ce qui n'a pas été le cas d'autres personnes dans des maisons voisines de celle où je me trouvais. Parce que c'est aussi cela, la guerre : pour s'en sortir, il faut beaucoup de chance !

– En 2000, au fin fond de la Tchétchénie, le FSB[1] vous a arrêtée. En France, on pensait que vous aviez été kidnappée. Vous racontez que votre expérience avec les officiers russes de la police secrète a été « pathétique ». En quoi ?

– En fait, ils étaient beaucoup moins bien organisés qu'on veut nous le faire croire... En deux mots, je me trouvais dans une maison, au petit matin, quand la bâtisse a été investie par des hommes cagoulés. C'était pendant le ramadan, j'étais du côté des femmes. J'ai eu très peur, on ne savait trop pourquoi ils venaient ; j'ai cru que c'était à cause de moi, et que, pour cette raison, la famille qui m'hébergeait allait avoir des problèmes, mais je me trompais. Car les types en question n'ont pas

---

1. Services secrets russes.

13

même fait attention à moi... (Pendant mon récit, un silence religieux est tombé sur le plateau ; Lepage m'écoute, opine du chef ; l'actrice à ma gauche tourne vers moi son beau visage.) Justement parce qu'ils pensaient que j'étais une femme de la maisonnée ; et moi, par respect pour les gens qui m'avaient accueillie sous leur toit, je me suis auto-dénoncée, je suis allée trouver le chef de la patrouille, je lui ai montré mon passeport français et lui ai dit que j'étais journaliste. Il ne me croyait pas : pour lui, la présence d'une Française dans cette maison était inconcevable ! Ils ne m'ont même pas arrêtée. En revanche, ils ont embarqué le chef de la maisonnée, puis ils sont revenus, soixante-douze heures plus tard, pour m'arrêter, moi. J'étais restée sciemment, car je me disais que si je fuyais, ce serait pour eux un bon prétexte pour me soupçonner de quelque chose ; or, je n'avais rien à me reprocher, rien à cacher !

L'actrice intervient :

– Quand vous revenez à la vie de tous les jours, vous devez trouver tout d'une futilité épouvantable ! Aller faire ses courses à l'épicerie, préparer à manger, dire « J'ai mal là »...

– Se plaindre, oui, entendre les gens se plaindre, en France et ailleurs, je trouve cela presque indécent... Chez nous, on ne vit pas dans l'insécurité permanente, malgré ce que certains hommes politiques voudraient nous faire croire...

Lepage revient à son thème principal :

– Ça demande combien de temps pour qu'un conflit perde de son intérêt, médiatiquement parlant ?

– Pas longtemps : les guerres sont pratiquement devenues des phénomènes de mode... À l'automne-hiver 1999-2000, la guerre en Tchétchénie faisait la une, mais ça n'a pas duré, car elle était très dure à couvrir, et dangereuse, et il n'y avait pratiquement pas d'images télé : sans images, la guerre n'existe pas. Moi, j'ai dans la tête des images de la guerre en Tchétchénie que personne n'a filmées, tout simplement parce que j'étais là, que j'ai tout vu... Si je continue à aller toujours aux mêmes endroits, à couvrir les mêmes guerres, c'est tout simplement parce que ces guerres, même passées de mode, ne sont pas terminées. Souvent, on me demande : « C'est quoi, ta prochaine guerre ? » Quelle « prochaine guerre » ? Je ne saute pas d'une guerre à l'autre ! Il y a tant de pays où je ne mettrai jamais les pieds...

– Vous avez séjourné à plusieurs reprises en Afghanistan et en Irak : quelle est votre perception de l'action du gouvernement canadien et des forces armées canadiennes là-bas ?

– Je crois que les Afghans – il ne faut pas leur en vouloir – ne font aucune différence entre les Canadiens, les Français, les Américains, les Allemands et autres. Eux, ils sont chez eux, ils endurent une vie quotidienne pas facile, ils sont occupés militairement. Certes, ils ont été « libérés », c'est bien, ils sont contents de ne plus vivre sous le régime des taliban ; mais, en même temps, ils sont déboussolés, perdus. En Irak, c'est pareil. Qu'est-ce que vous faites de la liberté et de la démocratie quand vous ne les avez jamais connues et qu'on vous les impose par les armes ? Sans compter qu'en Afghanistan il y a confusion des genres, laquelle n'est pas exclusivement le fait de l'armée canadienne : je veux parler de l'amalgame entre humanitaire et militaire. C'est pour beaucoup dû aux Américains qui ont appliqué un système mobilisant des PRT[1] qui emploient sur le terrain des militaires chargés de faire de l'humanitaire, armés et qui ont le droit de se défendre, mais pas celui d'attaquer.

– Ce n'est pas clair, quand on les voit...

– Non, ce n'est pas du tout clair... et c'est au détriment des humanitaires eux-mêmes, qui d'ailleurs s'en plaignent.

– Le 7 mars [2010], les Irakiens sont allés aux urnes ; les Américains, dit-on, vont se retirer le 30 août. Une fois les soldats partis, quel avenir entrevoyez-vous pour l'Irak ?

– Nous, Occidentaux, nous nous disons que si nos troupes s'en vont, ça va redevenir terrible. Mais

---

1. *Provincial Reconstruction Teams* : équipes de reconstruction provinciales.

écoutons un peu ce que nous disent les Irakiens !
Ils ont déjà enduré le pire, c'est devenu une ef-
froyable guerre civile, et la question du retrait des
troupes se pose partout. Les troupes étrangères ne
peuvent pas rester indéfiniment, ce n'est pas tenable,
financièrement et militairement parlant. De toute
façon, et quoi qu'on dise, l'avenir de l'Irak appartient aux Irakiens, comme l'avenir de l'Afghanistan
appartient aux Afghans. J'ai souvent parlé avec des
militaires français, et leur discours ne va pas forcément dans le même sens que ce que déclarent et
veulent les politiques. Eux savent ce qu'est la
guerre, que ces guerres-là, celles du XXIe siècle, sont
très difficiles à gagner, ou alors sur le très long
terme. C'est bien joli de tenir de beaux discours,
comme en France ou aux États-Unis, pour clamer
que la guerre est gagnée, la mission accomplie, le
système démocratique instauré, alors que, dans la
réalité, tout cela exige beaucoup plus de temps...
Au reste, on demande aux militaires d'accomplir
beaucoup d'autres tâches, par exemple de former au
travail de police ; or voilà un domaine où la question de la loyauté est capitale : prenez un policier
afghan. À qui va sa loyauté : aux Américains qui le
paient, l'arment et le forment, ou à son clan, à sa
vallée, à sa famille ? À quel moment peut-il changer
de camp ? Voilà ce qu'il faut tenter de comprendre.

Après coup, je me demande quel moment de cet entretien, quels mots prononcés ont pu susciter chez l'officier canadien, regardant cette émission chez lui en famille ce dimanche soir, l'envie de me rencontrer, voire de risquer un dialogue ouvert avec une journaliste atypique. Les pieds en éventail, affalé sur un divan, son ordinateur portable sur les genoux, le militaire avait aussitôt envoyé un commentaire au site Internet de l'émission, sous le regard moqueur de son épouse qui n'y croyait pas. « Je comprends que vous n'êtes pas un site de rencontres, mais j'aimerais faire la connaissance de cette journaliste... »

Quoi qu'il en soit, dès le lendemain de la diffusion de l'émission, alors que je me trouvais en voiture avec une amie sur l'autoroute entre Québec et Montréal, nous recevions son coup de fil *via* la société de production. Au début, j'étais convaincue que si un militaire désirait me parler, c'était pour critiquer ce que j'avais pu dire à propos de l'action des troupes en Afghanistan. Un homme à la voix jeune et claire se présente : « Je m'appelle Frédéric Pruneau. Je commande deux cents hommes, une compagnie de parachutistes de Valcartier[1], pour la dernière mission de combat canadienne en Afghanistan. Je vous ai vue hier à

---

1. Valcartier est une base importante des forces canadiennes, située à Saint-Gabriel-de-Valcartier, immédiatement au nord-ouest de la ville de Québec. Elle emploie près de 5 500 militaires.

la télé : pour une spécialiste non militaire de la guerre, je vous ai trouvée très convaincante. Venez donc parler à mes gars avant que nous ne partions sur le terrain ! »

Je me suis lourdement trompée et demeure stupéfaite face à l'ouverture d'esprit dont cet officier fait preuve, à la sympathie qui émane déjà du propos du major Pruneau !

Pendant toute l'année 2010, nous échangerons des courriels afin de convenir de dates pour mon éventuelle venue à Valcartier. Puis chacun est repris par ses occupations : les miennes en vue d'un prochain livre sur la Russie, les siennes consistant en séances d'entraînement et en repérages pour ce prochain « départ sur le théâtre opérationnel » qui sera également le dernier, puisque le Parlement canadien s'est prononcé en faveur du retrait de ses troupes de combat d'Afghanistan.

Dans un courriel daté de mars, Pruneau m'annonce qu'il s'en va lire *Lendemains de guerre*[1], parce que mes témoignages lui tiennent à cœur. Fin avril, son invite est aussi poétique que séductrice : « Tous ici ont un appétit pour vos mots. » En mai, c'est la douche froide : le major m'annonce plus prosaïquement que, « malgré toute la volonté de la chaîne de commandement

---

1. Anne Nivat, *Lendemains de guerre en Afghanistan et en Irak*, Fayard, 2004, Le Livre de Poche, 2007.

à recevoir votre témoignage, il nous sera impossible de faire fonctionner ceci pour des raisons de calendrier ». Déçue, je lui soumets par *mail* une idée saugrenue qui vient de me passer par la tête : « Et si je venais vous la faire sur le terrain, cette conférence ? Pour moi, ce serait encore mieux que de me rendre sur une base militaire au Canada ! »

Gagné : Pruneau est d'accord sur le principe et prêt à tout mettre en œuvre pour que l'idée aboutisse. En octobre, alors que le major, rentré de reconnaissance, est sur le départ, nous convenons de ma venue peu après les premières semaines du déploiement. « Je crois que votre témoignage pourrait apporter beaucoup à mes soldats, et, de plus, suite à la lecture de *Lendemains de guerre*, je pense que vous aimerez probablement séjourner quelque temps dans la zone. »

C'est à ce moment que germe dans mon esprit l'idée de passer d'un côté à l'autre, d'un camp à celui d'en face, de voguer en quelque sorte entre les deux faces du miroir, telle Alice au Pays des merveilles.

Comment n'y ai-je pas pensé plus tôt ? Il m'aura fallu dix ans, dix années de reportages en Afghanistan, immergée dans la population locale, pour mesurer l'utilité de ces va-et-vient. Mais sans doute auparavant n'aurais-je pas été prête, pas assez mûre, « complète », et n'est-ce pas un hasard si cette idée s'est concrétisée si tard. En y réfléchissant, je constate que ce type de reportage n'a pas non plus été accompli par mes confrères : habituellement, par commodité ou principe, on les trouve plutôt exclusivement du côté de l'armée, rarement au plus près du terrain, parmi la population, encore moins passant de l'une à l'autre en un mouvement de pendule qui peut confiner à la schizophrénie.

Des centaines de journalistes ont été « embarqués » avant moi avec l'armée depuis le début des conflits en Afghanistan, puis en Irak. J'avais décidé de ne pas les imiter, non par allergie idéologique, mais parce que je savais pouvoir travailler autrement. Je vais finalement passer deux fois dix jours « intégrée[1] » au 22e Royal, exclusivement en compagnie des soldats, sur une FOB et sur un COP[2], sans avoir le droit de quitter la base à mon gré, ce qui ne me gêne aucunement, puisque j'ai d'avance accepté par écrit les conditions de cet « embarquement ».

Je m'en explique, début 2011[3], en duplex depuis les studios de Paris, sur les ondes de Radio

---

1. Ou « embarquée » (traduction de l'anglais *embedded*).
2. Une FOB est une base d'opérations avancée. Un COP est un poste de combat avancé. Le premier voyage a lieu en décembre 2010, le second en mai 2011, au terme de la mission de combat canadienne.
3. Le 6 janvier 2011.

Canada, dans la très populaire émission matinale de Christiane Charette qui souhaite me faire raconter mon expérience :

« Cette invitation m'a plu : d'abord parce que ce militaire me proposait de m'ouvrir toutes les portes. Ensuite à cause de la possibilité de séjourner aussi du côté civil, dans ce même village contrôlé par les troupes du major Pruneau, pour recueillir justement le point de vue des gens, leur propre perception des militaires. »

Suave musique de début d'émission. « Des circonstances étonnantes sont à l'origine de ce voyage », susurre l'animatrice phare. Il vous arrive toujours des choses intéressantes ! Vous êtes une femme déterminée, on connaît votre travail en Tchétchénie, en Irak, en Afghanistan, mais ce dernier périple résulte de votre passage ici, à Montréal. »

En réponse, je souligne que c'est la première fois que je rencontre un tel degré d'ouverture, que j'ai beaucoup de chance d'être tombée sur les Canadiens, et peut-être encore plus sur des Québécois, lesquels m'ont fait confiance dès le départ et ont maintenu le dialogue. Je savais que ce serait un échange réel, que je pourrais poser toutes mes questions, parce qu'eux aussi avaient à m'en poser ! Oui, j'ai une rude expérience de la guerre, je me suis toujours placée du côté où les bombes tombent, pas du côté d'où elles partent. Voilà ce que le major souhaitait que je partage avec ses hommes : ma connaissance du terrain et des populations qu'ils sont censés aider. Le paradoxe de cette guerre est qu'en dépit des énormes moyens déployés et de leur évidente suprématie militaire les Occidentaux ne peuvent gagner, parce que l'ennemi est invisible ; il est rare qu'ils s'y trouvent confrontés directement. Cette absence d'engagement frontal engendre de la frustration chez les soldats. L'ennemi, pour sa part, pose des IEDs[1] qui doivent être neutralisés. Le danger permanent, pour le soldat, est de sauter sur une mine. Chacun tient ses positions comme il peut, c'est un jeu du chat et de la souris permanent. Voilà pourquoi on se doit de coller au terrain et d'être acquis à la stratégie de contre-insurrection (COIN) : multiplier les contacts avec les locaux, patrouiller à pied, en véhicule, sourire aux gens, leur parler, s'intéresser à eux, à leurs problèmes, voire leur offrir du travail. Tâche éreintante ! Parce que, côté afghan, on avoue sans difficulté aucune jouer double jeu, et d'abord prendre l'argent là où il est, c'est-à-dire chez les militaires. Tout le monde, y compris parmi les civils proches des taliban, affirme que la situation sera pire après le départ des forces armées occidentales. Les militaires, eux, savent qu'on ne

---

1. *Improvised Explosive Device* : engin explosif improvisé ou bombe artisanale.

Pruneau répond d'abord à la demande d'éclaircissements de Christiane Charette souhaitant connaître la raison de mon invitation à séjourner dans les rangs de l'armée canadienne. « Anne Nivat, dit le major, a beaucoup de choses à apporter à nos troupes. Au cours de notre entraînement, c'est la profondeur de son bagage, son expérience du terrain qui pouvaient nous donner un regard neuf et permettre aux soldats d'avoir un meilleur contact avec la population. C'est notre tâche au quotidien et nous avions besoin d'apprendre comment aborder les gens, mieux les comprendre, savoir ce qu'ils vivent, comment ils nous perçoivent en patrouille, mesurer la différence entre nos cultures. » Pruneau confirme : oui, il était au courant, dès le départ, de ma volonté d'aller « des deux côtés », et que, la base à peine quittée, je me glisserais du côté de la population locale.

Christiane Charette lui fait décrire l'omniprésence des mines sur le terrain. « C'est le moyen principal des insurgés pour contrer nos efforts de reconstruction », répond laconiquement l'officier. Relativement efficace les premières années, concède-t-il, mais « aujourd'hui, nous possédons l'équipement qui permet de contrer cette menace ».

« Vous sentez-vous vraiment utile... ou impuissant ? » lance, un brin provocatrice, la journaliste, offrant au militaire l'occasion de rétorquer :

« Utile chaque jour, à chaque patrouille, surtout quand quelqu'un parmi la population nous dit : "Sans votre aide, jamais je n'aurais eu accès à l'irrigation" ; ou du fait que, grâce à notre présence, les gens ont plus de poids pour aller parler au gouvernement local qui, enfin, les écoute. »

Pruneau se laisse aussi aller à évoquer la difficulté à discerner en permanence qui est qui : « Les populations civiles vivant autour de la FOB sont menacées des mêmes dangers que les militaires. » Il en est convaincu : « Les taliban ne font pas la différence entre la population locale et nous ; les gens risquent tout autant que nous de marcher sur ces mines que nous passons notre temps à enlever. Alors on explique ce qu'on fait, que les taliban sont là pour défendre leurs propres intérêts, même s'ils portent le même vêtement, parlent la même langue, proviennent des mêmes endroits que la population locale. On sait que ces gens sont aptes à vivre et à se mouvoir au sein de cette population, et à nous épier pour poser la bonne bombe au bon endroit. »

Cette guerre serait-elle perdue d'avance, comme certains observateurs auraient tendance à le penser ?

« On voit ce conflit avec nos yeux d'Occidentaux, or les locaux n'ont pas la même notion du temps que nous, répond Pruneau. À l'aune des critères occidentaux, on pourrait penser que tout cela ne rime à rien, mais, quand on est sur le terrain, on voit les choses autrement. Moi, par exemple, qui étais déjà là en 2006. Les différences avec cette époque me sautent aux yeux. Aujourd'hui, on est et on va là où il était impensable d'aller et de rester auparavant. »

Rassurants, les propos de Pruneau ? Pas vraiment : c'est justement ce que j'ai voulu essayer de mesurer en Afghanistan en passant d'un monde à l'autre, afin de l'offrir à un public qui n'a certes plus vraiment envie d'entendre quoi que ce soit sur cette longue guerre, mais qui, pourvu qu'on trouve les mots et les images adéquats, peut se sentir à nouveau concerné. Pour jauger le degré de confusion qui y règne, le réel état des choses qui y prévaut, encore faut-il avoir passé du temps sur place, tissé sa toile de contacts, ne pas avoir hésité à troquer son gilet pare-balles pour un *châdri* bleu en nylon.

Allons-y !

# 1

## LA DERNIÈRE MISSION

### *hiver 2010*

*« Combattre, on sait faire. » La COIN en question –
Les non-dits de la* shoura *– Des militaires philosophent
– Frustration à répétition – La rude vie sur une maison
de peloton.*

Dix ans après le début de la guerre, en dépit de moyens gigantesques, les militaires occidentaux peinent en Afghanistan. Tel est le paradoxe inextricable que j'ai constaté en partageant le quotidien du 1er bataillon du Royal 22e, une compagnie de parachutistes québécois du groupement tactique déployé dans le sud du pays, l'indomptable zone de Kandahar, la mythique ex-capitale taleb.

C'est la dixième et ultime « rotation » des militaires canadiens : en juillet 2011, leurs troupes de combat se sont retirées du pays[1]. D'habitude, je vis plutôt du côté de la population civile dont j'observe et partage les avanies et tribulations. Dix jours après avoir été

---

1. Conformément à un vote du Parlement canadien datant de mars 2008. La présence canadienne dans le pays sera toutefois maintenue et concentrée dans des missions de formation et de reconstruction.

« embarquée », je ne résisterai pas à la tentation de retourner parmi les autochtones, je me rendrai, seule et sans protection, chez mes contacts afghans et reviendrai au village où se trouve implantée la base canadienne. Je veux comprendre comment les militaires, et leurs efforts pour améliorer la « gouvernance » du pays, sont perçus par la population, traverser le miroir afin d'en découvrir l'autre face.

« Combattre, ça, on sait faire. Mais il nous faut aussi convaincre et construire, comme l'affiche la devise du groupement tactique créé pour cette mission. Nous voulons tisser des liens avec la population. »

En faisant le « tour du propriétaire » de la base d'opérations avancée (FOB) de Masum Ghar, un camp de plusieurs dizaines de tentes alignées entre deux pics rocheux protégés par des miradors, le major Frédéric Pruneau énonce ce qu'il me répétera à maintes reprises durant mon séjour. Athlétique, souriant, l'homme prend visiblement sa mission à cœur. À 33 ans, engagé depuis qu'il en a 17 (« L'école, c'était pas mon truc… »), c'est un « vétéran » de l'Afghanistan où il a déjà passé huit mois en tant qu'officier de liaison et de mentorat de l'armée afghane (OMLT[1],

---

1. Les OMLT sont des équipes de liaison chargées de conseiller militairement l'armée afghane. L'acronyme français, peu usité, est ELMO, pour « équipe de liaison et de mentorat opérationnel ».

conjointement avec l'armée américaine), entre mars 2006 et août 2007. De retour en Afghanistan en tant que commandant d'une compagnie (144 hommes, une femme auxiliaire médicale), responsable d'une zone s'étendant sur 35 kilomètres carrés au sud de Kandahar (« mon coin d'Afghanistan », comme il dit), sa tâche est immense. Il tient à me montrer que sa préoccupation première est de bien connaître la population locale. La COIN, stratégie de contre-insurrection tant vantée par le général américain David Petraeus et ses alliés de l'Isaf[1], tel est le credo du major Pruneau.

À l'instar des forces américaines, l'armée canadienne est allée assez loin dans la « privatisation » de certains services : ainsi la protection intégrale de la FOB est aux mains d'une firme privée, Blue Hackle, dirigée par d'anciens militaires souvent issus des SAS (forces spéciales) britanniques. Blue Hackle emploie plus de 2 000 personnes dans le monde. La société a été créée en 2004 en Irak et s'est implantée en 2006 en Afghanistan. Tony Goddard, 50 ans, est représentant sur cette FOB, il dirige une soixantaine d'employés, tous des

---

1. En français (acronyme peu usité) : FIAS, Force internationale d'assistance à la sécurité de l'Otan. Le Canada fournit à la FIAS le cinquième plus important contingent. Les principales contributions en troupes sont américaines, britanniques, allemandes et françaises.

ex-militaires. Retraité des forces spéciales britanniques depuis dix ans, il a passé sept ans en Irak et vit ici depuis deux ans et demi. Aux yeux du major Pruneau, les agents de Blue Hackle font très bien leur travail. Dès qu'ils remettent les pieds dans leur base, les soldats n'ont ainsi plus à penser à leur propre sécurité, assurée en leurs lieu et place par des employés sud-africains ou des Ghurkas, retraités de l'armée britannique[1].

Démonstration de COIN lors d'une patrouille à pied dans le gros bourg de Bazar-e-Panjway où vivent huit mille Pachtounes, traditionnellement proches des taliban et réfractaires à toute présence étrangère, comme l'ont montré les âpres combats dans cette région au cours des dernières années. Nous évoluons en file indienne sur la route principale, démineur, chien et maître-chien en tête, ce dernier étant un Serbe de Bosnie sous contrat avec l'armée. Disciplinés, les Afghans se rangent sur le bas-côté, coupent le moteur de leur mobylette ou de leur pick-up ; les cyclistes mettent pied à terre. Habitués aux impressionnantes patrouilles américaines qui ont toujours exigé l'arrêt total de la circulation sur leur passage et ne tolèrent aucun

_____

1. « Mieux vaut mourir qu'avoir peur ! » Telle est la devise de ces farouches soldats du Népal, qui font partie intégrante de l'armée britannique. Un bataillon de Ghurkas est déployé en Afghanistan et les affinités de ces soldats avec la population afghane sont une aide précieuse pour les Britanniques.

contrevenant, ils semblent paralysés par la peur. Le major s'approche en souriant, à pas lents, leur tend la main et leur fait signe de circuler. Stupeur chez les villageois qui finissent par obtempérer. Certains répondent par un sourire aux salutations que Pruneau leur dispense dans leur langue, d'autres restent muets. Des grappes de gamins en âge d'être scolarisés (mais qui, apparemment, ne vont pas à l'école, leurs parents n'estimant pas la situation suffisamment sécurisée pour les y envoyer) traînent à nos côtés, enregistrant chaque fait et geste des extraterrestres qui se pavanent devant eux.

On oblique dans une ruelle sablonneuse. De loin, deux femmes en burqas verte et orange pâle nous repèrent. Effrayées, elles se précipitent à l'intérieur d'une cour. Croiser des militaires reste, pour les autochtones, une épreuve : on ne sait jamais ce qui peut advenir, les « accidents » ont été trop nombreux.

Par cette fraîche matinée de décembre 2010, un vieil homme prend tranquillement le soleil, assis sur ses talons, devant son portail. Il a noué son *patou*[1] sur sa tête comme un foulard, par-dessus son turban, pour se protéger du froid. À la recherche d'interlocuteurs, le major fait stopper la patrouille et engage la conversation. Il s'avoue impressionné par le niveau de culture et la connais-

---

1. Grand châle couvrant.

sance de la situation politico-militaire de l'ancien, lequel semble apprécier la présence des militaires étrangers mais n'en est pas moins conscient des dangers inhérents à cette présence.

« J'ai étudié en Inde avant la partition, il y a bien longtemps, et je suis revenu ici sous le roi Zaher Shah[1] », explique en pachtoun, *via* un interprète, Abdul Majid, 70 ans.

Parce qu'il est venu en « ami » et qu'il tient à le faire savoir, Pruneau pose ostensiblement son casque à terre et s'assied à même le sol, face à l'homme. Il sort un carnet d'une poche et demande s'il peut prendre des notes. Toute la rue est déjà au courant que « les étrangers se sont arrêtés pour parler ». Ne dérogeant pas aux règles de l'hospitalité pachtoune, Abdul Majid nous propose du thé. Il se lève brusquement, disparaît dans la cour après avoir refermé le portail et revient une dizaine de minutes plus tard, un plateau dans chaque main avec tasses, couverts et thermos, accompagnés de petits gâteaux.

Le sergent Zanzib, un Afghan coiffé d'un béret noir, qui accompagne la section de Pruneau en patrouille, a lui aussi envie de s'exprimer : il regrette que ses congénères soient encore trop peu nombreux à s'engager dans l'armée. « Au lieu de

---

1. Dernier roi d'Afghanistan de 1933 à 1973. Né en 1914, mort le 23 juillet 2007 à Kaboul.

traîner dans les rues, les jeunes devraient venir avec nous pour nous aider, car ceux-là (il montre Pruneau du menton) vont partir, et pas nous ! » Originaire de Jalalabad, engagé depuis sept ans, Zanzib sert dans la 3ᵉ compagnie du second kandak de la 1ʳᵉ brigade du 205ᵉ corps, une des plus aguerries du pays (à en juger par le nombre d'opérations effectuées), mais, paradoxalement, une des moins bien équipées.

En posant ses plateaux à terre, Abdul Majid se prête au jeu des questions et des réponses, et offre ainsi des bribes de points de vue au militaire venu l'écouter :

« Que faire contre une minorité issue de notre peuple et qui nous terrorise ? Si vous donnez des emplois à nos jeunes, ils finiront bien par se retourner contre elle et contrer sa propagande ; mais, pour le moment, ils n'en ont pas la force... »

Voilà un parfait résumé de l'impasse afghane.

« De plus, ajoute-t-il finement, on n'est pas aidés par nos voisins[1], on est victimes d'intérêts croisés entre les taliban et eux... »

Réplique un peu abrupte de Pruneau qui espère faire de cet homme un allié : « Alors, on compte sur vous pour faire redescendre l'info

---

1. Les Pakistanais, sous-entend Abdul Majid.

auprès des jeunes : qu'ils nous aident et nous les aiderons ! »

Les discussions sont traduites par un jeune civil afghan employé par l'armée. Habillé tel un militaire, avec un gilet pare-balles, des lunettes balistiques et un casque de protection (mais sans arme), sitôt que nous quittons la base il se couvre le visage d'un foulard jusqu'en haut du nez, par crainte de représailles des taliban. Souvent, même les membres des familles de ces interprètes ignorent quel est leur métier. Il me semble que tant que ces Afghans veilleront à dissimuler leur identité, ce sera signe que la guerre est loin d'être terminée.

Par deux fois ensuite, le major passera devant la maison d'Abdul Majid et frappera à son portail – sans réponse. Le vieil homme serait-il mort ? Aurait-il fui ? Désirerait-il ne plus avoir affaire aux militaires canadiens ? L'incertitude montre bien les limites du COIN : les Canadiens ne sont pas suffisamment infiltrés dans la population pour connaître la réponse.

« La prochaine fois, j'aimerais bien qu'Abdul Majid m'invite chez lui », se prend à rêver à voix haute Pruneau. Pour cela, il serait prêt à effectuer des patrouilles plus légères, donc moins impressionnantes, voire à se séparer du chien démineur dont la présence rassure pourtant les soldats. En fait, le major va jusqu'à caresser le désir de patrouiller dans la ville de Bazar sans aucun dispositif de protection, mais il redoute la réaction de l'opinion au Canada en cas de pertes humaines. Car, si la population canadienne n'approuve pas les motifs de cet engagement militaire, elle a à cœur de soutenir ses soldats !

Ici le principal danger est de sauter sur une mine. Conscient de son infériorité en termes de force de frappe, l'ennemi évite l'engagement frontal, se fond parmi la population civile et se concentre sur la fabrication d'engins mortels. Depuis mon arrivée, une ou deux de ces bombes artisanales sont « neutralisées » chaque jour. Les militaires ont même cessé de jeter dans la nature leurs piles usagées, après s'être rendu compte qu'elles étaient récupérées par les poseurs d'engins et recyclées dans des dispositifs de plus en plus ingénieux. Trois hommes ont déjà été grièvement blessés à la jambe ou au talon depuis l'arrivée de la compagnie, en décembre ; un caporal est décédé le jour de mon départ[1]. Que ce soit aux alentours de la base de Masum Ghar ou non loin de la COP Nejat, les soldats n'ont qu'une obsession : déterrer à temps

---

1. Le 18 décembre 2010, le caporal Steve Martin, 24 ans, a sauté sur une mine.

l'engin de mort pour qu'il ne tue ni soldat ni civil. « Plus on en trouve, plus on est content », résume Gaétan Larochelle, 45 ans, dont vingt-neuf d'active. Cet adjudant-maître qui en a vu d'autres est le bras droit du major Pruneau, qui compte sur lui pour « remonter le moral des troupes » dans trois ou quatre mois, juste avant le printemps, quand, la lassitude aidant, les soldats pourraient en venir à baisser la garde. C'est alors qu'une offensive des taliban serait à redouter, même si le major n'y croit guère, convaincu que les engins explosifs sont aujourd'hui de moins bonne qualité, un grand nombre de leurs « concepteurs » ayant été éliminés par les militaires alliés depuis le début de l'opération *Enduring Freedom*, en 2001. Mais, pour l'heure, m'assure-t-il, le moral est au beau fixe et le groupe soudé, après une éprouvante mission de reconstruction en Haïti, suite au tremblement de terre de janvier 2010.

Un des buts de la COIN est de faire en sorte que la population locale vienne d'elle-même fournir des renseignements aux militaires, notamment sur les emplacements où ont été posées les mines, à défaut de dénoncer les poseurs. Une récompense sonnante et trébuchante pour ces infos a cependant posé la question du bien-fondé de la méthode : et si des individus appâtés par le gain se mettaient à poser eux-mêmes des IEDs ? « On ne crie pas sur les toits qu'on paie éventuellement pour une info », explique Pruneau. Des commandants de l'ANA (Armée nationale afghane) précisent que, par souci de discrétion, certains individus déposent un mouchoir blanc sur ces emplacements ou envoient en guise de signal un enfant se promener à vélo non loin.

Le lendemain, nous montons dans un blindé léger pour nous rendre à une *shoura* (« consultation » en arabe). Les militaires de l'ANA ont convoqué cette assemblée afin de « faire remonter de l'information » par l'intermédiaire des anciens qui représentent la population ; le major a sauté sur l'occasion pour tester les Afghans, leurs capacités d'organisation. Qu'en attend-il ? Des informations, toujours plus d'informations ! D'abord sur ces *contractors* (entrepreneurs) locaux qui auraient peut-être besoin de l'armée pour protéger ce qu'ils ne sont pas capables à eux seuls de défendre. Lui demandera-t-on de patrouiller dans Bazar-e-Panjway la nuit, par exemple ? La possibilité d'utiliser des ouvriers journaliers le ravit : autant d'individus qui, en théorie, ne seront pas occupés à « autre chose ». Pruneau rencontrera à cette occasion pour la troisième fois le *malik*[1] de Bazar et en profitera pour tenter d'identifier certains *elders* (doyens).

---

1. Chef de village.

À 10 heures précises, quand nous sortons de nos engins, le lieu est encore désert. Seuls les tapis colorés et les coussins rebondis, placés à même le sol poussiéreux d'un ancien fortin militaire à ciel ouvert utilisé comme poste de contrôle, trahissent une activité à venir. Après avoir ôté casques et gants de protection, et déposé les armes derrière un muret, nous devisons en attendant les Afghans. Les Québecois se demandent combien de temps il faudra à la Coalition pour « mener à bien » sa mission dans ce pays, se souvenant qu'il a fallu une bonne vingtaine d'années à Chypre, et au moins douze en Bosnie. Ils ne sont pas très optimistes sur le bilan de la décennie passée à beaucoup tergiverser avant d'agir : « Après 2014, une fois qu'on sera vraiment tous partis, si la guerre civile éclate, les opinions publiques du monde entier se réveilleront, elles se demanderont ce que les armées ont fabriqué là et nous accuseront de ne pas y être restés assez longtemps ! C'est toujours comme ça que ça se passe ! » philosophe l'un d'eux, exprimant à voix haute ce qu'ils sont nombreux à penser.

La discordance entre opinions publiques et forces armées, pis, le manque total d'intérêt des populations occidentales pour des conflits se déroulant loin de chez elles, est source d'une véritable souffrance rentrée chez ces hommes de terrain. Les Français[1], en tout cas, ont de plus en plus de mal à supporter l'indifférence de leurs compatriotes au retour d'un cercueil au pays ; parmi eux circulent même des vidéos téléchargées sur Internet, montrant des haies d'honneur de citoyens canadiens, justement, massés sur des routes de campagne pour saluer le retour d'un cercueil, ce qu'eux, Français, estiment impensable dans l'Hexagone.

Un Globemaster américain, le plus gros transport de troupes et de matériels volant, fend le ciel, l'espace de quelques secondes, dans un vacarme inhabituel. On le regarde, car, aux dires de mes interlocuteurs, il en passe rarement. Petit à petit, plus nombreux que prévu, les Afghans se pressent à la *shoura*.

« Pour le moment, ça se passe bien, alors que je n'ai ni organisé ni même souhaité cette rencontre. Je n'ai fait que financer l'achat des tapis[2] ! » commente en riant Pruneau, satisfait de la forte implication de ses homologues de l'ANA. « Même si je ne connaîtrai jamais vraiment tous les acteurs de la vie politique et économique locale, au moins aimerais-je être capable de repérer les nouveaux visages », ajoute le major.

---

1. D'après mes nombreuses conversations avec des militaires du rang et des officiers français rentrés d'Afghanistan, rencontrés en 2010 et 2011 ou contactés par Internet.
2. Sur le fonds discrétionnaire du commandant.

Avant que l'assemblée ait pris place autour des tapis dessinant un vaste rectangle, deux soldats sont chargés de prendre en photo la soixantaine de participants ; les clichés iront rejoindre les banques de données communes aux Alliés. Fiers et impassibles, bien qu'un tantinet méfiants face à l'objectif, ces Pachtounes soigneusement enturbannés et emmitouflés dans leurs *patous* d'hiver se laissent immortaliser. De toute façon, ils n'ont pas le choix.

« Le problème, c'est qu'on ne sait pas vraiment si ces gens sont nos amis ou nos ennemis », me souffle un gradé. C'est bien là tout le défi que rencontre la COIN.

Après une prière chantée, le commandant afghan prend la parole debout, d'une voix claire et forte :

« Nous sommes ici pour votre sécurité, et c'est votre droit de nous dire si nous faisons certaines choses qui ne vous plaisent pas. Toutes nos promesses seront tenues, mais nous avons besoin de vous, de votre collaboration. »

Après lui, un participant se plaint, au nom de sa communauté, des dommages causés par les militaires aux terres agricoles privées ; il voudrait également savoir si les points de contrôle à l'entrée et à la sortie du bourg sont vraiment nécessaires.

Il est coupé par un autre militaire de l'ANA, assis : « Ceux qui posent des bombes artisanales ne sont pas de bons musulmans ; maintenant il est temps d'agir, de travailler et de cesser de prononcer des paroles en l'air. » À mots couverts, il incite les locaux à coopérer avec les Alliés : « Quand les étrangers ici présents (il montre Pruneau du doigt) ne nous paieront plus, je serai le premier à perdre mon job si la situation reste ce qu'elle est aujourd'hui. Et alors, que deviendra-t-on ? Que fera-t-on ? Voilà pourquoi il faut les aider. »

Le mollah de Mushan, une bourgade située à une quinzaine de kilomètres, dont la venue, ce matin, a étonné les militaires canadiens, s'insurge, lui, contre la présence de soldats sur les hauteurs, arguant de leur possible violation visuelle des domiciles afghans. Il demande aux militaires de « descendre de leurs montagnes pour ne plus reluquer à l'intérieur des maisons ».

Le reste de la section de parachutistes assiste au dialogue debout, sans émettre le moindre commentaire. La plupart ne se font pas traduire à l'oreille ce qui est en train de se dire ; ils ne comprennent donc rien aux échanges. Les intéressent-ils vraiment ?

Un autre Afghan dénonce les raids de nuit quotidiens, qui débouchent sur de nombreuses arrestations :

« Pourquoi, pour arrêter les occupants d'une seule maison, faut-il en fouiller quatre ? Pensez-vous faire cesser ça ? »

Nouvelle démonstration de l'absence de compréhension par les acteurs locaux des pratiques militaires alliées : si les parachutistes de Pruneau ne jurent que par la COIN, ceux qui pratiquent les raids nocturnes émargent aux forces spéciales, très certainement américaines, qui opèrent dans le district et contre lesquelles Pruneau ne peut absolument rien. Ainsi les bénéfices ténus acquis le jour par la COIN sont-ils effacés, la nuit, par des pratiques plus violentes propres à d'autres troupes. Dès lors, comment s'y retrouver et se fier à l'interlocuteur militaire, malgré toute sa bonne volonté ?

Debout, la main sur le cœur, le major Pruneau prend brièvement la parole ; ses propos sont traduits par un des interprètes qui, cette fois, ne se cache plus le visage (il estime être en terrain « neutre ») :

« On a besoin de connaître vos idées : faites-les remonter jusqu'à nous par l'intermédiaire du gouverneur de district ou du chef de la police, s'il vous plaît ! On doit savoir de quoi vous avez besoin, pour mieux vous aider. »

Pruneau est écouté dans un silence religieux, mais je ne suis pas sûre que ses propos, même s'ils paraissent simples, soient compris dans le sens escompté. Parce que les individus qui se rencontrent à l'occasion de cette *shoura* ont bien peu en commun et parce que la méfiance règne. On pourrait penser qu'à l'instar des militaires les autochtones souhaitent la défaite et le départ des taliban, mais, ici, en terre pachtoune, dont ceux-ci sont originaires, les hommes qui assistent à la consultation ont tous des accointances, voire des membres de leurs familles taliban. S'ils sont venus ce matin-là, c'est parce qu'ils savent qu'il y a « beaucoup de choses » que les militaires sont prêts à leur donner : avant tout des fonds et du travail. Mais en aucun cas ils ne se sentent tenus de « rendre la monnaie de leur pièce » aux étrangers par des dénonciations ou autres informations. Pour eux, ces militaires restent avant tout des gens d'ailleurs, représentant d'autres civilisations, qui n'ont pas vraiment témoigné de respect pour la leur. S'ils ne saisissent pas leurs motivations, leur prospérité, elle, est évidente. Les Afghans estiment avoir droit à cette manne, ne serait-ce que pour compenser les dommages matériels et psychologiques que subit la population depuis l'arrivée et l'installation de militaires étrangers sur leur sol.

Assis en tailleur aux pieds du major, deux hommes clés : Haji Baran, gouverneur du district, nommé en 2009 par le président Hamid Karzai, et son acolyte, le chef de la police. Pendant le classique chapelet de doléances, tous deux gardent obstinément le silence.

Ce matin, des anciens se plaignent de la piètre situation économique de leur pays et lancent un message indirect aux militaires : occupez nos jeunes, il y a trop de chômage ! Ils exhortent aussi les soldats à les aider à remplacer les panneaux solaires installés par d'autres militaires de la Coopération civilo-militaire (COCIM) canadienne : ces panneaux, extrêmement populaires auprès de la population, sont systématiquement endommagés par des gamins qui n'en saisissent pas l'utilité.

Assis juste en face de Haji Baran, un mollah instituteur profite de l'occasion pour essayer de se faire entendre :

« Les panneaux solaires, c'est une chose, mais il faudrait aussi changer tous les tableaux noirs des écoles, ils sont trop vieux…

— Tais-toi, calme-toi et rassieds-toi ! »

Haji Baran n'est visiblement pas disposé à faire siennes ce genre de récriminations. Prétextant d'autres obligations, il tourne les talons et prend congé, accompagné du chef de la police. Le tout s'est produit si vite que les interprètes, pris de court, n'ont pas même eu le temps de traduire et laissent les Canadiens à leur propre interprétation.

Les militaires auraient-ils commis quelque faux pas ? Haji Baran serait-il vexé ou jaloux du succès des militaires de l'ANA, réussissant, dès leur première *shoura*, à réunir autant de leaders d'opinion ? Pourquoi Haji Baran refuse-t-il de répondre aux plaintes et aux critiques ?

La séance reprend, d'ailleurs sensiblement moins tendue. Quand arrivent la viande de mouton cuite à la braise et les platées de riz, chacun fait silence et se met à manger « à l'afghane », avec les doigts. Seule femme de l'assemblée composée d'une soixantaine d'hommes, je suis servie la dernière (normal), mais j'ai la chance qu'on m'apporte une cuillère.

Pour comprendre l'incident survenu entre le gouverneur de district et l'instituteur, je me faufile jusqu'à ce dernier qui ne cèle pas son mécontentement :

« Je suis peut-être un homme simple et sans pouvoir, mais j'ai une bonne connaissance de la politique grâce à mon éducation ! Lui est un ignare, et ça se voit ! Mais que peut-on faire contre le pouvoir ? »

Je n'en saurai pas plus, car nous sommes en public et l'instituteur doit afficher une certaine réserve.

« Pas question de remplacer le système afghan, mais je suis là pour le seconder », assure le major aux sept ou huit hommes qui font cercle autour de lui après le déjeuner. « On est bien d'accord ?

Donc, j'aide Haji Mahmud [le *malik* de Bazar-e-Panjway] mais je n'agis pas à sa place. »

Ces Afghans sont des entrepreneurs locaux, des « chefs de chantier » employés par l'armée pour creuser des puits, améliorer le système d'irrigation, effectuer tout autre travail considéré comme important pour la communauté. Ils sont venus à cette *shoura* pour faire connaissance avec la nouvelle équipe de militaires canadiens.

« Vous devez convaincre vos jeunes de travailler pour l'Afghanistan, et non pas contre », leur répète le major.

Aucun commentaire ; les Afghans écoutent patiemment, mains croisées sur les genoux, le regard concentré. L'un exprime le désir que les militaires aident à la construction d'un pont systématiquement détruit par les rebelles ; un autre s'enhardit à demander de quel genre de projets les militaires auraient besoin, autrement dit il renverse la question : ce ne seraient pas les Afghans qui attendraient quelque chose des étrangers, mais l'inverse. En tout cas, par politesse ou humilité, telle est sa façon de présenter les choses.

En fait, si ces *contractors* sont là, c'est qu'ils s'inquiètent, et à juste titre, de la fin possible de certains projets. Alors ils viennent aux nouvelles pour en mettre d'autres en route, tant qu'il y a de l'argent.

« Si vous en avez l'occasion, passez-nous un coup de fil pour nous dire où sont ceux qui nous empêchent et *vous* empêchent de mener à bien ces beaux projets ! » ajoute Pruneau devant une assemblée peu loquace, mais certainement soucieuse de ne pas voir s'évaporer la manne financière d'origine militaire. « Les *bad guys* nous gênent ; on a donc besoin de vous pour les éloigner d'ici ! Un coup de fil pour nous en faire part, et on s'en occupe ! C'est votre choix pour le futur ! Pour votre pays ! »

Le major Pruneau distribue même des cartes de visite avec ses numéros de téléphone – sans réaction aucune côté afghan. La séance est terminée, l'assemblée se disperse.

Cette *shoura* illustre bien le cœur du problème : Pruneau n'a pas dit « taliban », mais *bad guys*, expression commune du jargon militaire pour qualifier les « méchants ». Ces échanges rapides et limités entre militaires et locaux (les *contractors* n'ont répondu ni oui ni non à la proposition de Pruneau de dénoncer les taliban, à aucun moment je n'ai d'ailleurs vu l'un d'eux aquiescer aux desiderata des militaires) font apparaître, selon moi, des faiblesses. Ainsi le danger n'est-il pas qu'au vu de cette attitude, les Afghans, quels qu'ils soient, finissent par confondre militaires et dispensateurs d'emplois ? En d'autres termes, ce que les troupes occidentales ont tendance à prendre pour une solution, même temporaire, ne serait-il pas en train de devenir un problème à part entière : après avoir été habitués pendant une dizaine d'années à ne pas vraiment chercher du travail, comment les locaux pourraient-ils modifier leur mentalité ?

Observateurs et réalistes, le major et ses hommes ne sont pas dupes non plus : « Finalement, arrêter des taliban n'est pas notre priorité, affirme Pruneau qui ne souhaiterait pourtant rien tant que dialoguer en direct avec un commandant taleb. Mon seul désir est que nos valeurs, qu'il s'agisse par exemple du droit à l'éducation ou du droit à une justice indépendante, soient de plus en plus partagées par les Afghans. Oui, c'est vrai qu'au lieu de combattre, mes hommes discutent, reconnaît-il, ils discutent même beaucoup ! C'est ça, la guerre aujourd'hui, et ça prend du temps ! »

Ce soir, de retour à la FOB, rendez-vous au poste de commandement, dans la petite salle de réunion du *container* ultra-sécurisé, afin que je fasse part directement aux soldats de mon expérience de la guerre. Une quinzaine d'officiers du régiment de Pruneau et d'autres formations ont répondu présents. Parler devant un tel auditoire m'impressionne plus que n'importe quelle émission en direct, pour ne pas parler des causeries avec des lecteurs, à quoi je suis davantage habituée. Après tout, je ne suis pas antimilitariste, mais mon expérience du côté civil, dans les guerres que je couvre depuis une décennie, m'a confrontée à des désastres concrets liés à ce type d'« opérations », quels que soient les efforts déployés pour les rendre « propres » et exemptes de dommages collatéraux – autant de mythes qui s'évaporent dès qu'on partage le quotidien de ceux qui ont à subir une guerre.

Après la conférence, les langues se délient et notre réunion prend des allures de libre discussion. Ayant choisi de servir leur pays en allant combattre loin de chez eux, en Afghanistan, les militaires ne partagent pas forcément ma position, mais ils se sentent en confiance et donnent libre cours aux questions qu'ils se posent :

« Si nous, militaires, ne prenons pas tout en charge, ça ne fonctionne pas : voilà pourquoi on finit par faire de l'humanitaire ! » avance l'un d'eux à propos de l'épineux problème de l'amalgame entre humanitaire et militaire.

Un autre : « On se sent impuissants, on voudrait aider… »

Un troisième : « A-t-on gagné cette guerre ? Mais gagné quoi ? Qu'est-ce qu'on a vraiment gagné, finalement ? On n'en sait rien… »

Un quatrième, après quelques hésitations : « Je crois que les enfants afghans d'une dizaine d'années, nés au début de cette guerre, ont finalement grandi avec davantage de sécurité, grâce à nous... Si l'on peut faire qu'ils mènent une vie normale tant qu'on est là, leur permettre d'avoir des projets, c'est déjà bien ! »

Un cinquième : « Si on avait un ennemi qui venait nous affronter à la régulière, si je puis dire, mais on a franchi cette étape-là, ce n'est pas du tout comme ça que ça se passe, ici, c'est pas leur façon à eux de combattre... Alors on a dû changer la nôtre pour permettre à la population de vivre en sécurité... »

Un sixième : « Moi, ce qui me gêne le plus, en définitive, c'est que celui à qui tu dis *"Salam aleikoum"*, c'est pt'êt' bien ton ennemi. La vérité, c'est que t'en sais rien, voilà le problème... »

Autant de questions qui trahissent les doutes profonds des soldats de la Coalition, dont plusieurs dizaines de milliers au cours de la dernière décennie ont servi pour combattre un ennemi qu'ils ont rarement eu l'occasion de voir, dans une guerre qui s'éternise et dont les buts, initialement flous, sont aujourd'hui presque devenus un sujet tabou : on ne sait plus ni définir Al-Qaida, ni déterminer la réalité de sa présence dans un pays qui, pour sa part, n'a aucunement attaqué l'Amérique le 11 septembre 2001[1], ni comment sortir la tête

---

1. Parmi les terroristes à bord des avions qui s'écrasèrent sur les tours jumelles de New York, aucun ressortissant afghan !

haute d'une mission en passe de se transformer en guêpier.

Durant cette période de trêve hivernale, les accrochages sont rares et quand des tirs éclatent, les Canadiens n'y répondent pas forcément, afin de briser la propagande des taliban, prompte à pointer du doigt les pertes civiles dues aux ripostes alliées. Ces dernières années, les taliban ont en effet habilement tiré profit de ces « dommages collatéraux », souvent le résultat du travail des forces spéciales qui ciblent les terroristes. On l'a vu pendant la *shoura*, beaucoup ont exigé que les militaires cessent de pénétrer de nuit dans les maisons pour procéder à des arrestations musclées. Mais Pruneau n'y peut rien : à la guerre, chacun sa spécialité ; celle-ci n'est pas de son ressort.

Un autre projet est censé prouver aux locaux que les militaires se préoccuppent de leur sort : la construction d'une route d'une quinzaine de kilomètres entre Bazar et le fond de la « corne de Panjway ». Un peloton entier (40 hommes) est assigné à cette tâche, sous la direction d'Éric Landry, commandant d'un escadron de chars. Quotidiennement, près de 250 hommes – Canadiens, Américains et Afghans – sont à l'œuvre sur cet impressionnant chantier.

« Bien sûr que cette route est avant tout notre voie de ravitaillement, parce qu'on a besoin de la même liberté de mouvement que les taliban ! Mais n'est-il pas beau de construire des infrastructures durables pour que les agriculteurs du coin puissent aller vendre plus facilement leur production au marché ? »

Plutôt volubile, apparemment ravi d'endosser les habits d'un diplomate, mais surtout désireux d'apporter sa pierre à ce qu'il considère comme une *success story*, Landry passe ses journées à parlementer dans les villages pour déterminer le tracé de la route avec les habitants. Secondé par ses équipes civilo-militaires et, si nécessaire, par un avocat militaire qui décidera du montant des indemnités d'expropriation éventuelles, le Canadien souligne qu'il est d'abord de la responsabilité du gouvernement afghan de dédommager les villageois. Cependant, ces derniers préfèrent toujours être payés *cash* par les Canadiens : ainsi sont-ils assurés de percevoir l'argent. Quand il transite par l'administration locale, les montants ne parviennent pour ainsi dire jamais à leurs destinataires.

La somme versée est censée aider les administrés à « préparer leur réclamation » auprès du gouvernement afghan ; en aucun cas, souligne-t-on du côté coalisé, cette méthode ne devrait être perçue par les Afghans comme : « C'est l'Isaf qui paie. » Sauf que c'est justement ainsi que les locaux la perçoivent, d'abord parce qu'ils ne peuvent connaître les arcanes d'une administration lourde et complexe, mais surtout parce que cela leur est bien égal : nos structures n'ayant aucun équivalent chez eux, peu leur chaut de qui ils reçoivent l'argent.

À la lisière du chantier, dans le village de Zangabad, Landry et ses hommes ont identifié une maison servant de cache d'armes aux taliban. Que faire ?

« C'est tentant d'aller les chercher, et je comprends que mes soldats en meurent d'envie, mais ne vaut-il pas mieux continuer à construire notre route comme si de rien n'était, et observer comment les occupants de cette maison vont réagir ? »

Voilà tout l'art de la COIN, appréciée différemment selon les grades.

Éric Landry concède que les taliban retardent son travail, mais assure être en mesure de terminer la route, et celle-ci restera : à ses yeux, voilà tout ce qui compte. Il souhaiterait par-dessus tout que les locaux considèrent, comme lui, que « les taliban ont un agenda contraire au nôtre ». Or, il ne peut pas savoir, ne l'ayant pas assez côtoyée, que la population locale ne raisonne pas vraiment en ces termes : les taliban font partie des locaux, ils partagent leurs valeurs, une même culture, alors que les étrangers, si bien intentionnés soient-ils, resteront toujours des envahisseurs, des gens dotés de valeurs différentes, que les autochtones ne comprennent pas, qui les choquent parfois – autant que les leurs nous choquent.

Ces cyniques jeux d'influence et de pouvoir entre taliban d'un côté, jaloux de ne pouvoir bénéficier des ressources financières distribuées par les militaires à des locaux qu'ils connaissent bien, et ces mêmes locaux de l'autre, rechignant à partager avec eux lesdites ressources, n'échappent pas à l'officier canadien. Il n'ignore pas que l'aide accordée à la population devient un objet de discorde, voire de colère entre les uns et les autres, les querelles s'envenimant et se transformant souvent en batailles rangées d'un groupe contre un autre. En revanche, il ne peut comprendre que même si la population en a assez d'être « prise en otage » par les taliban, elle ne sera jamais totalement ni activement du côté des militaires. Au mieux, cette population ne s'engagera ni d'un côté ni de l'autre : elle tentera de rester neutre, attentiste.

Dans un pays où les infrastructures de base manquent cruellement, une route constitue théoriquement un beau projet. En temps de guerre, c'est un projet décrié : la « zone de sécurité » qui oblige les militaires à élargir de 25 mètres supplémentaires chaque pan de route déplaît aux riverains[1]. Un ruban d'une telle ampleur n'est pas

---

1. Après le passage du général canadien Dean Milner dans la zone (en décembre 2010) cette bande de sécurité sera ramenée à 10 mètres de chaque côté.

habituel dans les campagnes, d'autant que les civils savent fort bien qu'« on ne construit pas des routes comme ça dans les pays occidentaux ». Quant aux questions d'expropriation, donc de dédommagement, dans un pays sans cadastre, elles sont aussi innombrables qu'insolubles…

Emblématique et extrêmement visible, le projet a rapidement été « récupéré » par les taliban, dont l'obsession est d'en ralentir la construction. Malgré l'impressionnant dispositif de sécurité mettant à contribution des chars d'assaut et de déminage Léopard 2 et des ingénieurs lourdement armés, de jour comme de nuit, des insurgés viennent poser leurs explosifs, anticipant le tracé de la voie. Ils se trompent rarement, preuve qu'il sont bien informés. Résultat : le chantier avance au ralenti.

D'autant que, même si les caméras à bord de ballons dirigeables révèlent à toute heure la moindre intrusion sur le chantier ou à ses abords, l'observation en temps réel, qui pourrait se traduire par une réaction immédiate, pâtit de la rigidité des règles d'engagement de plus en plus strictes dans le but de tuer le moins possible de civils. Cela se traduit dans le quotidien des bidasses par l'obligation de demander l'autorisation pour tout. Les armées occidentales perdent du temps, l'ennemi le sait, il en tire parti en s'enfuyant ou en instrumentalisant des civils. Je comprendrai mieux les implications concrètes de cette situation après un incident considéré comme fréquent. Une nuit, le major Pruneau est réveillé sur le coup de 4 heures du matin. Si ses subordonnés ont pris la décision de venir interrompre son sommeil, c'est qu'ils ont repéré un danger. En amont du chantier, quatre individus mènent une activité suspecte : tandis que deux d'entre eux creusent à l'aide de pelles, puis reculent, tendant nettement des fils, deux guetteurs veillent. Les quatre hommes sont à l'évidence des insurgés surpris en flagrant délit de pose d'IEDs ; en aucun cas ils ne peuvent être confondus avec des agriculteurs travaillant nuitamment dans leurs champs[1]. Aussitôt, les deux sections les plus proches sont dépêchées sur place pour les encercler. Mais peut-on ouvrir le feu, quand et comment ? Les décisions doivent être prises d'autant plus vite que les quatre individus ont déjà eu le temps de se réfugier dans une maison du village. Un rapport est envoyé à l'échelon supérieur à KAF[2] (Kandahar Airfield), où l'on jugera de l'opportunité d'une frappe aérienne. Cela prend du temps – le temps, justement, pour les

---

1. En Afghanistan, les familles les plus pauvres et/ou les moins influentes ont, en saison, leur tour d'irrigation de nuit dans les conduits *(karez)*. Les militaires ont appris à les distinguer des insurgés éventuels.

2. Kandahar Airfield, base arrière où se situe l'état-major canadien. Cf. chap. 10 « Drôle de zone de guerre », p. 261.

fantassins, de remâcher leur frustration : alors que des ennemis pourraient être arrêtés, voire supprimés, on tergiverse ! Mais c'est qu'avant d'envoyer l'ordre de feu, les officiers impliqués doivent vérifier un certain nombre de paramètres avec les tout-puissants *lawyers* qui les accompagnent. Dans ce cas précis, ordre a été donné de ne rien engager, la proximité de civils étant avérée. C'est finalement une unité de l'ANA qui est autorisée à pénétrer dans la maison, puisque désormais le président Karzai a décidé que les armées étrangères ne pouvaient plus faire irruption à leur guise dans les foyers afghans. L'unité en question parvient sur les lieux quelques heures plus tard pour constater que les suspects se sont envolés...

Cette réglementation des engagements est à double tranchant : son existence résulte des trop nombreuses bavures commises auprès des civils afghans, qui les ont d'autant plus montés contre les troupes étrangères que les taliban sont aussi prompts qu'habiles à faire de ces « incidents » le cœur de leur propagande ; mais, en même temps, ces règles révèlent aux insurgés l'évident point faible des Occidentaux. Ils savent parfaitement comment se comporter pour qu'on ne leur tire pas dessus, l'exemple le plus commun étant celui, maintes fois rapporté par les soldats, du tireur isolé qui, après avoir envoyé sa rafale, pose son arme à terre. Théoriquement, les coalisés n'ont pas le droit de faire feu sur un homme non armé.

Entre eux les militaires commentent et comparent souvent leur situation avec celle du théâtre d'opérations irakien. Des soldats – principalement américains – dont c'est le second, voire le troisième ou quatrième séjour en terre afghane, sont souvent passés par l'Irak. Tous rapportent que « ça tirait plus avant, il y avait moins de retenue ». Comme si, en Irak, c'était finalement plus facile, parce qu'« on se cachait beaucoup moins derrière ces pseudo-garde-fous ; c'est d'ailleurs pour ça qu'on a moins perdu d'hommes là-bas qu'ici », entend-on souvent. Tous ces soldats souffrent d'être considérés en Afghanistan comme des perdants, et paraissent frustrés qu'on les empêchent de « travailler ».

Ce matin, nous partons pour la « maison de peloton[1] » de Nejat, position défensive tenue par une quarantaine de Canadiens, assistés de trente soldats de l'ANA, dans une école abandonnée juchée sur une hauteur, à quelques kilomètres au sud-est de la FOB de Masum Ghar. Le sergent Martin Croteau, 38 ans dont vingt d'armée, nous accueille. Parmi la poussière en suspension perma-

---

1. L'acronyme anglais est COP pour *Combat Outpost*, ce genre de poste avancé est beaucoup plus petit qu'une FOB.

nente dans ce fortin, derrière des remparts de sacs Hesco[1], j'ai la surprise et le plaisir de faire la connaissance d'un lecteur : Martin se rappelle avoir lu *Chienne de guerre*[2] en format poche il y a des années, parce qu'il s'intéressait à la « sale guerre » de Tchétchénie. Ici, avec cinq personnes sous ses ordres, dont une jeune femme d'à peine 20 ans, auxiliaire médicale, il est chef de section. Franche poignée de main, sourire en coin, voix grave au débit saccadé, Martin me fait ses confidences : dès que Pruneau a le dos tourné, il cogne sur la COIN. « Nous autres soldats, on s'en fout, de la COIN ; ce qu'on veut, c'est du combat, de l'engagement… Mais y en a pas !… » Il m'avoue aussi qu'« heureusement les gars d'en face ne viennent pas du Caucase, ça serait autrement plus dur… », exprimant à sa façon son peu de respect pour cet ennemi invisible qui ne monte même pas au combat.

Martin n'est pas non plus certain de l'aptitude à la guerre des soldats de l'ANA qui passent leurs journées affalés derrière leurs armes automatiques de facture soviétique, à l'intérieur du

---

1. Les sacs Hesco, du nom de leur fabricant, sont une constante du nouveau paysage afghan. Utilisés comme protection à la place des anciens sacs de sable, ce sont de gros sacs cylindriques de 1,50 m de hauteur sur 1,25 m de diamètre, recouverts d'un épais grillage permettant de les relier entre eux. Ils sont remplis d'un mélange de cailloux et de terre et sont généralement empilés les uns sur les autres.

2. Fayard, 2000, Le Livre de Poche, 2001.

poste d'observation qui surplombe l'école ; des soldats qu'il est obligé de côtoyer au quotidien sur le COP, mais avec lesquels ne se crée finalement aucune relation durable. Quant aux rapports avec sa hiérarchie, ils correspondent au nouvel état d'esprit qui tend à prévaloir au sein des armées professionnelles : si le gradé continue à décider et reste responsable, les soldats du rang apportent, eux, leur propre expérience devant laquelle s'incline le plus souvent leur supérieur.

Toutes les patrouilles mélangent soldats canadiens et hommes de l'ANA, car ces derniers n'oseraient de toute façon pas sortir seuls, estiment les mauvaises langues. La composition de cette armée naissante laisse en effet encore à désirer : rares sont les recrues d'ethnie pachtoune, le gros des effectifs étant composé de Tadjiks et de Hazaras qui se sentent autant en sécurité sur ces terres du Sud que nous autres étrangers sur cette COP. Le commandant afghan de l'ANA admet même devoir les forcer à se mélanger : « Sinon, mes hommes resteraient confinés dans leur groupe ethnique. »

« Quand on prévoit d'envoyer une patrouille dans les villages situés au nord et au nord-ouest, qui nous sont le plus hostiles, les Afghans déclarent préférer aller, eux, en direction du sud ou du sud-est, comme par hasard du côté de leurs voies de ravitaillement, là où rien n'est à signaler... », relatent les Canadiens de Nejat, quelque peu agacés par ce manque d'implication patent. Aux Afghans qui affichent leur refus de se frotter au danger des IEDs les Canadiens répliquent que c'est une raison de plus de se montrer et d'affirmer par là sa supériorité.

Ancien chef de section de feu, le commandant afghan de la COP, vingt ans de métier, est un Pandchiri, comme son héros Ahmed Shah Massoud, assassiné le 10 septembre 2001. Ce matin, il a invité le major à prendre son petit déjeuner dans ses quartiers, une vaste pièce à l'autre bout de l'ancienne école. Selon mes interlocuteurs canadiens, les relations hiérarchiques au sein de l'ANA sont restées ce qu'elles étaient il y a quelques décennies dans les armées occidentales : la déférence à l'égard du gradé est de rigueur. Par exemple, si le major Pruneau, en visite sur la COP, s'est installé pour dormir dans une chambrée là où on lui a simplement trouvé une place libre parmi les lits de camp, du côté afghan en revanche il est exclu que le supérieur dorme au milieu de ses subordonnés.

Un aide de camp déroule une toile cirée à même le sol et nous sert des œufs au plat et du pain frais. Nourris à la ration militaire pendant toute la durée de leur rotation sur la COP, les Canadiens sont enchantés[1]. C'est là une différence notable entre armées étrangères et locales : si les premières importent tout de l'extérieur de l'Afghanistan, y compris l'eau en bouteilles qui vient directement de Dubaï, militaires afghans et interprètes, eux, font sans problèmes leurs emplettes sur les marchés locaux et confectionnent leur tambouille sur des réchauds dans leur chambrée. Cela leur procure deux avantages : la consommation de produits frais et la possibilité − atout non négligeable − de converser avec les autochtones. Pas très à l'aise dans ce fief pachtoune, le commandant assure que « la population locale est ici plus proche des taliban que nous ne le sommes des étrangers... » − ce qui, en soi, n'est pas vraiment rassurant.

À 20 heures, dans le minuscule PC, sans doute l'ancienne « loge » du gardien de l'école, les trois sergents se pressent au rapport, animé par le lieutenant Jeff. On y présente un résumé de ce qui a été trouvé au cours des patrouilles − ce jour-là, des caches d'armes avec munitions de calibre 115 mm, qui ont été explosées sur place − et on détaille le

---

1. Sur les COP, les Canadiens consomment des rations mais sur les FOB un cuistot, également médecin, prépare des repas chauds. Au petit déjeuner, j'ai ainsi pu me régaler de crêpes au sirop d'érable.

déroulé de ces mêmes patrouilles : tous les interlocuteurs ont été photographiés, ce qui n'est le cas qu'en terrain particulièrement hostile, comme dans le village voisin de Haji Habibulla. Consciencieux, le major revient sur les principes d'action :

« Il nous reste cinq mois jusqu'à la supposée offensive de printemps ; c'est juste assez pour comprendre leur façon de fonctionner, poursuivre nos projets de développement tout en nous défendant, bref, faire souffler un vent d'espoir sur ces villages qui ne veulent pas de nous... »

Plus facile à dire qu'à faire !

Fin du rapport : comme tous les soirs, pour détendre l'atmosphère, Jeff propose une page de quizz sur le hockey ! Pour quelques instants, on change de monde...

Le lendemain soir, rentré sur sa FOB, le major pourra suivre en direct, sur ses écrans de contrôle, grâce aux caméras infrarouges du dirigeable d'observation flottant au dessus de la FOB, la patrouille de nuit de Nejat opérant dans ce fameux village d'Haji Habibulla. Pour une fois, rien à signaler.

Dans les mois qui ont suivi mon départ, j'ai tenu à garder le contact avec le sergent Martin qui m'a envoyé quelques courriers électroniques. Martin a le mérite de l'honnêteté : il s'est engagé pour l'argent. Grâce aux 88 000 dollars canadiens annuels (primes comprises[1]), sa femme et ses trois enfants sont à l'abri du besoin, et sa maison, dont il est propriétaire, est presque terminée. Ce rapport lucratif à la guerre, il n'a aucun mal à le comprendre chez l'ennemi : « Si nous, on y va pour l'argent, pourquoi les taliban seraient-ils différents ? » Voici quelques extraits de ses courriels.

« Nous nous rendons régulièrement à Haji Habibulla, et les IEDs, on en trouve plus que jamais ! Nous avons hâte que les insurgés reviennent, nous avons quelques messages à leur faire passer ! La population est un peu fâchée, car nous avons arrêté un jeune du village, on pense qu'il était un *early warning system*[2], mais, avec nos lois canadiennes, il sera relâché sous peu.... Je ne te dis pas ce que nous aurions aimé faire avec, même si, en définitive, on ne l'aurait sûrement pas fait quand même : après tout, c'est nous les gens civilisés − en tout cas, j'ose l'espérer ! »

Sur ce COP comme partout ailleurs se pose en effet le problème des prisonniers. Qu'en faire ? Pour les coalisés, le « doute raisonnable » suffit, la preuve en ayant été rapportée par un test positif sur les mains. Reste qu'une fois transférés aux

---

1. Cette somme correspond à environ 4 700 euros mensuels.
2. « Système d'alerte précoce ». En clair, il s'agissait d'un guetteur.

autorités afghanes, nul ne sait au juste ce que ces détenus deviennent, ni comment ils sont traités. Parfois, ce doit être si dur qu'ils rechignent à quitter les geôles canadiennes, ce qui a nourri l'amorce d'un débat dans les médias canadiens. D'autres fois, souvent même, ils s'évanouissent dans la nature.

Plus tard : « Il ne se passe pas grand-chose. On trouve de moins en moins d'IEDs. Une semaine sans IEDs, pour nous, c'est beaucoup ! À part ça, c'est plutôt tranquille, on fait de temps en temps des prisonniers, je ne sais vraiment pas quoi en penser, je me demande s'ils sont coupables ou non, en tout cas ils n'ont pas l'air très dangereux, mais bon... On ne fait plus de patrouilles de nuit. L'ANA va peut-être effectuer davantage de patrouilles toute seule ! On a des doutes là-dessus, mais on verra ! Bon, la mort de notre camarade[1], cela s'est un peu tassé ! Avec le temps, tout passe ! Mon bataillon a déjà reçu son préavis pour revenir en 2012 ! Tu imagines, si on est encore ici ! Nom de Dieu, ils sont fous ! Mais, normalement, pas de problèmes : ce sera à Kaboul, *inside the wire*[2], donc pas si pire ! Du mentorat... Peut-être que ma famille va me dire : "Hé, le gros, tu restes à la maison !" À part ça, j'ai du moral à revendre !

---

1. Il s'agit du caporal Steve Martin, décédé après avoir marché sur un IED.

2. « À l'intérieur du barbelé » de la base.

Quand tu reviendras, il y aura peut-être eu beaucoup de changement ! Des plans sont en cours, à cause du *rip*[1] avec les Américains, *so*, peut-être que tu verras tout ça sous un jour différent ! Ils ne font pas le même *CIMIC*[2] que nous !

« ... Nous avons repris les patrouilles de nuit, mais, présentement, les habitants ne sortent pas beaucoup. Les villages sont tous différents. Par exemple, à Saidan Kelacha, ils ne sont pas hostiles, mais à Haji Habibulla ils le sont, je ne sais pourquoi, ça doit dépendre du *elder* ou du *power broker*[3]. C'est comme si chaque village avait sa propre identité. Nous avons mené des opérations dans le secteur de Nejat et avons trouvé des masses de choses aux alentours, toute sortes de trucs pour fabriquer des IEDs. À part ça, c'est assez tranquille pour le moment, l'été revient peu à peu et il me reste un mois et demi avant les vacances, *so*, j'ai vraiment hâte, d'autant qu'on mange encore des rations.

---

1. *Relief in place*, « relève sur place », opération commune chez les militaires par laquelle une force en remplace une autre pour telle ou telle raison.

2. CIMIC, acronyme anglais : *Civil Military Cooperation*, « coopération civilo-militaire » (COCIM).

3. *Elder* : « ancien » ; *power broker* : « celui qui détient les clés du pouvoir ». Les Canadiens francophones emploient de nombreuses expressions anglophones, surtout dans le jargon militaire.

« ... Depuis que je suis ici, je prends les choses plus à la légère, je ne me fais plus des montagnes d'un rien ! La chaleur est revenue. Nous avons effectué du nettoyage dans les champs environnants, cet hiver nous y avons trouvé plein de choses, des *guns*, des explosifs divers en quantité industrielle, *so*, les *ins'* [insurgés] doivent être fâchés ! Dans les villages, l'atmosphère est différente, plus lourde, je dirais, et notre pourcentage de blessés augmente, ici comme dans les autres régions. C'est fou comme les *news* n'en parlent pas. Vraiment, on voit juste Karzai nous fustiger ! Pour ma part, si mes gars font des blagues en patrouille, pour ma part, je suis un peu sur les nerfs : c'est moi qui décide du chemin à prendre, et j'ai leur vie entre les mains, c'est dur !

« Dans les villages, les gens nous parlent moins, c'est tout. Pour les blessés, c'est à cause des IEDs. Combien de blessés ? Je ne pourrais pas te le dire avec précision. Dans notre région, on a trouvé des caches d'armes importantes. Après, on fait exploser le tout ! Peut-être que nous avons déstabilisé leur système d'approvisionnement, qui sait ? Nous n'avons pas encore eu de vrais engagements directs, mais, dans le bazar, en ville, il y a des coups de feu quasiment tous les soirs ! »

Sur sa base, le major Pruneau tente de me convaincre que « ça fonctionne ». Il se raccroche à ce qu'était la situation lors de son premier passage, quand l'armée afghane était pratiquement inexistante, la police également. « Aujourd'hui, ça avance cahin-caha, mais ce que je voudrais, c'est qu'après notre départ les gens continuent à tout le moins à vivre comme maintenant. »

Simple vœu pieux ? En bon militaire, Pruneau estime qu'en tout cas ça vaut le coup d'essayer. Comme me l'a soufflé un des interprètes de la compagnie, les militaires canadiens « font certainement la différence, parce qu'ils savent tirer les leçons des erreurs commises par les Américains et essaient de ne pas les renouveler ». Cette bonne volonté sera-t-elle suffisante pour convaincre une population du Sud apparemment encore proche des valeurs talibanes ?

Rien n'est moins sûr.

Malgré tout, ces militaires sont fiers de leur mission, satisfaits de désamorcer des bombes, heureux de se révéler capables de parler à une population « hostile » à qui ils se montrent sous un jour moins agressif. Mais, pour ce qui concerne le « cœur » de leur mission en Afghanistan, personne ne peut les empêcher de se poser des questions.

« Nous, on ne veut pas courir après l'ennemi, d'autant moins qu'il est ici invisible ; on veut convaincre les gens », insiste Pruneau.

Justement : les gens, que pensent-ils de ces milliers de militaires étrangers qui se sont succédé sur leurs terres ? Font-il la différence entre les nationalités ? Que saisissent-ils au juste de cette fameuse théorie de la contre-insurrection ? De l'autre côté du miroir où je m'en retourne, vêtue telle une Afghane, rien non plus n'est clair...

# 2

## DE L'AUTRE CÔTÉ DU MIROIR

### *hiver 2010*

*Retrouvailles en terres pachtounes — Un autre son de cloche côté afghan — Dans l'intimité d'un fils de qâzi — Parmi les Afghans du marché de Bazar-e-Panjway — Où un taleb me sert la main.*

J'ai passé ma dernière nuit dans la tente des journalistes. Ce matin, je dois rejoindre Ahmed que je n'ai pas revu depuis cinq ans. Passer de l'autre côté du miroir, aller vivre dans le « vrai » Afghanistan, celui que les militaires de KAF ne verront jamais et ne souhaitent sans doute pas connaître.

*Exit* les Pataugas, le pantalon beige ceinturé à poches multiples et la panoplie de protection qui me transformait en Robocop miniature ; du fond de mon sac, je sors une tunique vert pâle à manches longues, au jabot brodé de rouge et brun, un pantalon bouffant et le large voile assorti. J'enfile des chaussures aux talons ouverts, ce qui permet de les ôter plus rapidement. Quel plaisir de retrouver ces habits !

L'officier chargé de me conduire sur le tarmac de l'aéroport (quitter KAF n'est pas si simple) n'arrive même pas à concevoir que je puisse rester dans ce pays :

« À quelle heure est votre avion ?

— Quel avion ?

— Ben, votre avion pour l'Europe.

— Mais... je n'ai pas d'avion !

— Vous allez où alors ? »

Grande est sa perplexité quand je lui explique qu'un ami afghan doit m'attendre juste de l'autre côté de l'aéroport : côté civil, côté afghan. « Vous êtes sûre ? me demande-t-il à trois reprises. Vous savez ce que vous faites ? » C'est comme s'il avait oublié jusque-là l'existence du pays qui se nomme Afghanistan. La zone « Arrivées » de la partie civile, réduite à la portion congrue, est inaccessible à ceux qui viennent chercher des passagers. En voiture, si vos accompagnateurs ont réussi à franchir les barrages de l'ANA et de la société privée chargée de fouiller les voyageurs, ou bien à pied, il vous faut rejoindre l'issue de l'aéroport, située quelques centaines de mètres plus loin. Mon lourd sac de sport sur l'épaule, en tenue afghane, voilée mais sans *châdri*, je me dirige vers ce poste de sortie. Ahmed est censé m'y attendre en voiture sur un parking, mais je n'en suis pas trop sûre. Il m'a confirmé sa venue ce matin par texto, mais rien depuis lors ; j'espère avoir eu raison de lui faire confiance.

Je marche lentement, savourant ce moment unique du passage de l'autre côté, en terre connue – en terre afghane. C'est la première fois que je passe d'un « camp » à l'autre. Ce matin, me voyant habillée en locale, Murray et Doug, deux journalistes canadiens, m'ont serrée dans leurs bras. Eux ne se sont jamais retrouvés au sein de la population locale. Ils envient ma liberté.

Il est là. De loin, je distingue un homme de haute stature qui se dirige vers moi. Même démarche, même port altier. C'est lui, Ahmed, fidèle au poste. Nos regards se croisent, je suis si heureuse de le revoir et de pouvoir compter sur lui ! Mais il faut cacher sa joie, rester discret, surtout ne pas s'épancher. Ahmed se saisit de mon lourd fardeau et m'ouvre la porte arrière de son véhicule. Nous avons mis au point le scénario suivant à sa demande : tandis qu'il conduit, Ahmed m'appelle sur mon portable et m'annonce clairement qu'il ne peut m'emmener chez lui, mais a tout préparé à mon intention à la *guesthouse* Continental. Je lui assure que c'est parfait. Une fois raccroché, nous sommes pris d'un fou rire. « On est ainsi plus tranquilles par rapport à ceux qui éventuellement nous écoutent », explique-t-il. Je ne vais pas chercher plus loin : l'important est qu'Ahmed soit là et qu'il me ramène justement chez lui.

À côté de moi, un sac en plastique dans lequel je sais qu'est plié un *châdri* bleu. Dès le dernier poste de contrôle, une fois les abords de l'aéroport franchis, sur la très encombrée voie d'accès à Kandahar, il me demande de l'enfiler : pour ma propre sécurité, mais surtout pour la sienne, afin que personne ne le voie en compagnie d'une étrangère.

Nous nous engageons toujours plus profondément vers le centre-ville, dans un quartier pro-taliban où Ahmed ne pourrait pas même passer la nuit s'il était salarié d'une organisation gouvernementale. Il stoppe le véhicule juste devant son portail. Plus loin, c'est une impasse. Il me faut ouvrir la portière, descendre, puis, l'air de rien, enjamber un petit canal asséché, enfin m'engouffrer derrière la porte ouverte par une de ses filles qui la referme prestement sur moi.

Je connais Ahmed depuis huit ans. Après avoir réussi à le faire venir en France à la fin 2006, il s'en était retourné dans le Sud afghan où il occupait une fonction administrative dans une mairie, puis... il avait disparu ! Je m'étais fait pour lui un sang d'encre, passant en revue toutes les éventualités. J'en étais même presque venue à croire qu'il avait été assassiné, victime de sanglants règlements de comptes entre tribus. En fait, le gouverneur avec lequel il travaillait avait été remercié par Karzai pour de sombres et classiques histoires de corruption. Par solidarité, Ahmed avait suivi. Aidé par la diaspora afghane des Émirats, pour se faire oublier il s'était installé à Dubaï comme marchand de tapis, et n'était revenu à Kandahar qu'après les débuts de la crise financière internationale qu'Ahmed appelle tout bonnement « globalisation ».

Ahmed est issu de la tribu Ghilzai d'où viennent tous les taliban, y compris leur leader incontesté, le mollah Omar. Il me l'a avoué aujourd'hui, alors qu'en 2003, lorsque nous avions fait connaissance, il avait prétendu être un Popalzai, comme Hamid Karzai, le président fraîchement élu. Se présenter comme tel évitait alors bien des problèmes car, comme il me le rappelle finement, à l'époque les taliban n'étaient plus vraiment en odeur de sainteté. Maintenant que la situation a changé – elle s'est même retournée, selon lui –, il n'a plus aucune hésitation à afficher son appartenance réelle, alors que l'ensemble des Pachtounes éprouve même davantage de déférence envers les Ghilzai.

Dans la maison de ville aux pièces sans mobilier, je retrouve la mère d'Ahmed, sa femme, ses quatre filles et deux garçons en bas âge. Une chambre est occupée par la vieille mère, une autre par lui et son épouse, une dernière par tous les enfants : c'est la seule actuellement chauffée, où tous se regroupent autour du poêle servant également de chauffe-eau. À l'entrée du bâtiment se trouve la pièce pour invités dans laquelle je dormirai sur un matelas déployé à même le sol. Elle est agrémentée d'un chauffage au gaz et de deux épaisses couvertures *made in China*. Devant ma porte se dresse un haut tas de racines sèches et noueuses : le combustible pour tout l'hiver (les trois mois de décembre à février). Je n'y vois aucune bûche, faute d'arbres dans la région.

Vers la mi-journée, au moment où le soleil est au plus haut, après que les filles sont revenues de l'école une fois le déjeuner pris, on cesse de nourrir le poêle pour monter sur la terrasse − en fait, le soubassement d'un éventuel deuxième étage jamais construit. La femme d'Ahmed y jette une natte, des coussins et apporte le berceau garni d'une couverture pour son nourrisson aux yeux soulignés de khôl. Le soleil est chaud, mais l'ombre plutôt fraîche. Ahmed et moi savourons de succulentes grenades − même si c'est la fin de la saison − à la cuillère à soupe dans une assiette creuse.

Ahmed est fils d'un *qâzi*[1] qui a disparu en 1980, peu après l'arrivée des troupes d'occupation soviétiques. Sous le règne de Zaher Shah[2], ce fonction-

---

1. Juge religieux.
2. Zaher Shah a régné de 1933 jusqu'au coup d'État du 18 juillet 1973.

naire avait procédé au partage des terres dans la région voisine du Helmand alors peu peuplée. L'ennemi déployé et implanté, le juge n'avait pas hésité à faire de la propagande anticommuniste. Il voulait que ses compatriotes comprennent à quel point, avec les Soviétiques, valeurs traditionnelles et religion seraient désormais en péril. Rapidement, le *qâzi* a disparu sans laisser de traces. Son nom ne figure sur aucune liste, mais Ahmed est convaincu qu'il a été enterré vivant. À l'époque, ce genre de fin tragique était courant pour les opposants au nouveau régime : un peu de terre était déversé sur une fosse commune, et le tour était joué. Son épouse, la mère d'Ahmed, l'a attendu pendant une quinzaine d'années, puis s'est fait une raison. Ne subsistent de ce père que quelques photos en noir et blanc d'un homme de haute taille, en complet à l'occidentale, sans turban. Aujourd'hui encore, d'un paysan local qui n'a pas oublié avoir reçu gratuitement son lopin sans nul besoin de refiler le moindre pot-de-vin, Ahmed reçoit chaque année quelques cageots de grenades du Helmand, rouges et juteuses à souhait. Et si lui-même sait que quelques champs lui appartiennent en ces lointaines contrées, sa mère est bien en peine de se remémorer où. Pauvre et illettrée, elle a survécu grâce à la solidarité familiale avec trois filles et un seul garçon – Ahmed. Aujourd'hui, elle vit chez son fils avec sa belle-fille, les quatre filles d'Ahmed (de 15 à 7 ans) et ses deux garçons (5 ans et demi et à peine quelques mois) dont l'arrivée a sauvé l'honneur de la famille, jusqu'alors sans descendant mâle. Ahmed, qui n'a pas d'emploi fixe, doit nourrir quotidiennement huit bouches ; il sait qu'en cas de malheur nul ne viendra en aide à sa famille, en tout cas pas l'État. Pour améliorer son anglais, quand la télé marche, il regarde CNN et la BBC.

Dans la région frontalière de l'Iran où il était en poste, Ahmed se souvient d'avoir été pris en permanence entre deux feux. Son gouverneur, revenu d'exil en Europe, figurait sur la liste noire des taliban. Ahmed ne cessait d'intercéder en sa faveur pour qu'il ne soit pas tué. « Grâce à moi, indique-t-il, ce type pouvait se promener dans les villages les plus reculés sans être inquiété... » En échange, Ahmed avait promis aux taliban qu'ils ne seraient ni arrêtés, ni même inquiétés sur leurs terres où les forces de la coalition internationale n'étaient d'ailleurs pas déployées.

La situation d'Ahmed est complexe : trop âgé (il pense avoir atteint la quarantaine), et trop éduqué pour la plupart des emplois au service des étrangers, il lui est également difficile de s'exposer dans des structures gouvernementales. Sympathisant des taliban (dans les années 1990, il occupait un poste subalterne local dans l'administration taleb), il n'a cependant jamais fait de mal à une mouche et peine à comprendre l'idéologie djihadiste, qu'il considère comme bornée, de la jeune génération de taliban proches d'Al-Qaida, tels ses deux neveux que rien n'arrête, dit-il. L'un d'eux passe la majeure partie de son temps à entraîner d'autres jeunes au Waziristan, dans les zones tribales pakistanaises. Et tous deux se fichent éperdument de la variable tribale, prétendant combattre uniquement au nom d'Allah : « Pour eux, c'est un jeu, une occupation comme une autre. Ils ne pensent qu'à poser des IEDs et à mettre au point des attentats-suicides... » Or Ahmed estime que ce ne sont pas les taliban qui constituent une menace, mais plutôt le « réseau Haqqani[1] », du nom de Jalauddine, le père, ancien moudjahid respecté qui fut un temps l'homme des Américains, pendant l'invasion soviétique, et Sirajuddine, le fils, jeune chef de guerre ultra-expérimenté. Ahmed me confirme qu'ici, dans le Sud afghan, chaque district possède un gouvernement parallèle composé de taliban qui n'interviennent pas militairement, mais discrètement, en sachant gagner la confiance de la population. « Gagner les cœurs et les esprits » n'est pas un défi propre aux seuls étrangers !

---

1. Faction taleb autonome et transfrontalière opérant depuis les zones tribales du Pakistan.

Le lendemain, nous partons pour Bazar-e-Panjway à bord d'un taxi emprunté à un de ses amis : c'est plus sûr, et ça attise moins la curiosité qu'un véhicule privé. Ahmed est au volant, je suis assise sur la banquette arrière, dissimulée sous mon *châdri*, et nous nous arrêtons pour prendre en stop le plus de femmes possible accompagnées d'enfants, afin que notre véhicule soit moins exposé à être arrêté aux points de contrôle. Ça marche : en presque une heure de route[1], j'ai rejoint Bazar, au pied de la FOB canadienne où je viens de passer dix jours.

Sur le marché central, nous retrouvons dans son arrière-boutique un vendeur d'épices ami d'Ahmed. Besmellah, 35 ans, appartient à la même tribu pachtoune, il a de la famille en commun avec Ahmed, ce qui garantit notre sécurité. D'emblée le commerçant claironne que la façon de faire des Canadiens « ne résout pas les principaux problèmes. On n'a pas besoin d'armée ou de police, ce ne sont pas des priorités, ce devrait être mis en place plus tard, quand notre pays ira mieux. Ce qu'il nous faudrait, en revanche, ce sont des experts en agriculture ! » peste-t-il. Et aussi que les étrangers cessent de construire des *kichmichkhanas* (bâtiments en pisé destinés à faire sécher le raisin

---

1. Ce qui correspond à dix minutes de vol en hélicoptère pour les militaires qui ne déplacent jamais leurs troupes par voie terrestre.

dans les champs) pour offrir aux autochtones des machines automatisées. Ainsi, après le départ des étrangers, certaines infrastructures leur survivraient. « Pour l'électricité, même chose : au lieu de verser à la centrale de Kandahar des tonnes d'argent, qui disparaissent dans les poches des fonctionnaires, ils feraient mieux de nous bâtir un beau barrage ! » J'ai beau évoquer les millions de dollars canadiens investis dans le barrage de Dahla, une impressionnante construction sur un plateau situé au nord-ouest de Kandahar[1], il n'en démord pas : il ne s'agit là que d'une réhabilitation, pas d'un nouvel ouvrage.

En gros, ce que souhaite ce commerçant, c'est une aide à la modernisation de son pays, non une aide humanitaire souvent mal perçue, voire inappropriée. Comme beaucoup, Besmellah redoute les IEDs posés nuitamment par des taliban, il a peur d'en être la cible fortuite. « Si l'État nous soutenait pour mener une vie normale, les taliban partiraient » – car les taliban sont, selon lui, faibles et forts à la fois : ils n'ont pas les forces et l'équipement des étrangers, mais ils se fondent parmi la population. Se sent-il au moins protégé par les militaires sur son lieu de travail ? « Non, c'est justement leur présence qui

---

1. Le Canada a investi plus de 36 millions d'euros dans la réhabilitation de ce barrage ainsi que dans 74 kilomètres de canaux connectés à la rivière Arghandab. L'ouvrage avait été initialement bâti en 1956 par les Américains.

nous met en danger. Des combats peuvent éclater à tout moment, c'est là notre hantise... »

Plus tard, nous avons rendez-vous avec Rahmatullah, 45 ans, un entrepreneur local que je reconnais pour l'avoir croisé trois jours plus tôt à la *shoura* des militaires. La discussion aura lieu chez lui à l'abri des regards. En privé et en présence d'Ahmed qui le connaît bien (ils sont également liés par des liens tribaux), l'homme tient un discours qui a le mérite de la franchise : « C'est vrai, les Canadiens nous paient bien, mais on doit partager avec tous les autres, le chef de la police et ses intermédiaires. Sinon, ils peuvent créer des problèmes, comme par exemple brûler ma voiture, ou, pire, me dénoncer aux militaires comme sympathisant taleb ou poseur de bombes ! » Les trois sources de pouvoir réclament leur part : le conseil tribal des anciens, la police, le représentant du village au niveau du district.

C'est clair, les causes du bourbier afghan sont d'origine financière : tous les acteurs locaux, que ce soit sur la scène économique, politique ou militaire, sont corrompus, mus par l'appât du gain. « Je le répète : nous, on est plutôt contents des Canadiens, on pense qu'ils sont là pour nous aider, mais le véritable problème vient des autorités locales. Les politiques nous disent qu'ils ont pris le risque de se faire nommer dans nos régions dangereuses du Sud et qu'en conséquence on n'a pas le choix :

on doit les payer ! Et nous autres, on a besoin d'eux pour avoir accès aux jobs des Canadiens ! » soupire-t-il en évoquant l'infernal cercle vicieux.

Cet homme reconnaît employer des taliban parmi ses ouvriers – bien sûr à l'insu des Canadiens. Combien ? Il ne le dira pas, mais cela n'a pas l'air de le gêner. Certains seraient de simples poseurs de bombes (ils travaillent le jour pour les Alliés, et la nuit enfouissent leurs engins meurtriers), d'autres, issus du Pakistan voisin, sont envoyés par l'intermédiaire des puissants réseaux de la *shoura* de Quetta, encore formellement – bien qu'il n'y ait pas été vu depuis fort longtemps – dirigée par le très influent mollah Omar. Ceux-là s'installent parfois pour une période déterminée – deux, voire trois mois – et les autochtones n'ont d'autre choix que de les héberger, d'abord parce qu'ils respectent le *pachtounwali* – le très strict code tribal pachtoune qui oblige à l'hospitalité –, mais surtout parce qu'en cas de refus ils risquent de passer pour des espions à la solde des étrangers. Même les taliban locaux les redoutent : « Les taliban ont peur des bombardements aériens, ils se retranchent derrière la confection d'IEDs, relativement simple et plus pratique que les attentats-suicides où ils perdent des hommes..., confie Rahmatullah. Les étrangers auront beau se battre autant qu'ils voudront, ça ne changera rien : le niveau de criminalité et le népotisme engendrés par la présence étrangère parmi les autorités locales ont renforcé les taliban. »

Parmi les entrepreneurs, les rares à être sincères dans leurs relations avec les militaires sont des victimes de la terreur talibane qui ont parfois perdu plusieurs membres de leur famille. Ceux-là craignent pour leur vie après le départ des troupes et quitteront sans doute les lieux dans leur sillage.

De retour à Kandahar à la nuit tombée, nous faisons halte chez un influent *mawlawi*[1] de la ville, directeur d'un ensemble d'écoles coraniques comptant 1 500 élèves. Ahmed le secondant parfois pour des travaux de secrétariat, en échange il lui a prêté sa voiture, le temps de ma visite. Sa photo est collée sur le pare-brise avant, ce qui, grâce à son influence, nous permet de rouler sans encombre.

L'homme me serre la main, attitude assez rare dans cette partie du monde pour être relevée. Intransigeant, Muhammed Nasim Akhundzada, 47 ans, tient un discours typique des religieux du Sud afghan : d'abord il critique les « étrangers », canadiens ou américains, peu importe, pour ne pas avoir bâti une seule mosquée, voire pour en avoir détruit. « Mais, surtout, parce qu'ils construisent des écoles pour filles. C'est une sérieuse ingérence dans nos affaires religieuses ! Si les étrangers

---

1. Dignitaire musulman.

veulent que les filles reçoivent la même éducation que les garçons dans leurs pays, c'est leur choix ; mais le nôtre est différent. »

Assis en tailleur sur les coussins de sa bibliothèque, l'homme ne décolère pas. Quatre de ses jeunes élèves, barbus, l'air sombre, assistent à notre entretien sans piper mot. Ils connaissent par cœur le discours de leur chef et partagent son avis : tous sont convaincus que les « étrangers », ayant dépensé « tellement d'argent », ne partiront pas de sitôt. À leurs yeux, ils sont ici pour servir leurs propres intérêts, tout en dissimulant leurs intentions. « Par exemple, ils nous ont promis que Kandahar deviendrait une cité aux normes "européennes", alors qu'on n'a toujours pas l'électricité ! » précise le *mawlawi*. Son petit public ricane. Un seul est assis sur une chaise, devant un vieil ordinateur ventru : son fils aîné, désireux de me montrer les vidéos des visites de militaires à l'école de son père.

« Regardez, dit le patriarche, là [en 2007] on avait fait un effort, on avait recueilli des armes et on les avait rendues, comme prévu par un programme de l'ONU[1], mais qu'est-ce qu'on nous a donné en retour ? Rien », déplore-t-il. Il aurait manifestement apprécié une aide financière pour son établissement. « D'ailleurs, le traducteur

---

1. Il s'agit du DDR, *Disarmament, Demobilization and Reintegration Program* (« Désarmement, démobilisation et réintégration des groupes armés »), initié en 2003.

afghan qui accompagnait les militaires nous a bien dit que les Canadiens n'étaient prêts à nous aider que si on se transformait en école ordinaire, mais ça, il n'en est pas question ! » Il se remémore le temps où « l'Afghanistan tout entier était considéré comme une immense *madrasa*[1] soutenue par l'État ; en retour, le peuple soutenait alors l'État ». Aujourd'hui, le gouvernement est un « gouvernement privé », en aucun cas un « gouvernement national ». Les étrangers ont placé Karzai au pouvoir, à eux de le démettre ! De la présence occidentale le religieux n'a retenu que les promesses non tenues : « Des représentants viennent nous voir, nous flattent, nous font des promesses, puis, six ou huit mois plus tard, les interlocuteurs changent et rien n'a été fait... Voilà leur façon de combattre ! » Il insiste sur le fait qu'en échange de sa « collaboration », il n'a eu droit qu'à des ennuis potentiels : les menaces talibanes.

Muhammad Nasim Akhundzada est un Alokozai, une tribu écartée du pouvoir par Ahmed Wali Karzai, un Popalzai. S'il a certes voté à la présidentielle pour son frère Hamid Karzai, il est aujourd'hui plus proche de l'opposition et se déclare prêt à faire descendre dans la rue des centaines de jeunes pour qu'ils clament leur ressenti-

---

1. École dépendant de l'autorité religieuse islamique.

ment. « Si les Canadiens soutenaient notre tribu, on serait prêts à faire tout ce qu'ils veulent », concède-t-il, révélant que l'accès d'un membre Alokozai au poste clé de gouverneur calmerait bien des esprits.

« D'une main les étrangers nous nourrissent, de l'autre ils nous tuent », résume le religieux, justifiant même les attentats-suicides par « le comportement humiliant des étrangers envers nos femmes ». Sujet tabou, les femmes afghanes sont l'objet d'une formidable incompréhension entre étrangers et autochtones, ces derniers étant convaincus que les militaires n'ont qu'un souhait : violer leur intimité. Quel que soit l'endroit où s'implante une base militaire, les Afghans sont obsédés par l'éventualité que les étrangers puissent avoir accès à leurs femmes, ne serait-ce qu'en les voyant non voilées, ce qui est possible si la base, sur un promontoire, domine des maisons habitées. « Mais le plus grave, insiste notre interlocuteur, c'est que ces étrangers sont chez nous en toute impunité. Qui peut les juger ? Ils ont tous les droits, et, après une bavure, ils ne savent faire qu'une chose : s'excuser, répéter qu'ils sont *désolés* ! »

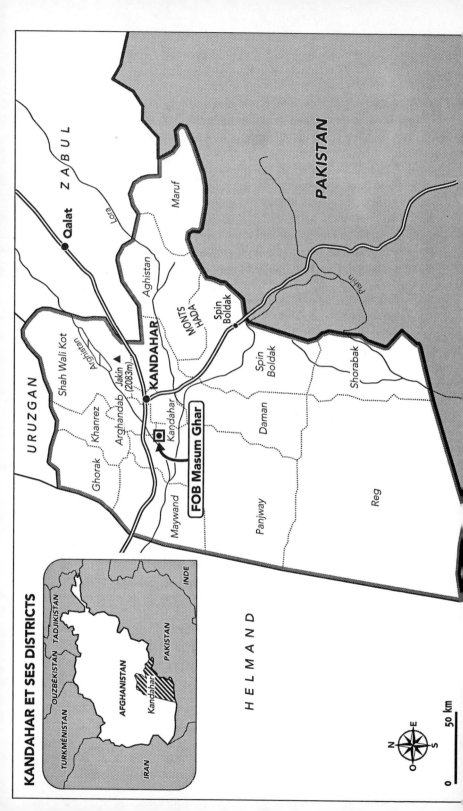

## KANDAHAR ET SES DISTRICTS

URUZGAN

Z A B U L

Qalat

Shah Wali Kot

Ghorak

Khanrez

Arghandab

Jakin
(2063m)

Arghistan

Aghistan

Lora

Maruf

KANDAHAR

MONTS
HADA

Spin
Boldak

PAKISTAN

Pishin

Maywand

Kandahar

FOB Masum Ghar

Daman

Spin
Boldak

Shorabak

H E L M A N D

Panjway

Reg

TURKMÉNISTAN

OUZBÉKISTAN

TADJIKISTAN

IRAN

AFGHANISTAN

Kandahar

PAKISTAN

INDE

N
O    E
S

0        50 km

# 3

## À KANDAHAR

*été 2008*

*Évasions à répétition — Seule dans un hôtel en ville — Un fonctionnaire inintéressant — Des filles revendiquent — Sur le campus de l'université — Dans une famille huppée de la ville — Mort d'un « collabo ».*

Ma toute première visite à Kandahar avait déjà eu lieu au lendemain d'une spectaculaire évasion : le 12 septembre 2003, dans cette même prison située à l'ouest de la ville, sur la route menant à Farah et Hérat, une quarantaine de taliban avaient échappé à la vigilance de leurs surveillants en creusant un tunnel de plusieurs dizaines de mètres à partir d'une de leurs cellules. Parmi eux, d'influents chefs s'étaient évaporés dans la nature. Cinq ans plus tard, c'est comme si le même scénario se reproduisait dans un contexte d'insécurité accrue.

Je suis arrivée de Kaboul par avion à peine quelques heures après l'événement. Depuis plusieurs jours, je cherchais à venir par la route (comme maintes fois auparavant), en vain, mes amis afghans me le déconseillant au point de refuser de m'accompagner. J'avais été obligée d'obtempérer, et bien m'en avait pris, car le bus à bord duquel j'aurais pu me trouver avait été arrêté par des taliban vers Qalat (capitale de la province de Zabul, longtemps aux mains des insurgés) qui avaient fouillé tous les passagers et embarqué sept d'entre eux. Mon triste sort n'aurait pas fait un pli s'ils m'avaient repérée, Occidentale parmi les Afghans.

Si les billets d'avion n'avaient pas été faciles à obtenir, à ma vive surprise, le Boeing 737 de la compagnie privée Kam Air qui nous transporte vers le sud est loin d'être plein. Parmi les passagers, trois femmes seulement, dont moi. Frotan, l'ami afghan journaliste qui m'accompagne, a repéré des connaissances : le directeur général pour la zone sud d'une influente compagnie de téléphones portables, et le gérant d'un cybercafé, directeur de publication d'un magazine local en dari et en pachtou, également propriétaire de panneaux publicitaires. Je ferai plus ample connaissance avec tous deux dans les semaines à venir. Alors que les médias étrangers se déchaînent à propos de la spectaculaire évasion de la veille, personne à bord n'est surpris des derniers événements qui paraissent plutôt dans l'ordre des choses, compte tenu du chaos ambiant.

Derrière le hublot, le spectacle n'est que pics fracassés et vallées encaissées au fond desquelles serpentent des rubans d'un vert brillant. En cette mi-juin, quelques écharpes de neige habillent encore les plus hauts versants orientés au nord.

Arrivée à Kandahar où pas un seul journaliste occidental ne travaille en dehors des structures militaires, je me trouve confrontée à une ville fantôme : le couvre-feu est entré en vigueur, c'est l'heure de la sieste (la température, avoisinant les cinquante degrés à l'ombre en cette période de l'année, est propice à une pause journalière entre 14 et 17 heures), et les Kandaharis ont été réveillés ce matin par le choc de la terrible nouvelle. Preuve flagrante de l'incessante activité des éléments « antigouvernementaux » dans le Sud, les officiels ne dissimulent même plus leur incapacité à réagir.

Pour ce qui concerne mon hébergement, je suis obligée de déroger à mes principes habituels : Frotan ne peut/veut pas me recevoir chez lui, d'abord parce qu'il n'est pas vraiment chez lui, mais dans une maison de location (sa famille rentre de Quetta où elle avait trouvé refuge pendant de longs mois), surtout parce qu'il craint que des enfants voisins surprennent ma présence. Ne souhaitant pas lui causer le moindre problème, j'irai donc à l'hôtel pour la première fois depuis que je me promène en Afghanistan.

Séjourner à l'hôtel dans Kandahar quasi assiégée n'est cependant pas de tout repos. Je dois être pratiquement la seule cliente au Mumtaz International, sis sur une artère centrale, non loin de la place Hérat et du siège de la police (ce qui n'est pas non plus pour me rassurer, le bâtiment pouvant être la cible potentielle d'attentats-suicides). Chaque nuit, la climatisation s'arrête à 4 heures du matin, quand l'électricité du générateur est coupée, et la chaleur me réveille. J'allume alors un étrange instrument dont la présence sur ma table de nuit m'avait paru aussi incongrue qu'inutile : un salvateur ventilateur-lampe-torche-radio-réveille-matin à l'effigie de l'hôtel, qui fonctionne sur piles.

Atta Mohammed, 20 ans, le seul à parler correctement l'anglais, est préposé à la réception. Ma présence l'extrayant de sa routine, le jeune homme est prompt à me rendre de menus services, il est même devenu un allié. Ainsi, puisqu'il n'est pas « convenable », pour une femme, de se rendre seule au restaurant – encore moins une étrangère dont personne ne comprend qu'elle puisse se trouver sans protection à Kandahar –, il m'apporte sur un plateau gondolé, dans un service en fer-blanc, un dîner concocté par ses soins dans les cuisines de l'établissement, alors qu'il n'y a théoriquement aucun *room service*.

Malgré son jeune âge, Atta a déjà travaillé deux ans comme instituteur dans une école de garçons où il enseignait le pachtou et l'anglais. Mais il a abandonné – « parce que les classes de cinquante élèves, c'est intenable, et on gagne une misère » – pour rejoindre cet hôtel, propriété de son cousin, et ce nouvel emploi lui plaît. Alors que nous conversons longuement dans ma chambre, Atta a soigneusement laissé la porte grande ouverte et se tient face à l'embrasure, adossé au rebord de la fenêtre obturée par des stores, afin que toute personne passant éventuellement dans le couloir constate que rien de répréhensible ne se passe avec l'étrangère de la chambre n° 8, au troisième.

L'avidité du jeune homme à me poser des questions, tempérée par ses réflexes traditionnels, m'amuse. Je le questionne sur sa vie quotidienne : il vient à l'hôtel et en repart à vélo, il est le deuxième d'une famille de six garçons et une fille. « Nous savons que notre gouvernement est faible, on n'a pas plus peur qu'avant, mais on sait que tout va de mal en pis. À n'importe quel moment de la journée, n'importe où, même ici, dans le centre, des malfrats peuvent voler un véhicule en tabassant son conducteur, ou attaquer un commerce : personne n'est à l'abri ! »

Atta n'était qu'un gamin quand l'ordre des taliban régnait, mais il n'a pas oublié « ce calme qui plaisait à tout le monde ; le seul probleme était qu'on n'avait pas le droit d'écouter de la musique et qu'il fallait porter une barbe », déplore-t-il, passant machinalement la main sur son menton glabre. Quant au statut des femmes, « c'est tout à fait normal de ne pas voir leur visage quand elles sortent, ou qu'elles n'aient pas le droit de travailler épaule contre épaule avec des hommes ; c'est ce qui est écrit dans le Coran, et notre société doit respecter le Saint Livre… » Sur ce point précis, Atta fait erreur, mais cette certitude est ancrée dans la mentalité d'une majorité d'Afghans, quel que soit leur âge et leur statut social.

Moi qui nous croyais seuls dans l'hôtel, je me trompe : nous voici interrompus par un barbu enturbanné faisant irruption dans ma chambre – la porte étant ouverte – qui me demande, *via* Atta, si je suis journaliste. À peine ai-je le temps de réfléchir à ce qui m'arrangerait de dire que l'homme, à qui mon ami a déjà répondu positivement, se présente comme chef de la police de la ville et m'offre sa protection ! Alors que je me débrouille d'habitude sans l'aide de personne, ici je n'ai d'autre issue que d'accepter : le contraire serait interprété comme extrêmement désobligeant… Je laisse donc le policier inscrire sur mon carnet son nom et ses numéros de téléphones portables.

Interrogeant mon compagnon sur cette étrange présence policière dans l'hôtel, Atta me révèle que, depuis l'attaque de la prison par les taliban et l'évasion des prisonniers, neuf officiers de police résident ici, « parce que les commissariats voisins peuvent être attaqués ! Ils sont plus tranquilles à l'hôtel ». Du coup, je ne sais trop si je suis davantage en sécurité grâce à leur présence ou l'inverse, et j'enrage encore plus de ne pas avoir le choix.

Quand, par chance, l'électricité fonctionne grâce au réseau national ou par le truchement des deux générateurs de l'hôtel (sauf que, ce matin, il n'y a plus d'essence dans le premier, et le second est hors d'état, parce qu'il a trop chauffé...), Atta passe le plus clair de son temps à la réception sur Internet. C'est une petite pièce sans charme et sans fenêtres transformée en havre climatisé où je le rejoins souvent. Son fond d'écran est une image maintes fois rencontrée dans des intérieurs afghans sous forme de poster, jusque dans les foyers les plus humbles : un paysage alpin évoquant la Suisse, avec chalet et lac au premier plan, pics enneigées au second. Atta *chatte* par écran interposé avec le monde entier, sans toutefois révéler sa nationalité ni son lieu de résidence, « parce que ça peut poser des problèmes ». C'est-à-dire ? « Une jeune femme iranienne m'avait demandé où j'habitais et d'où je venais. Après lui avoir dit la vérité, elle a cessé de communiquer et ça m'a servi de leçon », révèlet-il, un brin gêné. Mais Atta a vite contourné ce « problème » en rédigeant son profil sur un site londonien où il se fait même passer pour une femme, « ce qui est plus sûr, mais surtout beaucoup plus amusant ».

Peu intéressé par la politique, le jeune Kandahari me livre néanmoins son interprétation de la spectaculaire évasion ; elle diffère considérablement de ce que j'ai pu entendre de la bouche des Afghans de Kaboul, obsédés par la hausse de la criminalité et la menace terroriste. Atta m'apprend que, dans cette prison vétuste, les prisonniers étaient détenus dans des conditions invivables, à plus de trente par cellule, dans l'attente d'hypothétiques procès.. Des rumeurs de tortures avaient même filtré. « Alors les taliban ont fait une bonne action : ils sont intervenus pour les libérer, et ce ne sont pas leurs familles qui diront le contraire ! » s'exclame, plein de bon sens, et surtout sensible au rôle « social » des taliban, le réceptionniste du Mumtaz : au moins les fous de Dieu compensent-ils ainsi l'absence de règles du gouvernement et la faiblesse de l'État…

C'est d'ailleurs ce même aspect que relève l'homme d'affaires rencontré dans l'avion et revu à son cybercafé, qui, comme nombre de ses collègues, a expédié sa famille à Dubaï le temps que la situation s'améliore. Propriétaire d'une agence de communication et du Kandahar Café, Mohamed Pachtoun Sharifi, 36 ans, finit par se demander s'il a été bien inspiré de revenir dans son pays natal pour tenter de développer quelques affaires, après vingt-deux ans passés aux États-Unis dans l'État de Washington. Pour l'Afghan-Américain, l'état d'urgence décrété après l'évasion de la prison est bien « l'aveu, par l'État, de sa propre faiblesse ». Il est convaincu que c'est dès le début de la guerre en Irak, en 2003, que tout ici a mal tourné : « On s'est rendu compte que le véritable effort de guerre, et donc de reconstruction – même si paradoxalement les deux vont de pair –, allait se dérouler là-bas. On ne s'est pas trompés. L'Afghanistan est tombé dans les oubliettes de l'Histoire. »

Pourtant, Sharifi aime toujours aussi passionnément cette farouche ville du Sud qui l'a vu grandir et déplore qu'elle soit devenue une cité fantôme. Au lendemain de l'évasion, ni le maire ni le gouverneur de région ne sont présents à Kandahar : ils se trouvent tous deux aux États-Unis où sont installées leurs familles respectives.

Au cybercafé, je retrouve le peu de Kandaharis qui travaillent avec les étrangers, s'intéressent aux événements internationaux et parlent anglais. Rachid, 32 ans, est interprète pour l'Isaf depuis six ans et a créé son entreprise de logistique qui est au service de l'armée américaine. Hormis ses proches, personne parmi ses voisins ou sa famille élargie ne sait quelle est au juste son activité ; il doit se cacher et répond aux curieux par trop insistants qu'il travaille dans l'import-export de fruits et légumes avec le Pakistan. En public, par précaution, Rachid ne répond pas au téléphone s'il a identifié le numéro comme celui d'un interlocuteur avec qui il doit parler anglais.

Je me rends sur les lieux de l'évasion avec Frotan. De nombreux hélicoptères survolent la ville dans un vacarme assourdissant. Il paraît que mille policiers de l'ANA auraient été envoyés en renfort depuis Kaboul et les provinces voisines. Mon ami afghan craint que nous soyons suivis et m'a conseillé de louer les services d'un de ses proches qui nous sert de chauffeur. Ici, je porte une tenue afghane encore plus stricte qu'à Kaboul : quand je ne passe pas ma burqa, je revêts ma tunique à manches longues, le foulard ramené sur mon visage par-dessus le nez, de façon à ne laisser entrevoir que mes yeux, pour obtenir cet anonymat total, terrible pour les femmes afghanes, mais si précieux quand on travaille dans les conditions qui sont les miennes.

J'étais convaincue que les forces de la police afghane, l'armée et les troupes canadiennes stationnées à quelques kilomètres, soucieuses de conserver le lieu intact pour les besoins de l'enquête, nous empêcheraient d'approcher. Je me suis complètement trompée. En repassant deux fois en voiture (il était exclu de s'arrêter), je n'ai pas vu l'ombre d'un agent de sécurité. Toutes les échoppes avoisinant l'édifice – construit en terre sèche – ont été soufflées par l'explosion qui a également brisé les vitres des habitations à plus de trois kilomètres à la ronde. La « chasse à l'homme » dont la propagande officielle nous rebat les oreilles ne me semble pas très active.

Ainsi que l'a rapidement admis le vice-ministre de la Justice, qui a profité de l'occasion pour prier gentiment les prisonniers de bien vouloir regagner leur pénitencier (!), la population locale est convaincue que l'opération a été savamment organisée à l'avance. Une heure environ avant l'explosion du camion, des dizaines de taliban reconnaissables à leurs habits civils, à leur longue barbe, à leur turban et à leurs armes portées en bandoulière, avaient investi les quartiers voisins et commençaient à s'agglutiner devant l'entrée principale du bâtiment. Ils s'étaient regroupés en silence pour vérifier qu'aucun convoi officiel ne perturberait leur opération ou ne se préparait à s'engouffrer à l'intérieur de la prison après l'explosion. Toujours selon la population locale, une fois l'assaut donné, les premiers à fuir le lieu ont été les gardes de sécurité qui avaient eu le temps de troquer tranquillement leurs uniformes contre les tenues des prisonniers !

À demi convaincue qu'un officiel afghan puisse se révéler un interlocuteur intéressant, je me suis pourtant laissée persuader par Frotan de rendre visite à l'« ingénieur Qadar Noorzai », responsable de la branche locale de la Commission indépendante pour les droits de l'homme. Noorzai officie dans un immeuble moderne de la périphérie de Kandahar qui, comme c'est souvent le cas, a déjà l'air délabré. La langue de bois de mon interlocuteur est telle que je suis incapable de prendre une seule note ; je parviens juste à comprendre que ce fonctionnaire que j'ai eu tant de mal à trouver dans le bâtiment – à tous les étages, les pièces étaient vides, hormis son bureau – s'évertue à me démontrer son efficacité et son indépendance. Affable, il éclate d'un rire nerveux à chacune de mes questions, récite des réponses toutes faites dans le strict cadre de ce qu'il pense pouvoir divulguer, c'est-à-dire rien – procédé bien malhabile pour masquer l'incapacité de cette structure à fonctionner véritablement. À l'écouter, tout va pour le mieux dans le meilleur des mondes, et c'est seulement après vingt minutes d'entretien qu'il daigne admettre qu'une « certaine insécurité » règne dans la région.

Que pense-t-il de la situation considérée comme « intenable » dans la prison avant l'évasion ? L'homme affirme s'être rendu dans le pénitencier et avoir même rédigé un rapport, peu après une grève de la faim. C'est si peu crédible que je coupe court à l'entretien. Je perds mon temps.

La création de cette Commission des droits de l'homme, imposée lors de la conférence de Bonn en 2001, est une flagrante illustration de ce qu'Américains et Occidentaux dans leur ensemble croient être adapté à ce pays, alors qu'eux-mêmes se sont décrédibilisés en montrant au monde extérieur à quel point ils peuvent se jouer des droits de l'homme, quotidiennement bafoués en Irak, à Guantanamo ou sur la base afghane de Bagram. Noorzai concède un seul bémol en invoquant *sa propre* insécurité : impossible pour lui de se rendre dans trois des districts de la province de Helmand, « alors que les droits de l'homme y sont systématiquement bafoués », regrette-t-il comme s'il me révélait un secret !

Dans la *guesthouse* du gouverneur, on me présente Hazrat Mir Totakhil, recteur de l'université de Kandahar[1], diplômé de l'Institut agronomique de Moscou, originaire de Gardez (Paktia), avec qui j'ai le plaisir de m'entretenir en russe[2]. Intronisé docteur le jour même de la tentative de putsch fomentée contre Gorbatchev en Union

---

1. Créée en 1991, elle compte aujourd'hui 3 000 étudiants, essentiellement regroupés dans les facultés de médecine, d'agriculture et d'ingénieurs.

2. Nommé fin 2007, il est encore en poste en 2011.

soviétique[1] où il n'est pas retourné depuis lors,
Totakhil a passé quelques années à l'université
afghane en exil à Peshawar, au Pakistan (elle a été
transférée à Khost en 2002[2]), puis a été nommé
dans le Sud afghan où le poste de directeur était
difficile à pourvoir, faute de candidats. Le tiroir
supérieur de sa table de nuit déborde de médica-
ments contre le diabète qu'avec sa paie de recteur
– 400 dollars tous les deux mois, « un salaire de
cuisinier ou de garde dans une ONG ! » – il a de
plus en plus de mal à se procurer. « Heureusement,
une de mes filles qui vit au Pakistan, ainsi que la
sœur de ma femme m'envoient tous les mois près
de 500 dollars à elles deux. C'est grâce à ces deux
femmes que je survis… » Totakhil reste pourtant
à ce poste, dont il ne tire aucun prestige et qui ne
lui cause que des problèmes. Obligé de vivre loin
des siens dans une région considérée comme une
des plus dangereuses du pays, ce qui le mortifie le
plus, c'est l'inculture prévalant à tous les échelons
de l'administration de l'Éducation nationale et du
gouvernement local. « Comment respecter les
ordres du *wali* ou de ses subordonnés, qui n'ont
rien à m'apprendre et sont incompétents sur les
sujets qui m'intéressent ? Il y a aussi les ministres
et leur cohorte de conseillers, on en a quatorze

---

1. Le 19 août 1991.
2. Cf. chapitre 4 « Du côté de Khost et des zones tribales pakistanaises – été 2008 », p. 123.

rien qu'à l'Éducation, qui, eux, reçoivent des salaires en milliers de dollars ! Cette flagrante et permanente injustice est insupportable pour la population, et les élections n'y changeront rien ! Je travaille pour l'État afghan depuis trente-cinq ans, et j'ai honte ! » s'insurge-t-il.

Rare « privilège » de la fonction : périodiquement, Totakhil se rend aux États-Unis avec d'autres recteurs à l'invitation du département d'État. Après son premier séjour, il y a six mois, il a déchanté, peu convaincu que ces visites puissent apporter une aide concrète à son campus : « Depuis la guerre civile, tout a été détruit, en particulier nos instituts de recherche, et, les meilleurs professeurs ayant déguerpi, le niveau est assez bas. Il nous faudrait non seulement reconstituer bibliothèques et laboratoires, mais, surtout, obtenir des bourses d'échanges avec l'étranger pour nos étudiants. Le problème est que personne ne veut d'eux. Et quels étudiants étrangers accepteraient de venir ici ? »

Le recteur ne comprend pas que la communauté internationale accepte de financer toujours plus l'effort militaire et son pendant humanitaire, en oubliant certains domaines clés du redressement de la société, comme l'éducation. L'étrange « ongéisation » de la société afghane le trouble et l'inquiète : ce secteur (lucratif !) absorbe la plupart de ses étudiants qui rechignent à s'impliquer dans les services publics.

Deux ans plus tard, fin 2010, je retrouverai Totakhil à son bureau du campus, au nord-ouest de la ville. Les bâtiments entourent l'ex-mosquée du mollah Omar que j'avais visitée juste après la débandade des taliban, alors qu'elle était encore ouverte à tous vents. On peut toujours y admirer les vignettes octogonales peintes sur les parois incurvées du dôme par des artistes aux ordres des maîtres taliban, représentant des paysages bucoliques et montagneux traversés par des torrents, ainsi que le drapeau blanc des taliban portant l'inscription « Allah est grand ! » et la Kaaba de La Mecque. Totakhil se prépare à effectuer un nouveau voyage aux États-Unis, accompagné cette fois du vice-ministre de l'Éducation, mais il s'emporte en rappelant qu'avant, sous l'occupation de l'Armée rouge, près de 1 500 jeunes partaient annuellement étudier chez le grand voisin soviétique, alors qu'« aujourd'hui, aux États-Unis, ils ne veulent même pas m'en prendre dix ! De quoi ont-ils peur ? ».

Le spectre du retour des taliban devenu plus perceptible, la population afghane s'est mise à comparer l'occupation/libération américaine avec la présence soviétique des années 1980 : « Les gens se sont dit : qui nous donne du travail ? Où ont disparu nos entreprises ? Pourquoi ne produit-on plus rien ? Pourquoi le niveau de l'éducation est-il si bas ? Nos réfugiés installés dans tous les pays voisins ne sont pas disposés à revenir : c'est bien le signe que ça ne va pas mieux... », argumente Totakhil. Les « cadeaux » apportés par l'aide étrangère apparaissent temporaires, superflus, mais surtout inadaptés, alors que les Russes (en tout cas, c'est le souvenir biaisé par le temps qu'ils ont laissé à certains) offraient du « permanent ». Pour Totakhil comme pour beaucoup d'Afghans, le régime de Najibullah (« docteur Najib », comme il était communément appelé[1]) apparaît rétrospectivement comme une période quasi idyllique dans l'histoire troublée de l'Afghanistan.

Sans ordinateur, couverte de dossiers, la table de travail du recteur est poussiéreuse, envahie par les grains de sable arrachés aux montagnes auxquelles l'université est adossée. À demi caché par un faux palmier en plastique, le portrait du président est lui aussi empoussiéré. Trop haut pour qu'on puisse bien l'examiner, un plan du campus universitaire, en couleurs et en anglais (avec des fautes), décore un pan de mur.

On frappe à la porte. Entrent quatre jeunes filles, cartable à la main et *châdri* plié sur le coude.

---

1. Communiste, le quatrième président de l'Afghanistan, Najibullah, a été exécuté par les taliban le 27 septembre 1996 à Kaboul.

La première, au visage poupin encadré par son voile, commence à parler. Son ton est revendicatif et elle n'a pas l'air de mâcher ses mots. Les trois autres se tiennent groupées à distance. À un certain moment, Totakhil s'énerve, se lève en gesticulant, se met à crier, cherche des documents sur son bureau, les trouve, se rassied sur le divan avec l'étudiante déléguée et les lui montre. Maintenant, les trois autres se tiennent comme aux aguets près de la porte, suivant passionnément le dialogue, tout en me jetant des regards empreints de curiosité, assortis de timides sourires.

Les jeunes filles calmées et reparties, Totakhil m'explique. Inscrites respectivement aux facultés d'économie, de médecine et de *charia*, les étudiantes étaient venues se plaindre d'un problème de transport : en tant que femmes, elles souhaiteraient qu'un service de bus distinct de celui des hommes les amène sur le campus situé à cinq kilomètres du centre. Alors qu'il y a cinq ans l'université ne comptait que cinq étudiantes, ce chiffre est monté à cent cinquante... pour seulement cinq professeurs femmes ! Conscient du problème, Totakhil leur a montré la lettre adressée en ce sens au gouvernement local ainsi qu'à la compagnie municipale de transports. Il espère une suite favorable, mais n'est pas très optimiste. « L'emplacement choisi pour ce campus n'est pas pratique, reconnaît-il. Par exemple, nous n'avons pas l'eau courante, on doit nous l'apporter quotidiennement par camion-citerne ! » Soupirs : mais c'est mieux qu'il y a un an, puisque « la construction d'une voie asphaltée jusqu'aux portes de l'université est terminée, qu'on nous a équipé de panneaux solaires et de cinq centres informatiques contenant deux cents ordinateurs, le tout aux frais de la Banque mondiale, de l'Usaid, de l'Otan et du consulat de l'Inde ».

La hantise du recteur reste le départ des forces militaires étrangères : « S'il est seul aux commandes, notre gouvernement ne tiendra pas un mois », prédit l'universitaire. L'Afghanistan semble enferré dans un insurmontable paradoxe : dans le cas d'un départ des forces armées d'« occupation », on redoute le pire, mais, concomitamment, les mêmes critiquent la présence étrangère confortant un système pourri par la corruption, le népotisme et la gabegie. « On ne s'en sortira que par la révolution, une vraie révolution nationale », conclut Totakhil, haussant les épaules et remontant ses fines lunettes sur le haut de son nez.

Ce soir-là, je passe la nuit dans une villa du « quartier 5 » aménagé en 2006 par un investisseur dans l'immobilier, réservé aux dignitaires, officiels et hommes d'affaires. La maisonnée qui m'accueille est celle d'une riche et influente famille locale. Ici vivent quatre frères, une sœur et leurs vieux parents. Retraité de l'armée, le patriarche est un des conseillers du gouverneur de Kaboul. Un de ses frères est Yusuf Pachtoun[1], ex-gouverneur de Kandahar, ministre du Développement urbain et du Logement depuis 2004. Un autre frère est général dans l'Armée nationale afghane. L'aîné des enfants, Ahmed Shah Lamar, 38 ans, qui a grandi au Pakistan, dirige un réseau de téléphonie portable. Puis vient Jawed, fournisseur de l'armée américaine très présente dans cette zone : il loue aux militaires plus de cent cinquante véhicules tout-terrain, des vans, des minibus – un business juteux. Revenu d'exil aux Pays-Bas, Jawed travaille à l'aéroport de Kandahar et est marié à une Bulgare convertie à l'islam, qui a appris le pachtou. Le troisième fils est Jawad, employé du programme de désarmement. Quant à la benjamine, Angela, elle n'a que 23 ans ; sa chambre, devenue la mienne pour une nuit, est une bonbonnière rose où foisonnent breloques et peluches de différentes tailles ; une penderie occupe un mur entier. En face du *queen bed*, une coiffeuse à trois miroirs orientables déborde de parfums, de tubes de maquillage, de brosses à cheveux.

Au salon, de volumineux divans et des fauteuils à larges accoudoirs couleur or font le tour de la

---

1. Le seul interlocuteur à m'avoir mal reçue lorsque j'avais tenté de le rencontrer en 2003. Cf. Anne Nivat, *Lendemains de guerre, op. cit.*, p. 134-135.

pièce, mais c'est l'écran géant de la télévision, branchée en permanence sur CNN, qui en impose. Un épais aquarium sert de cloison intérieure. De lourds rideaux bleu et or obturent les fenêtres qui s'ouvrent sur un jardinet entouré de hauts murs de béton. Dehors, on s'entend à peine parler à cause du puissant générateur. Mais on dîne sur une longue table avec nappe blanche et service en porcelaine, ce qui change de mon ordinaire !

Quand Jawed a eu la gentillesse de venir me chercher en ville au volant de son luxueux 4 × 4 aux vitres teintées et à la puissante climatisation, j'ai été étonnée qu'il me fasse signe de monter à sa droite, sans descendre lui-même du véhicule... mais c'est parce qu'il portait un bermuda ! Élevé en Europe, le jeune homme a du mal à supporter les pantalons longs par les quarante degrés et plus de l'été du Sud afghan et sait que le code social local lui interdit de montrer ses mollets nus en public. Une fois grimpée à bord, j'ai dû me faire une place sur le siège en repoussant les deux kalachnikovs dont il ne se sépare jamais – « Et j'ai en plus un pistolet allemand à la ceinture ! » s'est-il vanté.

La famille semble unie et l'entente entre Angela, la seule fille non mariée, et ses belles-sœurs fait plaisir à voir. Daniela, la Bulgare aux yeux verts, paraît bien acclimatée : elle réside à Kandahar depuis 2005, parle couramment la langue locale sans être capable de la lire ou de l'écrire. Peut-être l'apprendra-t-elle en profitant des cours que donne « Mom », sa belle-mère, à la fille de 5 ans qu'elle a eue avec Jawed ? Cet été, il est prévu qu'elle se rende avec son époux en Bulgarie, pays qu'il ne connaît pas. Daniela est impatiente de le lui montrer, même si elle sait que c'est ici, sur ces rudes terres afghanes, qu'il va lui falloir continuer à vivre, au cœur de la tribu.

Une poignée de soldats bulgares[1] étant déployés sur l'aéroport militaire de KAF où travaille son mari, Daniela a parfois l'occasion de leur parler, ce qui lui procure un immense plaisir. Confinée à la maison comme toutes les autres femmes de la famille, elle sait que son époux joue un jeu dangereux en misant sur les deux tableaux en tant qu'Afghan travaillant pour les forces militaires d'occupation. Elle tremble quand il se rend « en ville », et il n'y va d'ailleurs presque jamais. Mais, quand on aborde la question de son avenir à elle, Daniela ne marque aucune hésitation, et sa totale

---

1. À l'heure où d'autres se retirent, la Bulgarie a décidé en juin 2010 d'augmenter de 65 hommes son contingent au sein de la force internationale de l'Otan (Isaf) en Afghanistan, déjà fort de 535 hommes. Le contingent bulgare est chargé de la protection des aéroports de Kaboul et de Kandahar, et comprend une équipe médicale à Hérat. Ces renforts ont prévu 55 hommes, chargés de la formation de l'armée afghane, et 10 autres qui travailleront dans les hôpitaux de Kaboul et de Kandahar.

implication dans son nouveau monde force le respect : « Les militaires occidentaux ne partiront pas de sitôt, il y aura toujours du business à faire avec eux, alors mon mari et moi serons toujours là où sont les militaires, dans leur sillage. »

Aux yeux de cette famille, comme pour bien d'autres, les Américains déployés en Afghanistan sont soupçonnés d'aider d'une façon ou d'une autre les taliban afin que la manne financière justifiée par l'occupation du pays ne tarisse pas. En dix ans, en dépit d'une puissance de feu et d'une technologie présentées comme invincibles, l'absence de succès marquant et rapide des Occidentaux a incité de nombreux Afghans à accorder crédit à toutes sortes de théories du complot. « Depuis que les Canadiens les ont remplacés dans cette zone, ils sont constamment harcelés, alors qu'avec les Américains c'était le calme plat ! » avance Daniela avec conviction. La jeune femme en est d'autant plus persuadée après avoir entendu les propos sur CNN d'une Américaine, ancienne journaliste de la National Public Radio, débarquée dans le Sud en 2001 pour couvrir la chute des taliban et installée depuis lors à Kandahar à la tête d'une coopérative agricole[1] : « Certains de mes

---

1. Sarah Chayes est diplômée de Harvard. Elle réside à Kandahar depuis 2002 et dirige la coopérative Arghan qui incite les agriculteurs locaux à cultiver fleurs, fruits et herbes, plutôt que l'opium.

amis afghans pensent que les Américains sont d'une façon ou d'une autre liés aux taliban. [...] Six ans après la chute du régime, la décrédibilisation est grande, en premier lieu celle des sacrosaints principes démocratiques occidentaux ! » assène Sarah Chayes à un interlocuteur formaté CNN, peu habitué à ce genre d'affirmation.

Écoutant avec Daniela la chaîne américaine, je suis moi aussi choquée par la façon dont est traité l'annonce de la récente évasion des prisonniers, volontairement va-t'en-guerre et sensationnaliste. Quand on est sur le terrain, au cœur de l'événement, la réalité est toujours plus complexe : une véritable offensive des taliban sur la ville reste improbable, et ce qui est présenté comme la « riposte » des arsenaux de l'Otan, de l'ANA et de l'ANP paraît disproportionné : cela ressemble plus à du *show off* qu'à une véritable opération militaire. On n'assiste pas non plus, contrairement à ce qu'affirment les *talking heads* de CNN, à un afflux de villageois « réfugiés » de l'Arghandab, même si quelques dizaines de riches familles sont venues grossir les rangs de ceux quittant Kandahar, en flux constant, pour ne plus se faire racketter, pour échapper aux kidnappings.. mais

---

La coopérative leur achète leur production et fabrique des savons odorants et des parfums vendus à l'export. Le récit de son expérience est sur : http://www.theatlantic.com/magazine/print/2007/12/scents-and-sensibility/6443/

aussi, il faut le dire, par peur des représailles aériennes alliées.

Quant aux tensions dans les faubourgs de la ville, elles ne sont pas nouvelles et sont liées aux règlements de comptes entre tribus plutôt que le fait de « purs » taliban. Les membres de la tribu Alokozaï, qui peuplent les rives de l'Arghandab, sont traditionnellement progouvernementaux[1]. Depuis la mort du mollah Naqib, ce « rempart » contre les taliban est disputé : pour les « punir » de leur soutien au gouvernement, d'autres éléments de tribus rivales « lésées » ont pris les armes et lancent régulièrement des offensives. Il s'agit d'une violente manifestation de rogne de la part de ces hommes absents de l'administration afghane et qui se sentent laissés-pour-compte.

En 2009, les contraintes du mode de vie de la riche famille d'Angela se sont faites encore plus pesantes : Ahmed Shah, l'aîné, se rend à son travail et en revient en convoi, escorté de mercenaires

---

1. Un de ses représentants les plus connus est le mollah Naqib, que j'avais rencontré en 2003 (cf. Anne Nivat, *Lendemains de guerre*, *op. cit.*). Ex-commandant suprême de Kandahar en 1992 après la prise de pouvoir des moudjahidine, il s'était rallié aux taliban en 1994, avait négocié leur reddition en 2001, sans obtenir le contrôle de la ville de Kandahar. C'est un de ses ennemis jurés, Gul Agha Sherzai, qui avait été nommé le premier gouverneur du Sud post-taliban par Hamid Karzai. Le mollah Naqib est décédé d'un arrêt cardiaque fin 2007.

lourdement armés ; dans la villa, gilets pare-balles, kalachnikovs et munitions s'amoncellent sur les banquettes du salon aux lourdes dorures. « Même si on est riches, même si on a tout, on ne peut pas en profiter, alors… », philosophe amèrement Angela qui ne quitte plus la villa, n'a plus d'amies, et vit en cercle fermé. En âge de se marier – ses parents reçoivent de nombreuses demandes –, personne pourtant ne semble convenir : « Trop jeune… pas du même niveau social… ou trop vieux… C'est toujours le même problème », se lamente la jeune femme, guère pressée de convoler, d'autant plus qu'elle a la chance, rare dans ce pays, que ses parents et ses frères la laissent choisir son futur mari. Un fils de riches voisins vit à Londres : dès que son passeport sera prêt, il viendra la rencontrer. Angela n'est ni troublée ni impatiente, mais une chose est sûre : elle a de plus en plus de mal à supporter les incessantes chamailleries de ses neveux et nièces, et aspire à une vie plus paisible.

Parce qu'« il faut bien vivre… », comme dit Daniela qui rêve de retourner en Bulgarie « où il n'y a pas la guerre », toute la famille carbure au Red Bull, pour « tenir ». Sa détermination à s'adapter à l'Afghanistan semble avoir fait place à une mélancolie qui la mine. « L'argent change les gens, il vous détruit… Ici on joue avec le feu », m'avait-elle lancé lors de ce sejour, six mois avant que Jawed, son mari, ne soit assassiné.

Le hasard fait que nous avons des billets pour le même vol, de Kandahar à Kaboul. Voyager avec cette famille ne me fait pas passer inaperçue : Jawed, qui nous conduit à l'aéroport, a distribué des coupures de 100 dollars sur tout le parcours, pour que notre voiture ne soit ni fouillée ni retenue aux postes de contrôle. « Avec tout ce que je leur rapporte, ils me doivent bien ça ! » grommelle-t-il en conduisant. Il est satisfait de son commerce florissant de véhicules loués à l'armée américaine · il est payé rubis sur l'ongle – « et il n'y a pratiquement rien à faire ! ».

Je me souviens du temps pas si lointain où les vols commerciaux entre Kaboul et Kandahar n'existaient pas. Ne volaient que des appareils des Nations unies. Les billets étaient fort difficiles à obtenir. Lors de ma première visite en Afghanistan en 2003, je m'étais rendue à l'aéroport, qui n'était alors qu'une modeste base, pour tenter de convaincre le personnel au sol de me céder un billet. En vain. N'étant ni fonctionnaire de l'ONU, ni journaliste accréditée ou officiellement accompagnée, j'avais été refoulée. Une seule solution pour revenir dans la capitale : la route que personne (déjà) n'osait prendre. J'avais ainsi passé plus de sept heures confiée à un chauffeur de taxi avec qui je ne pouvais communiquer dans aucune langue, qui me faisait un signe de tête dans le rétroviseur pour me signifier d'abaisser la burqa sur mon visage à l'approche de chaque poste de contrôle. Ainsi, à la traversée de chaque bourgade, j'offrais la silhouette classique et rassurante d'une femme afghane protégée des regards...

On nous accorde le privilège d'attendre entre femmes dans le 4 × 4 climatisé plutôt qu'en public dans la salle d'attente à l'atmosphère brûlante sous les arcades de béton. Les yeux se seraient rivés sur notre groupe, dont les deux plus jeunes femmes, Daniela et Angela, ne portent pas le *châdri* traditionnel, mais un long *hijab* noir à l'iranienne, avec, couvrant le visage, un foulard ébène fendu au niveau des yeux.

Une femme militaire vêtue d'un simple short passe à côté de notre voiture, puis un soldat à vélo, son arme sur le dos. C'est vrai que nous sommes ici à l'intérieur de l'aéroport militaire de Kandahar, peuplé d'étrangers, mais ces « apparitions » occidentales tranchent sur l'environnement afghan auquel je suis habituée.

L'avion est rempli de recrues de l'ANA que l'on entasse au fond de la carlingue. Ces jeunes soldats en guenilles nous regardent comme si nous descendions d'une autre planète ! Je me mets à leur place : deux femmes locales qui se démarquent par leur habit noir, escortées d'une femme visiblement non musulmane (une fois dans l'avion, j'ôte ma burqa, et mes cheveux sont visibles), portant un nourrisson dans ses bras (Daniela et Angela sont empêtrées dans leurs bagages et me l'ont confié par commodité). Les deux enfants de Jawed sont insupportables, notamment le garçon de 3 ans qui jette tout objet avec violence, se bat avec sa sœur qui le lui rend bien, hurle et renverse la nourriture. Les pauvres, toute la journée les parents leur font absorber de la *junk food* et boire du Coca-Cola et du Red Bull...

Tôt ce matin du 15 octobre 2009, Jawed Barak n'avait pas vraiment envie de faire toute cette route jusqu'en Helmand. Son frère aîné, Ahmed Shah, l'aurait même imploré de ne pas partir. En vain. Jawed savait que ses clients, des soldats américains, préféraient qu'il soit physiquement présent lors de la livraison des véhicules. C'est en revenant de la base américaine Leather Nick que ses tueurs l'attendaient en embuscade.

« Nous sommes à Kandahar, il n'y aura jamais d'enquête, le chef de la police vient d'être tué. Alors, un simple citoyen de la ville, même riche et influent, tu penses ! » se lamente Sultan Sharifi, un de ses cousins émigré à Dubaï.

Selon la rumeur, Jawed avait certainement commencé à prendre trop d'importance dans les affaires locales, et surtout, refusait de partager avec les sbires du leader du conseil provincial, l'homme le plus puissant de la province, Ahmed Wali Karzai, demi-frère du président afghan[1].

Comme à son habitude, le jeune homme roulait vite en tête de convoi (trois véhicules tout-terrain lourdement armés) quand, des deux côtés de la route, on a ouvert le feu précisément sur son véhicule. Tout en continuant de tenir le volant, Jawed a riposté et il est passé sans encombre. Enragé par cet affront, il a même fait brusquement demi-tour et est revenu sur ses agresseurs. Il les a nargués et a tenu à leur montrer qui était le plus fort. Ses collègues des trois voitures suivantes en sont rapidement sortis et se sont jetés à terre. Seul Jawed est resté debout, insultant même ses assaillants. Comme galvanisé, il n'a pas écouté ses copains qui l'exhortaient à se baisser. Protégé par son gilet pare-balles, Jawed se croyait invincible. Pourtant, touché au cou, il s'est effondré en poussant un cri rauque. Ses amis se sont précipités, l'ont embarqué dans un des 4 × 4 et ont foncé à tombeau ouvert vers Kandahar où ils sont parvenus une vingtaine de minutes plus tard. Dans un ultime effort, Jawed, qui avait perdu beaucoup de sang, leur a indiqué de la main droite la direction de l'hôpital américain. Puis il s'est affaissé, mort.

---

1. Ahmed Wali Karzai a été assassiné à Kandahar le 12 juillet 2011, plongeant la région dans une spirale de chaos et de violence.

Depuis, par respect de la tradition pachtoune, et afin que les enfants de Jawed restent dans la famille, sa femme bulgare a épousé Jawad, le fils cadet.

Angela, quant à elle, serait fiancée à un Afghan de l'étranger et projetterait de quitter le pays pour le rejoindre en 2012. En attendant, les femmes de la famille vivent repliées à Dubaï, où Ahmed Shah, l'aîné de la fratrie, a fait l'acquisition d'une villa.

4

# DU CÔTÉ DE KHOST
## ET DES ZONES TRIBALES PAKISTANAISES

*été 2008*

*La conversion anti-américaine dans le taxi commun — Un gouverneur en jean qui revient des États-Unis — Les ordinateurs sous bâche de l'école de filles — De vrais taliban chantent.*

Alors que s'ouvre à Paris, en ce mois de juin 2008, une énième conférence de « donateurs » pour l'Afghanistan en présence du président afghan Hamid Karzai, l'heure est à la désillusion : non seulement, depuis près de sept ans, les troupes étrangères présentes dans le pays (70 000 soldats) n'ont pas réussi à gagner la guerre contre les taliban ni contre Al-Qaida, mais le président démocratiquement élu et son gouvernement semblent avoir perdu toute crédibilité.

Que ce soit à Kaboul, la capitale bunkérisée, ou à Khost, dans le sud-est du pays, à la frontière avec les zones tribales pakistanaises, on déchante. L'insécurité est telle qu'en dehors de la capitale les femmes se sont remises à porter le *châdri* (voile intégral), et les récits d'attaques par des taliban sont légion.

Début juin, au lendemain de mon arrivée dans la capitale afghane, à 5 h 30 du matin, je prends un taxi collectif pour gagner la province de Khost, à 200 kilomètres de là. À bord du véhicule, quatre hommes − dont le chauffeur et Hafiz, mon ami accompagnateur − et moi, silhouette muette. Les premiers cent kilomètres sont avalés en deux heures sur une bonne route asphaltée (lors de mon passage en 2003, ce n'était pas encore le cas), puis ça se gâte : on met quatre heures pour franchir les cols restants sur une piste rocailleuse, bordée de précipices impressionnants ; on croise des camions pakistanais multicolores aux grelots chantants manquant parfois d'écraser des garçonnets aux visages couverts de poussière, qui poursuivent les véhicules pour recevoir quelque argent lancé par la portière.

L'asphalte flambant neuf s'interrompt à Gardez : le ruban noir s'est dessiné devant nous tel un mirage − puis plus rien. Les démineurs sont au travail dans leurs tenues qui les font ressembler à des Martiens. Ce sont des militaires qui sécurisent le chantier pour la pose du futur revêtement.

À travers le grillage de tissu bleuté de ma burqa, ces visions deviennent encore plus fantasmagoriques. Je suis habituée aux avantages ambigus de ce voile qui me protège et m'entrave à la fois. De toute façon, étant donné l'atmosphère qui règne dans le pays, je n'ai pas le choix : pas une seule femme n'est visible dans l'espace public autrement que sous un *châdri*. Si je souhaite continuer à me déplacer hors de Kaboul, c'est une condition *sine qua non*. Pendant ces six heures de voyage, je n'émettrai pas un mot afin de ne pas être découverte ; en revanche, je peux observer sans être vue et prendre des notes sur mon carnet sans que nul ne le remarque.

L'homme assis à côté de Hafiz travaille pour la municipalité de Khost ; il est originaire du Logar, province mitoyenne de celle où nous nous rendons et où, selon lui, les incendies d'écoles dans des bourgades pachtounes sont quotidiens. Seuls les villages peuplés de Tadjiks restent calmes.

Au passage devant l'imposante base militaire américaine de Wazakhwa, qui oblige notre véhicule à faire un détour par le lit asséché d'un cours d'eau, un des voyageurs lance à la cantonade, désignant la base du menton :

« Avec toutes leurs maladresses, c'est eux, finalement, qui nous obligent à devenir taliban, ils ne nous laissent pas le choix : on vit bien plus mal aujourd'hui qu'il y a six ans ! »

Tout autour de nous, sur cette portion de route, continuent de s'affairer les équipes de démineurs : la construction du tronçon reliant Gardez à Khost est programmée pour l'année 2009[1]. À bord du taxi, la conversation – qui se tient en pachtoune et me sera résumée plus tard par Hafiz – est résolument anti-américaine.

Nous empruntons le segment de route contrôlé, lors d'un de mes passages précédents, par les troupes de Pacha Khan Zadran, une figure du *djihad* contre les Soviétiques, puis de la résistance aux taliban, brièvement nommé premier gouverneur de la région par Karzai, en 2001, avant d'être débarqué. J'avais alors rencontré son fils Abdul Wali, lequel avait été nommé gouverneur de district, sans doute dans un geste de conciliation à l'adresse du père. En 2004, Pacha Khan, enragé d'avoir été écarté du pouvoir, n'autorisait plus personne à emprunter la route carrossable, contraignant ainsi le gouverneur de la région à de longs et périlleux détours.

Comme c'est souvent le cas dans ces grandes familles influentes, Abdul Raeff, un autre frère, dirigeait une entreprise de sécurité qui encadre les convois militaires étrangers sur la fameuse route. Ainsi, la coalition internationale finançait indirectement les insurgés. Typique d'une situation afghane complexe, ce « mélange des genres » se produisait souvent au sein d'une même famille. Non loin de là, en Paktika, me raconte Hafiz, un

---

1. Le segment Kaboul-Gardez avait été achevé en 2006.

commandant taleb vient d'être assassiné ; son père était *khalki* (ex-communiste), et son frère s'était enrôlé dans l'Armée nationale afghane !

Arsala Jamal, 39 ans, a été nommé gouverneur de la province de Khost par le président Karzai. Son prédécesseur, Hakim Taniwal – un Afghan qui avait étudié en Allemagne et au Pakistan, puis vécu en Australie jusqu'à la chute des taliban, que j'avais rencontré longuement en 2003 et qui m'avait semblé quelque peu dépassé par les événements[1] –, a été tué dans un attentat-suicide le 10 septembre 2006. Un autre attentat-suicide avait eu lieu lors de son enterrement, conformément à une loi des séries comme seul l'Afghanistan et les contrées à vendettas en ont le secret.

Jamal me reçoit dans le jardin de sa villa de fonction. Derrière nos sièges en plastique, une volière et trois Land Cruiser garés en file indienne. Des parterres de rosiers en fleur égaient la courette. Depuis sa nomination, l'homme vit seul avec ses trois gardes, épouse et enfants étant restés au Canada. Comme de nombreux autres gouverneurs, Jamal n'a aucune expérience politique, mais il est diplômé en économie d'une université étrangère (Malaisie) et a travaillé quelques années à la Banque mondiale. Notre discussion est fréquemment

1. Cf. Anne Nivat, *Lendemains de guerre, op. cit.*, p. 173 et suiv.

interrompue par des coups de téléphone (les trois combinés différents lui sont apportés par son assistant) des différentes autorités de la province : quelques heures plus tôt, un de ses chefs de district et trois gardes du corps ont été assassinés sur la route que je viens d'emprunter. Son assistant lui fait aussi passer des petits mots qu'il prend tout le temps de lire.

« C'est le premier cas depuis mon affectation ; je n'en suis pas surpris, ça peut arriver à tout le monde, je suis triste à propos de l'incident », déplore sans pathos l'officiel au *look* occidental : jean noir, chemise à manches longues et larges lunettes de soleil. Lui-même a réchappé de quatre tentatives d'assassinat : des attentats-suicides qui ont tué leurs auteurs… mais raté leur cible.

Un mois plus tôt, Jamal a fait partie d'un voyage officiel de gouverneurs aux États-Unis. En qualité de porte-parole d'un groupe de neuf hauts fonctionnaires afghans, il a même osé poser une question dérangeante à George W. Bush : « Comment se fait-il que vos hommes tuent des innocents ? Cela entame gravement votre légitimité… » En guise de réponse, un silence gêné, suivi de mots creux.

Jamal admet ne rien pouvoir changer à la situation présente qu'il qualifie de « désastreuse » : « Les taliban ont l'avantage du nombre et celui du temps ; surtout, ils sont persuadés qu'en tuant [par des attentats-suicides], ils seront accueillis au paradis. En l'occurrence, je ne vois qu'une solution : peser sur le Pakistan, qui fournit par milliers des combattants fraîchement diplômés des *medressas* [écoles coraniques]. Il faudrait que la communauté internationale ose regarder de l'autre côté de la frontière, au lieu de fermer les yeux ! »

Frontalière du Pakistan (le premier village de ce pays est à 25 kilomètres), la province afghane gérée par Jamal n'a pourtant aucun rapport direct avec sa voisine pakistanaise, ce qu'il regrette :

« Tout passe par le ministère des Affaires étrangères, à Kaboul, et c'est bien dommage. On aimerait au moins savoir comment ils nous voient là-bas, savoir ce qu'ils pensent de nous, et éventuellement coopérer ! »

À propos de la conférence de Paris[1], le fonctionnaire ne mâche pas ses mots : « Ce n'est pas le nouveau montant de l'aide financière qui importe, mais par quels canaux cette aide sera distribuée. Au bout de plus de six ans, il me paraîtrait normal

---

1. La conférence internationale de soutien à l'Afghanistan s'est tenue à Paris le 12 juin 2008. soixante-huit pays et dix-sept organisations internationales y étaient représentés. Environ 20 milliards de dollars ont été promis pour financer la mise en œuvre de la Stratégie nationale de développement (*Afghanistan National Development Strategy*).

qu'un pourcentage accru de l'aide transite par le gouvernement afghan, et non par ces ribambelles d'ONG... Quand les gens viennent ici me demander quelque chose, comment puis-je leur venir en aide si je n'ai pas de fonds disponibles ? Oui, notre gouvernement est faible et corrompu, mais les ministres doivent quand même pouvoir agir, s'ils veulent gagner en crédibilité ! Et nous autres gouverneurs, également. »

Pourtant, Jamal ne fait pas porter le fardeau de cet échec sur la communauté internationale : « Si dans ce pays le prix de la viande et d'à peu près tout le reste a augmenté, ce n'est pas uniquement à cause de la présence étrangère ! Tout ne peut pas être modifié d'un coup de baguette magique, en l'espace d'une nuit... Les gens pensent toujours qu'il ne se passe rien, que rien ne change, mais ils ne se rendent pas compte des progrès accomplis : en un an, on a construit 200 kilomètres de routes et 83 écoles. Même si la situation reste très dangereuse, on a une meilleure armée, une meilleure police, un système bancaire qui s'améliore, et une société civile qui se développe ! »

Au détour de la conversation, Jamal me pose une question dont je sens qu'elle lui brûle les lèvres : il désire connaître ma position sur le port du voile par les femmes. Si je lui répondais sans nuances qu'en tant qu'Occidentale j'estime condamnable le port du *châdri*, il réagirait très mal et notre conversation tournerait court. Je m'en garde bien. Le gouverneur tente de me convaincre que l'origine de cette tradition remonte à la famille royale et qu'en ces temps anciens seules les femmes de bonnes familles se voilaient intégralement en public. Dans les champs, les cultivatrices ne portaient pas et ne portent toujours pas le *châdri*.

Nous sommes interrompus par son secrétaire nous informant qu'un journaliste afghan de la BBC a été tué en Helmand[1]. Hafiz, mon accompagnateur, s'effondre : c'était un de ses meilleurs amis. En un tournemain, des gardes nous apportent un téléviseur dans le jardin.

Si Jamal est satisfait d'avoir « fait passer le message » à George W. Bush sur la réelle dégradation de la sécurité sur le terrain, il semble en revanche à peine au courant de l'arrivée de soldats français dans la région voisine, et ne connaît même pas le nom du ministre français des Affaires étrangères. Le fait d'avoir travaillé quelques années auparavant dans les structures humanitaires internationales imprime un certain aplomb à ses déclarations. Ainsi, le haut fonctionnaire n'hésite pas à dénoncer certaines prises de position françaises – ou qui lui

---

1. Il s'agit d'Abdul Samad Rohani, sans doute assassiné par une bande armée liée à la mafia de la drogue, sujet sur lequel il enquêtait dans la province de Helmand.

sont apparues comme telles *via* le filtre souvent déformant des médias – qui abondent dans le sens des Tadjiks de l'ex-Alliance du Nord[1] du commandant Massoud et rechignent à soutenir des Pachtounes présentés comme ultraconservateurs et proches des taliban. Bref, le gouverneur de Paktia espère que ces troupes françaises ne seront pas porteuses d'un projet politique – critique récurrente à l'adresse des Américains –, mais mettront leur point d'honneur à aider les différents groupes, quelle que soit leur appartenance ethnique ou tribale. Pachtoune lui-même, Jamal est représentatif de cette nouvelle génération d'acteurs, revenus de l'étranger certes, mais encore plus nationalistes que leurs compatriotes restés sur place !

On m'a trouvé une chambre dans la « résidence destinée aux hôtes » du gouverneur, car, « par mesure de sécurité », personne ne veut prendre le risque de me recevoir. Saïd, le gardien, apporte un seau d'eau pour les « commodités » : si tout existe (lavabos, toilettes), rien ne fonctionne. Je dors dans une « cellule » de quatre mètres sur trois aux lits de fer superposés ; le plastique recouvrant le matelas, qui n'a pas été ôté, me paraît particulièrement

---

1. La dénomination officielle de l'Alliance du Nord est « Front uni islamique et national pour le salut de l'Afghanistan ». Ce groupe de combattants a été dirigé jusqu'à sa mort, le 9 septembre 2001, par le chef de guerre tadjik Ahmed Shah Massoud.

poussiéreux. Le mélange de poussière brûlante et d'odeur de ciment frais – le bâtiment vient tout juste d'être achevé et est censé abriter les hôtes de la PRT – me tourne légèrement la tête. Nous sommes en plein centre, mais il n'y a pas d'électricité et je suis obligée de donner un peu d'argent à Saïd pour qu'il revienne avec un générateur et quelques litres d'essence. Derrière une barbe fournie qui lui confère un petit air taleb, l'homme de 27 ans, en *shalwar-e-kamez* beige, gilet sombre sans manches et calot blanc sur la tête, en paraît aisément dix de plus. Parce qu'il a longtemps travaillé comme électricien pour la PRT américaine (le pourvoyeur d'emplois le plus coté du coin), l'homme baragouine l'anglais.

Un magazine illustré traîne sur une table : c'est *Sada-e-Azadi*, une feuille de chou publiée en dari, pachtou et anglais par le commandant en chef de l'Isaf. Dix pages format A3, qui ne présentent aucun intérêt. « Personne ne lit ce genre de journal, les gens ont bien d'autres préoccupations », commente Saïd, apparu ce matin, un aspirateur à la main. Encore un exemple d'argent jeté par les fenêtres par les étrangers.

« Ici, à Khost, poursuit l'employé, c'est une Américaine qui dirige la PRT. » Je sens que, pour lui et les autres autochtones, cela ne fait aucun doute : cette femme est le gouverneur bis car elle détient le vrai pouvoir : l'argent. « Elle vit barricadée, entourée d'une trentaine de militaires afghans pour la protéger… » C'est à elle que se sont d'ailleurs adressés Saïd, extrêmement pratiquant, et une vingtaine d'habitants de son village pour terminer la construction de la mosquée. La communauté disposait d'assez de ressources et d'énergie pour les fondations et les murs, mais pas pour le toit ni les finitions. « L'Américaine a accepté », énonce-t-il d'un air satisfait sans se demander si c'était vraiment son rôle, ce genre de considérations « déontologiques » n'effleurant même pas les Afghans qui prennent l'argent là où il se trouve, et acceptent aujourd'hui sans vergogne ce qu'ils avaient du mal à comprendre les premières années de l'aide humanitaire : oui, des étrangers peuvent venir de très loin les aider « en échange de rien », sans « motif caché » et sans avoir même le moindre lien familial avec les bénéficiaires de cette solidarité[1].

Cette année, les villageois ont également l'intention de bâtir une école, car l'établissement le plus proche se trouve à quatre kilomètres, qu'il faut parcourir à pied le plus souvent sous un soleil ardent. D'ailleurs, Saïd n'y envoie pas son propre fils de 9 ans, qui reçoit des cours particuliers d'un ami lettré. Quant aux filles du village, elles sont

---

1. Cf. l'excellent *Revoir Kaboul. Chemins d'été, chemins d'hiver entre l'Oxus et l'Indus, 1972-2005* de Micheline et Pierre Centlivres, Zoé, 2007, p. 255.

éduquées par un vieillard cultivé à l'abri d'une maison privée, comme il est de bon aloi dans ces parages... tant qu'il n'y a pas d'établissement scolaire à proximité. Ensuite, « on verra ». La mosquée est donc passée avant l'école...

Mahbouba Saddat est institutrice dans une des écoles de filles de Khost ; elle est également membre de la *shoura* des femmes du village de ce district. Ici, une quarantaine de filles âgées de 7 à 15 ans étudient, notamment l'informatique. Dans la salle des ordinateurs qu'on s'empresse de me montrer, je discerne cinq gros appareils sous housse de plastique. Faute d'électricité, ils ne sont pas souvent utilisés. D'épais rideaux masquent les fenêtres, condition du bon déroulement des études : les femmes ne doivent pas être vues.

Mahbouba a également été candidate (malheureuse) aux législatives de 2003. Elle est fière d'annoncer qu'à cette époque déjà lointaine il n'y avait dans le district que quatre cents écolières, contre quatre mille aujourd'hui, dans onze écoles primaires. Pour l'institutrice qui a elle-même grandi dans un village voisin uniquement doté d'une école de garçons (en cause l'absence d'institutrice), éduquer les filles constitue une mission sacrée, malgré les problèmes quotidiens d'insécurité. Revenue elle aussi au pays après quatre ans d'exil en Iran où elle avait suivi une formation pédagogique (à Chiraz) avant d'être admise dans un des nombreux programmes de l'UNDP (l'une des agences des Nations unies les plus actives en Afghanistan), Mahbouba déplore la mentalité des anciens du village, convaincus que si les filles reçoivent une éducation, ils perdront leur contrôle et elles s'écarteront de la religion et des valeurs de la société en se croyant par exemple autorisées à rencontrer des garçons, ce qui est encore très mal considéré.

Une sonnerie de téléphone portable imitant un bruit de chasse d'eau nous interrompt. La classe éclate de rire.

Pour Mahbouba, il ne fait aucun doute que c'est au gouvernement de convaincre les anciens, ceux qui refusent la modernité et l'évolution des mœurs, « car les gens simples ne changeront d'avis que si ces chefs tribaux donnent l'exemple. Ils feront ce que leurs aînés leur diront de faire ».

Je ne sens pas à Khost un climat de peur – encore moins à Kaboul qui apparaît pourtant comme une forteresse assiégée –, mais la tension est permanente et il faut se tenir constamment sur ses gardes. À l'annonce de mon désir de quitter l'enclave protégée de la capitale pour me rendre en province, j'avais évidemment reçu de sévères mises en garde de mes interlocuteurs diplomates ou membres d'ONG, ce genre d'expédition étant considéré comme proprement impraticable… Ces commentaires, je les avais déjà entendus en Irak par exemple, ou, pis encore, en Tchétchénie. Les autochtones travaillant pour les forces étrangères sont toujours les plus effrayés : ils sont les premières cibles des taliban et autres insurgés.

Alors que nous devisions, un soir, sur le seuil de ma *guesthouse*, un ami afghan, connu cinq ans auparavant ici même, à présent employé de la PRT américaine, s'était ainsi confondu en avertissements et en explications sur les mesures de sécurité à prendre, derrière les volutes de son odorant cigare dominicain, cadeau de ses collègues. Rahmat était de ceux qui, d'après les standards afghans de la collaboration avec l'étranger, avaient le mieux réussi : « spécialiste », son salaire dépassait les 4 000 dollars mensuels, somme considérable aussitôt utilisée pour acheter un terrain à Kaboul et y faire édifier une villa. En attendant que celle-ci soit terminée, il louait une maison dans la capitale pour y loger sa jeune épouse et ses trois enfants.

En 2003, j'avais rencontré sa femme dans son village natal, au fin fond du Wardak. Touchante, elle rougissait à la seule évocation de celui qui n'était alors que son fiancé. Elle-même ne s'était jamais aventurée plus loin que les frontières du district rural. Comme il était loin, ce temps où Rahmat m'amenait fièrement jusque dans ce village reculé qu'il avait lui-même quitté, pour y exposer son extraordinaire et rapide réussite ! Lui aussi m'avait clairement indiqué qu'il n'était plus question de m'y conduire à nouveau, mais j'avais vite compris que c'était lui, avant tout, qui ne pouvait plus s'y rendre, étant devenu une cible de choix pour un kidnapping. Ici même, à Khost, Rahmat ne pouvait pas même quitter ses baraquements, impossible de fréquenter le restaurant ou tout autre endroit public, et il devait se comporter en sorte que rien ne puisse rendre manifeste son affiliation avec cette PRT. Il avait fait exception, ce vendredi, son jour de congé, pour me revoir.

Le lendemain, les forces militaires américaines annonçaient la mort d'une vingtaine de taliban suite à des frappes aériennes sur la route de Kaboul. Depuis la « trêve » annoncée au Pakistan entre les autorités gouvernementales et les régions tribales frontalières peuplées de Pachtounes, le nombre d'insurgés traversant la frontière et affluant justement dans la région de Khost aurait augmenté « de façon significative », ainsi que le reconnaissaient à la fois diplomates occidentaux, gradés de l'Otan et sources militaires américaines.

J'avais été invitée à partager l'humble déjeuner improvisé (assiette de yoghourt frais, galettes de pain chaud et thé) d'une famille établie à la limite de la ville, en direction du Pakistan. Ici, vingt-cinq personnes se partagent dix chambres aux murs de pisé, sans meubles ni commodités, autour d'une large cour où gisent, accablées par la chaleur, deux chèvres et trois vaches. Le patriarche, qui gère un dépôt de ciment en ville, a deux épouses qui ont respectivement six et cinq enfants. Après avoir combattu dans les années 1980 aux côtés des Soviétiques contre les moudjahidine, il est parti au début de la décennie suivante chercher du travail en Iran et en Arabie saoudite. Dans cette maison construite de ses propres mains il y a une dizaine d'années, il accueille aussi son frère et la famille de ce dernier. On vient de traire les vaches : un verre de lait chaud m'est généreusement offert.

Galalai, la seconde épouse, aux yeux verts et au sourire franc, tient à m'expliquer pourquoi elle souhaite que sa plus jeune fille, âgée de 11 ans, se rende à l'école, distante de près de trois kilomètres qu'elle parcourt quotidiennement à pied, toujours escortée de son père ou d'un de ses frères. Elle l'y a envoyée dès que cela a été possible, après la chute du régime des taliban. Les aînées n'ont pas eu cette chance, aujourd'hui elles sont mariées et reçoivent une éducation exclusivement islamique dispensée par la mère du mollah du village. Reste une fille de 16 ans qui n'est pas encore mariée, mais sa mère estime qu'elle est aujourd'hui trop âgée pour fréquenter l'école…

La fille cadette, que j'ai raccompagnée chez elle depuis l'école, est encore en uniforme : tunique noire cousue par sa mère, voile blanc sagement

noué sous le menton. Elle nous écoute religieusement.

« Les taliban mettent le feu aux écoles de filles ;
ils ont récemment menacé la mienne, lui faisant
dire qu'elle se trouvait en danger si elle continuait
d'y aller. Mais moi, je lui répète qu'elle doit absolument aller à l'école, et que si elle est tuée pour
cette raison-là, elle deviendra *shahid* [martyre] ! Je
souhaite qu'elle ait accès aux sciences, aux langues
étrangères, pour choisir ensuite ce qu'elle voudra
faire comme métier dans sa vie future, et surtout
je ne la marierai pas tant qu'elle n'aura pas reçu
une éducation de base ! »

Galalai, qui pense avoir 35 ans (elle n'en est pas
sûre, ce qui me plonge dans une certaine perplexité, car je la croyais plus âgée que moi, mais
elle s'en sort par une pirouette qui en dit long sur
son sens de l'humour : « Dans tous les pays du
monde civilisé, les femmes ne disent jamais leur
âge, n'est-ce pas ? ») et n'a jamais été à l'école,
campe sur ses positions. Dans cette région où de
plus en plus de parents renoncent à éduquer leurs
enfants de sexe féminin, soit parce que les instituteurs sont des hommes, soit parce que l'absence
de bâtiment scolaire idoine expose trop leurs filles
aux regards masculins, son attitude force le respect.
« Aller à l'école est un privilège, et je veux que
mes filles en profitent. Tout le monde devrait
envoyer ses enfants à l'école ! »

Galalai m'explique que ces taliban qui terrifient l'Occident ne lui font pas peur : affiliée à aucun parti, propriétaire de sa maison et des terrains alentour, sa famille n'a rien à se reprocher. Même si elle reconnaît avoir mené une vie plus tranquille sous leur régime, en aucun cas elle ne souhaiterait leur retour au pouvoir, « car ils assassinent des innocents et ne pensent qu'à leurs propres intérêts... ».

Puis nos mots sont couverts par un brouhaha provenant du dehors qui ressemble à un discours déclamé dans un micro de piètre qualité : c'est la cassette enregistrée d'un poème taleb très connu (Fâqir Mohammed Darwish, son auteur, est en fuite au Pakistan), diffusée par le haut-parleur d'une voiture à bord de laquelle sont justement entassés des taliban enturbannés. Je tressaille, d'autant plus que mes accompagnateurs masculins (qui restent dans la pièce réservée aux hôtes, car la coutume locale leur interdit de pénétrer du côté des femmes) m'avaient prévenue : à la limite de la ville, passé le dernier poste de contrôle, n'importe qui peut théoriquement me kidnapper !

« Non non, ne vous inquiétez pas, ce ne sont pas de mauvais taliban, rien à voir avec les combattants, m'explique Galalai, amusée par ma crainte ; ce sont de *vrais* taliban, c'est-à-dire des étudiants en religion qui font la tournée du quartier en quémandant l'aide financière des gens de bonne volonté pour financer leurs études dans les *medressas*. »

Elle s'empresse d'ailleurs de demander à l'un de ses deux fils d'aller leur porter quelque menue monnaie.

Avant de m'en retourner à Kaboul, je retrouve un professeur d'anglais de l'université de Khost, rencontré lui aussi en 2004. « *Get knowledge, even in China* » : l'inscription en anglais que j'avais pu lire à l'époque au tableau noir de sa classe m'avait marquée. Étonné par mon retour sans préavis, un tantinet défiant, il accepte la rencontre, chaperonné toutefois par son fils aîné.

Créée en 1996, au début de l'ère talibane, la jeune université de Khost avait été aussitôt fermée et transférée à Peshawar, au Pakistan voisin. Le professeur me fournit des informations sur l'actuelle université qui abrite désormais 3 000 étudiants et dont le campus, réinstallé, a été élargi grâce aux généreuses donations des Émirats arabes unis. L'établissement a même été baptisé du nom de Sheikh Zayed, ancien président émirati, décédé fin 2004.

Posément, il me confie la liste de ses récriminations, celle-ci est longue et pointe la carence de moyens du système éducatif en Afghanistan : avant tout le manque de professeurs (« Je suis seul alors qu'il faudrait être au moins trois pour créer un département qui fonctionne ! »). Résultat : il engage parfois, pour le seconder, des gens qui ne sont même pas enseignants. Mais le plus triste est que la plupart des jeunes Afghans parlant correctement l'anglais sont presque aussitôt recrutés par les organisations non gouvernementales et les structures humanitaires qui leur proposent salaires et plans de carrière inexistants dans le système afghan. « Avant 2001, mes étudiants n'avaient pas de travail, ils en oubliaient leur anglais ; aujourd'hui, ils sont tout de suite embauchés ! »

Lui aussi a bien pensé aller travailler ailleurs, mais il est l'objet de la pression des anciens le suppliant de rester enseigner ; sinon, qui le fera ?

Le jeune homme qui l'accompagne a été le premier interprète à être embauché par les forces américaines dans la région, et le père n'en est pas peu fier. Pourtant, il n'« a tenu » que neuf mois, avant de renoncer par suite des menaces des taliban ; aujourd'hui il assiste son père à l'université.

Y a-t-il des étudiantes à l'université ? Une seule, en faculté de médecine, une des plus populaires avec le département de management et business ; elle s'y rend sous son *châdri* qu'elle ôte pendant les cours, « mais son mari le lui permet », ajoute le professeur, arguant que l'université n'a aucun problème pour accueillir des femmes, et qu'elles ne sont pas non plus empêchées par les taliban. Les freins sont familiaux : la pression des parents, des frères, voire des jeunes femmes elles-mêmes, est forte. Il avoue d'ailleurs ne pas encore être sûr d'envoyer à l'école ses deux filles de 15 et 8 ans : la peur des bombes le paralyse. Pour l'heure, un des frères aînés leur enseigne les chiffres et les lettres en utilisant un téléphone portable.

Malgré sa réticence à parler politique, l'homme, qui a étudié deux ans à Londres, deux en Écosse et deux autres en Inde, ainsi qu'il était possible de le faire avant le règne des taliban, ne peut s'empêcher de faire passer un message : tant que le gouvernement afghan ne sera pas stable, il serait souhaitable que les troupes étrangères ne partent pas. Son rêve ? Créer une école privée d'apprentissage de l'anglais à Khost où les frais de scolarité seraient accessibles à tous.

À bord du taxi collectif qui me ramène à Kaboul, l'atmosphère est pesante. Engagés dans un impressionnant défilé de montagnes, nous nous retrouvons face à des manœuvres de l'Armée nationale afghane, apparemment en train de prendre position avec force canons et lance-roquettes. Les voyageurs sont tendus : si des combats venaient à éclater, nous risquerions d'être pris au piège. J'ai même aperçu trois soldats américains aidant un soldat afghan à mettre en batterie son lance-roquettes. Signe toujours de mauvais augure : très peu de circulation et rien que des hommes à bord des véhicules.

À Gardez où nous faisons halte dans une ONG américaine, l'officier de sécurité qui m'accueille a du mal à me croire quand je lui dis d'où je viens – qui plus est, sans protection. Il achève la rédaction de son rapport quotidien à destination de ses supérieurs à Kaboul : pour lui, cette route est impraticable, tant elle est infestée de taliban. « Peut-être, lui fais-je remarquer, mais la circulation n'y est pas pour autant stoppée... »

# 5

## La course à la présidence

*août 2009*

*Une tente dans la poussière — Un chocolat chaud à l'ombre des pins — Retour sur le seul candidat à avoir fait campagne.*

Il a planté sa tente sur le bas-côté de la route, dans les gravats et la poussière. À l'intérieur, une table ronde en plastique, et pour toute décoration un drapeau afghan poussiéreux sur lequel a été cousue la *Fatiha* (première sourate du Coran), ainsi qu'une horloge à piles épousant la forme de l'Afghanistan, agrafée à la cloison de toile. Une quinzaine de chaises accueillent les visiteurs toujours nombreux.

« Traditionnellement, c'est toujours sous la tente que l'on discute et que sont prises les grandes décisions », explique, ravi, le député Ramazan Bachardost, 46 ans, dans un français impeccable. Mais c'est surtout parce qu'il n'a pas un sou vaillant pour louer des bureaux que Bachardost recourt à cette tente plantée durant deux années consécutives dans le parc de Shar-i-Naw, le quartier moderne de Kaboul, face au bâtiment de l'ancien Parlement de la monarchie constitutionnelle afghane (1964-1973). Celui-ci avait été rénové en hâte grâce à une aide de l'Inde, mais le nombre de bureaux était largement insuffisant pour les 249 députés de la *Loya Jirga*[1].

Sur la scène politique locale, l'homme détonne : revenu de France où il a passé vingt-deux ans (de 1981 à 2002) pour étudier le droit et les sciences politiques (aux universités de Dijon, Grenoble et Toulouse), puis comme chargé de cours intérimaire à la Sorbonne, il a été nommé à son retour ministre du Plan, puis, fin 2005, s'est fait élire à la députation, lors des premières élections consécutives à la chute du régime des taliban. Bachardost est aussi l'auteur avisé d'une thèse sur « la diplomatie et la guerre en Afghanistan ».

À propos de la conférence des donateurs réunie à Paris[2], l'homme ne décolère pas : « Une chose est sûre : cette rencontre dont on fait grand bruit n'aura aucune conséquence sur la vie quotidienne des Afghans qui savent que l'argent de la communauté internationale disparaît quasi instantanément dans la poche des politiques. En six ans de présence étrangère, rien n'a changé ici, si ce n'est en

---

1. Terme d'origine pachtoune désignant une grande assemblée spécialement convoquée pour prendre des décisions concernant le peuple afghan. Cette institution est similaire à la *shoura* islamique.
2. Le 12 juin 2009.

pire. Pourquoi ? À cause de la corruption généralisée, de l'absence totale de sens des responsabilités des hauts fonctionnaires, de leur inconscience ; j'irais même plus loin : on assiste à une perte de confiance de la communauté internationale vis-à-vis de l'Afghanistan. »

Pour ce juriste francophone, le but de cette énième conférence était de légitimer l'action de la communauté internationale : « Un moyen de propagande pour tromper les Afghans, mais, surtout, pour donner bonne conscience aux Occidentaux. » Bachardost va plus loin encore en affirmant que « ce que fait Karzai est machiavélique, car tout le monde sait que des hauts fonctionnaires gagnent des fortunes avec la drogue, tout en encaissant l'argent de la communauté internationale destiné à lutter contre ce fléau ! Le président Karzai a récemment commis au moins deux erreurs : il s'est vanté qu'Ahmadinedjad, le président iranien, était son ami personnel, et il a rejeté la candidature du Britannique lord Paddy Ashdown comme représentant spécial des Nations unies en Afghanistan ».

Ashdown, qui s'était rendu célèbre en Bosnie pour avoir mis au point un plan anticorruption au sommet de l'État, prévoyait de tenter la même opération en Afghanistan.

Tout de blanc vêtu, un stylo Bic accroché à la poche de poitrine de sa chemise, une veste de costume sombre déployée sur le dossier de sa chaise, sans ordinateur mais équipé d'un téléphone portable, Bachardost ne dispose d'aucune protection personnelle ni d'aucun garde du corps, ce qui tranche sur les autres candidats et VIP de la scène afghane. Il aime à se présenter comme « afghan », refusant de mettre en avant son groupe ethnique, la minorité hazara de confession chiite. Son style de vie, proche de celui de la masse, l'a certes fait passer pour un « populiste », mais cela ne l'émeut guère. Et, pour dénoncer, il est toujours le premier :

« Il faut cesser de se présenter et d'agir selon les intérêts de telle ou telle communauté, dépassons tout cela, mais c'est justement ce que Karzai est incapable de faire. L'actuel président ne connaît rien au système démocratique moderne, ses valeurs sont islamistes, dominées par des loyautés tribales, à l'instar de la grande majorité des acteurs de la scène politique afghane. Les chefs de guerre sont de plus en plus puissants à la tête de l'État afghan. Karzai ne connaît que le mode de gestion tribal, il a généralisé la corruption ; l'escroquerie et les abus de biens sociaux sont la règle. Des sommes astronomiques se trouvent dilapidées. Quand j'étais ministre, j'ai vu de mes propres yeux des diplomates iraniens remettre au chef de l'État des valises remplies de dollars. J'avais beau lui dire qu'il n'était pas le chef d'une mafia, mais un président élu devant rendre des comptes à la nation – en vain. Karzai gouverne comme un chef de tribu, et cet argent a sans doute été employé à acheter la loyauté des gens ! »

Six ans plus tard, le 25 octobre 2010, à la stupeur générale, le président Hamid Karzai reconnaissait publiquement recevoir « des sacs d'argent » en dollars américains du voisin iranien. Une « aide officielle[1] » que le président a qualifiée de « transparente », pointant une fois de plus du doigt le fossé séparant les méthodes occidentales et autochtones.

Inlassablement, Bachardost accuse le chef de l'État afghan de ne pas vraiment savoir comment fonctionne un État de droit moderne, ni même comment composer un cabinet : « Le sien regroupe des individus qui n'ont aucun point commun, si ce n'est qu'on leur a offert un poste sur un plateau pour qu'ils se taisent... Tout ce gouvernement n'est que poudre aux yeux. Il ne travaille pas dans le respect des normes internationales. Un an après la construction d'une route, tout est à refaire, alors qu'elle devrait théoriquement tenir trente ans ! »

Exemple flagrant de l'évolution malsaine du climat politique à Kaboul, Bachardost mentionne la décision-surprise du Sénat de bloquer la diffusion d'une série télévisée indienne ultrapopulaire :

---

1. Entre 500 000 et 700 000 euros « une ou deux fois l'an », de l'aveu même du président.

« Il y a trois ans seulement, personne n'aurait osé émettre une telle interdiction ! » clame le député.

Mais la plus grande déception du juriste, qui l'a conduit à présenter sa démission après dix mois de travail (de mai à décembre 2004) en tant que ministre du Plan, c'est son rapport sur le dysfonctionnement des ONG étrangères, si dérangeant que le président Karzaï a préféré le laisser lettre morte :

« J'avais nommé à la tête de cette commission d'enquête sur les ONG une femme très compétente. Au bout de six mois, elle m'a rendu sa copie aux termes de laquelle il fallait annuler la licence de fonctionnement de 1 935 organisations non gouvernementales internationales. Parmi elles, de grandes institutions françaises, telles que Médecins sans frontières, Médecins du monde, Action contre la faim... »

Sans commentaires ! En sa qualité de ministre, Bachardost avait refusé l'importation de trois véhicules à 60 000 dollars pièce pour ACF. Il assure s'être rendu lui-même avec le représentant de l'ONG chez un concessionnaire afghan pour le convaincre d'acheter plutôt sur place une voiture à 15 000 dollars.

« Nous conservions cependant 420 organisations dont nous avions jugé le travail productif, répondant à des normes éthiques, et sans gabegie financière, se défend-il. Au lendemain de la diffusion du rapport, le porte-parole de Karzaï a organisé une conférence de presse pour déclarer que ces conclusions correspondaient à une décision personnelle de ma part. Alors que j'étais ministre en exercice ! Après une rencontre avec le président, qui a rejeté tout de go les termes du rapport, il ne me restait plus qu'à démissionner, ce que j'ai fait dès le lendemain, 25 décembre 2004. »

Quelque temps plus tard, Karzai appelle de nouveau Bachardost pour prendre la tête d'une « commission indépendante contre la corruption », mise en place à grand-peine sous la forte pression internationale. L'ex-étudiant en droit, dont le père possède une petite échoppe de pièces détachées de voitures et dont la mère n'a jamais travaillé, aurait accepté si le président Karzai lui avait garanti trois conditions essentielles à ses yeux : d'abord, entamer la lutte contre la corruption dans le cabinet même du président, en exigeant la communication de certains dossiers ; ensuite, suspendre immédiatement des hauts fonctionnaires soupçonnés de corruption et faisant déjà l'objet d'une instruction du parquet général ; enfin, mettre sur pied une cour spéciale pour juger le personnel parlementaire et les fonctionnaires de l'État corrompus[1], tribunal dont les juges seraient rémunérés convenablement.

---

1. La Haute Autorité de surveillance et de lutte contre la corruption a été créée en juillet 2008 par décret présidentiel, et une conférence nationale contre la corruption a été organisée à Kaboul les 15-17 décembre 2009, à laquelle plus de 450 représentants, experts en différents secteurs, ont participé.

« Mais vous voulez détruire l'État afghan ! » aurait rétorqué Karzai, choqué, qui a fini par nommer quelqu'un d'autre, assurément moins dérangeant[1].

Enfin, pour éloigner Bachardost de Kaboul, le chef de l'État afghan lui a proposé divers postes de gouverneur en province, et même d'ambassadeur à l'étranger. N'ayant qu'un objectif en tête : le prochain scrutin présidentiel, Bachardost a tout refusé. Depuis lors, les médias afghans font la queue pour être reçus sous sa tente, et pendant les trois heures que j'aurai passées avec l'étrange député, j'en croiserai quatre différents, dont la télévision privée Tolo TV.

Illustrant la complexité du jeu politique afghan, voici, en forme de mise au point, les explications du candidat à propos du très médiatisé « retour » des taliban :

« Ici les taliban n'ont jamais déclaré la guerre aux "impies" [les Américains et la communauté internationale occidentale] ; en revanche, ils se battent contre les moudjahidine, revenus au pouvoir après 2001 sous le parapluie des Américains. Je sais que c'est difficile à comprendre pour un public occidental, mais, selon la logique talibane, ces gens continuent à se battre comme avant leur

---

1. Ezatullah Wasefi, rencontré à Farah en tant que gouverneur, le fut un temps. Cf. Anne Nivat, *Islamistes, comment ils nous voient*, Fayard, 2006, Le Livre de Poche, 2010, p. 85 et suiv.

propre arrivée au pouvoir, en 1996, et cela n'étonne en rien le peuple qui subit les pressions des deux côtés, tout en s'efforçant de survivre à la pauvreté. Quand j'accéderai au pouvoir, ma première décision sera de chasser tous ces moudjahidine des hautes sphères de l'État, et je pense que cela sera amplement suffisant pour calmer les taliban qui n'auront alors plus aucune raison de prendre les armes... »

Se débarrasser de l'ensemble du gouvernement et le remplacer par « une nouvelle génération qui existe et qu'il faut mettre au travail » : un rêve ?

Le « Gandhi afghan », comme d'aucuns l'ont déjà étiqueté, compte sur la « solidarité » des médias locaux pour assurer sa campagne. Célibataire endurci – cas rarissime dans la société traditionnelle afghane –, il explique son état par « un métier, une mission incompatibles avec la vie familiale ». De nombreuses personnes passent en permanence la tête sous la tente, s'y asseyent un moment, l'écoutent, puis repartent. Ce sont ces gens ordinaires qui construisent la campagne de Bachardost par le bouche à oreille, et c'est la première fois qu'un homme politique bénéficie d'autant de soutiens parmi d'autres ethnies que la sienne.

Cependant – l'ex-ministre le sait bien –, sa faiblesse reste l'insuffisance de financement, handicap qu'il balaie fermement en affirmant qu'il fera, « comme Obama », un appel solennel au peuple.

Distribuant entièrement son salaire de 2 000 dollars mensuels aux Afghans, se contentant de peu, Bachardost vit chez ses vieux parents dans une seule pièce et est la plupart du temps invité à déjeuner ou à dîner chez des amis. « Moi, je n'ai pas accepté qu'on m'offre gratuitement du terrain pour y construire ma maison », insiste-t-il – allusion à la pratique courante consistant à bénéficier, et à faire bénéficier ses proches, des largesses de l'État sitôt qu'on accède au pouvoir[1]. Ne fréquentant que rarement les restaurants ou les cinémas, jamais en vacances, Bachardost consulte même ses courriels sur l'ordinateur de la bibliothèque du Parlement.

Alors, *quid* de sa sécurité ? Est-ce un sujet qui le préoccupe, puisque, par ces temps troublés, il obsède la plupart de ses collègues ? « Non, je ne crois pas qu'on puisse s'en prendre à moi ; en tout cas, je n'ai pas l'intention de me protéger derrière des barbelés, un mur de béton ou à l'intérieur d'une voiture blindée ! »

À l'opposé de Bachardost, autre candidat, autre style de vie, autre campagne : en plein centre de

---

1. À l'automne 2003, Mohammed Fahim Khan, le ministre de la Défense, ancien chef de guerre des rangs de feu Massoud, qui appartient au « clan des Tadjiks », a été impliqué dans un gigantesque scandale de spéculation immobilière dans les environs de Kaboul. En 2009, il est candidat à la vice-présidence sur le « ticket » de Hamid Karzai.

Kaboul, je déniche avec peine sa villa de pierre rose et gris, coincée de plain-pied entre l'imposant bâtiment barricadé abritant la mission de l'Unama (dont l'un des ses frères est propriétaire) et trois autres belles villas appartenant à ses fils. Une fois le lourd portail refermé par un garde armé, il faut faire au moins vingt-cinq pas pour retrouver Hedayat Amin Arsala, 69 ans, dans le jardin de cette ancienne propriété de la sœur du président Daoud. Calé au fond d'un confortable fauteuil de rotin, à l'ombre d'un pin, Hedayat m'invite à partager son chocolat chaud, breuvage qu'il affectionne. Non loin de nous, deux paons dispensent en ce lieu une sérénité méritée : ici, la poussière et les tracas de Kaboul semblent dissipés. Toutes les trente secondes, une fontaine crache une eau pure qui ruisselle dans des vasques immaculées. Haut fonctionnaire de l'État afghan, légitimé auprès de la communauté internationale par dix-huit années passées à la Banque mondiale, Hedayat Amin Arsala, Pachtoune dont la fratrie a beaucoup œuvré pour les moudjahidine et contre les taliban[1], se dit lui aussi convaincu qu'il sera le prochain président du pays. Conseiller de Hamid Karzai depuis les premiers jours, ancien ministre des Finances, vice-président et « ministre senior », l'homme a décidé de se présenter à la présidence

---

1. Son cousin, Abdu Haq, était un moudjahid fameux.

sans même avoir, curieusement, l'idée de faire campagne.

Quelques jours après ma visite, sa sortie de la course au profit du docteur Abdullah, le rival le plus sérieux de Hamid Karzai, sera rendue publique, mais il n'en aura pas moins joué son rôle jusqu'au bout. Dans quel but ? Monnayer un futur poste dans les hautes sphères ? Asseoir une influence qui souffrait d'être amoindrie ?

Après s'être longuement attardé sur sa (riche) biographie, Arsala rechigne presque à parler politique. À voix lente et basse, il discourt sur un Afghanistan qu'il rêve « prospère et démocratique, où chaque citoyen ressentirait que ce pays lui appartient, qu'il y jouit de droits à égalité avec tous ». Il prend grand soin de ne pas critiquer ouvertement le président Karzai, si ce n'est pour expliquer pourquoi il en est venu à se présenter, le pays « manquant de substance » tout autant que « de candidats au passé décent et sans tache… ». Pourtant, répète-t-il, pas question de faire campagne : « Des gens le font à ma place. » Nul étonnement donc à ce que le peuple ne le connaisse absolument pas ? Pas vraiment, ce qui fait apparaître ses véritables motivations : montrer son allégeance au maître dans le seul but de continuer à exercer un certain pouvoir dans l'entourage du président. « Mais je ne veux pas aller le voir, parce qu'il serait déplacé qu'on croie que nous sommes en train de négocier » – ce qui était pourtant déjà un fait avéré au moment de notre conversation, certaines sources affirmant avoir vu Arsala recevoir en présence de Karzai une pleine valise de billets. « Dans le cas où Karzai serait réélu par suite de la fraude, nous n'aurions plus aucune chance de stabiliser le gouvernement », semble-t-il d'avance regretter.

Si l'embonpoint, la barbichette et la voix suave concourent à donner un abord bienveillant au personnage, Hedayat Arsala apparaît plutôt comme l'archétype de l'Afghan coupé des réalités de son pays et se méprenant totalement sur sa propre capacité à faire l'unanimité. Sans doute comptait-il sur sa notoriété et celle de sa famille ? En tout cas, où que ce soit dans le pays, nul ne m'a jamais mentionné son nom.

En ce mois de mai 2011, ce n'est plus sous la tente dont le terrain a été récupéré par son propriétaire[1], mais dans son bureau du Parlement, l'ancien bâtiment des services secrets afghans, au sud-ouest de la ville, que je retrouve Bachardost en plein travail de finition d'un livre sur la campagne présidentielle, publié à ses frais début juillet. Au mur, une galerie de portraits de héros qui ont donné leur vie pour l'Afghanistan : de Malalai, la

---

1. En attendant un nouvel emplacement.

« Jeanne d'Arc afghane[1] », à des écrivains et des historiens, en passant par le roi Amir Amanullah[2] qui s'affranchit de la tutelle britannique en 1921. Attablé au second bureau, un jeune homme, son *webmaster*, peaufine la page Internet de l'ex-candidat.

Bachardost, comme à son habitude, est tout de blanc vêtu, le col et le jabot de sa tunique ourlés de rouge, noir et vert, les trois couleurs du drapeau national. À l'été 2009, il était le seul à faire véritablement campagne à l'occidentale, c'est-à-dire en se déplaçant à travers le pays, rencontrant son électorat pour avancer des idées et exposer son programme. Car, pour les autres hommes politiques afghans, faire campagne consiste avant tout à distribuer des téléphones portables, des repas ou de l'argent. Non seulement Bachardost n'a rien acheté à ses électeurs, mais il a même vendu son poster (cinq afghanis pièce, me fait-il remarquer). En deux mois, il a réussi à visiter 27 provinces sur les 34 que compte l'Afghanistan, et s'il n'a pas pu les « faire » toutes, c'est que le temps lui a manqué. L'État avait mis à disposition des hélicoptères pour gagner les territoires les plus reculés, mais « certains

---

1. Héroïne légendaire pachtoune de la troisième guerre anglo-afghane (1919-1921) et vénérée dans tout le pays, quelle que soit la tribu. Lors de la bataille de Maïwand, près de Kandahar, le 27 juillet 1880, Malalai s'était sacrifiée face aux troupes de l'envahisseur.

2. A régné de 1919 à 1929.

en ont abusé », accuse-t-il. En hélicoptère, Bachardost a visité Khost, Farah et l'Uruzgan. Sillonnant également les villages grâce à un mini-van de campagne financé par quelques amis, couchant sous la tente, le candidat a multiplié les rencontres sur les marchés et dans les lycées, sans le moindre garde du corps.

Nul alors n'aurait pensé que cet original décrocherait la troisième place, la ravissant même à Ashraf Ghani, homme riche et influent, qui n'avait pas lésiné sur les dépenses de campagne. Bachardost s'amuse de ce que l'ambassadeur américain soit venu lui rendre visite sous la tente *après* les élections – et non avant – et d'avoir reçu un coup de téléphone du secrétariat du général Petraeus, le jour même de notre entretien, le « convoquant » pour une rencontre ! Il n'ira pas, préférant que le général vienne à lui.

Dans son livre-bilan, Bachardost a revisité le pays – chaque chapitre correspond à une région – et avancé quelques propositions : « La population afghane est déçue. Par le gouvernement afghan et par les militaires étrangers. Par tout le monde, reconnaît-il. Les gens accusent les soldats de protéger le gouverneur de région, et non la population ! Des seigneurs de la guerre qui ont tué, torturé, au nom des droits de l'homme, sont au pouvoir ! Certains regrettent même l'époque des Soviétiques... Ils avaient l'impression que même s'ils votaient tous pour moi, les jeux étaient déjà faits, car, pour eux, les Américains ont choisi. Voilà l'atmosphère qui règne dans mon pays ! »

Le credo de Bachardost n'a pas changé : il critique et dénonce à l'envi l'*establishment* économique et politique qui, selon lui, a bâti un système mafieux ne profitant qu'à une minorité, et non aux gens du commun dont il se targue d'être le porte-parole. « Les routes récemment construites deviennent rapidement impraticables, certaines cliniques prétendument inaugurées n'existent même pas ! Mon pays s'en est retourné à l'âge des cavernes ! Dans certains coins reculés, mes compatriotes ne connaissent pas même l'existence du *palau*[1], ils se nourrissent de riz plongé dans l'eau bouillante, c'est tout ! » À cette évocation, la voix de Bachardost tremble et son regard noir se plante dans le mien : « Il n'y a pas d'État en dehors de Kaboul, et ça fait dix ans que Karzai multiplie les promesses ! »

En sillonnant sa patrie, l'ancien étudiant en France affirme avoir vu partout la corruption, l'impuissance, la perte d'espoir : « Les gens sont comme anesthésiés. » Ce qui prouve, selon lui, qu'au plus bas de l'échelle sociale on est mûr pour un changement. Les structures de la société ont volé en éclats : « Les gens ont vécu l'islam dans le sang,

---

1. Plat de riz pilaf cuisiné avec de la viande de mouton, des carottes et des raisins secs, servi dans les réunions et les grandes occasions.

les tueries, et n'ont plus confiance dans les chefs religieux. Encore moins dans les structures villageoises traditionnelles qui se sont fourvoyées. » Ainsi le chef de village n'est plus cru sur parole comme il y a trente ans, quand il était encore quelqu'un d'important. La masse est devenue suspicieuse. « Le problème, c'est que les étrangers n'ont pas compris que plus aucune parole ne fait autorité : le *malik* auquel ils s'adressent, croyant bien faire, doit rester en bons termes avec chaque chef administratif pour que la manne continue à se déverser. Il ne représente plus tel ou tel village, avec ses spécificités, ses leaders, ce n'est plus qu'un commerçant politique ! C'est pourquoi un taleb de 20 ans peut l'assassiner sans que personne ne s'en offusque, parce que les gens savent qu'il est corrompu, qu'il attire volontiers des garçonnets et des fillettes dans son lit, etc. »

Comme lors de notre dernière entrevue, nous sommes interrompus par l'arrivée de journalistes afghans venus interviewer le député, réputé pour ne pas mâcher ses mots. Cette fois, il s'agit d'une toute jeune chaîne de télévision privée locale, Asia TV, basée à Hérat, dans le Grand Ouest afghan. Si Bachardost continue à être snobé par la plupart des acteurs du paysage politique afghan l'accusant de populisme et raillant son manque de moyens, il est littéralement adoré des jeunes journalistes. Au point que Tolo TV, une chaîne privée de Kaboul, a même été accusée d'avoir mis sur le marché le « produit Bachardost ».

Le journaliste qui s'apprête à l'interviewer me révèle que, d'après ses informations, Bachardost va bientôt se marier. L'équipe repartie, l'intéressé confirme : « Oui, c'est vrai. Je ne connais pas ma future épouse, mais je sais que c'est une femme sans histoires, issue de mon village natal, près de Ghazni. Son père est ingénieur, sa mère a enseigné avant la guerre à la faculté des lettres. » Cet événement capital, il le reconnaît lui-même, modifiera sa façon de vivre et de pratiquer la politique : Bachardost sait qu'il perdra la liberté de distribuer à tous vents son salaire, qu'il ne pourra plus dormir sous la tente mais devra lui aussi se mettre en quête d'un terrain à acheter pour y bâtir sa demeure.

Il poursuit en exposant les divers scénarios relatifs au retrait des forces militaires alliées, convaincu que la Chine sera le prochain adversaire : « La formation de notre président est plus proche de celle d'Ahmadinedjad, l'Iranien, que de celle de ses homologues occidentaux. Notre État partage les mêmes intérêts que les Occidentaux, oui, à condition qu'ils cessent précisément de soutenir les criminels de guerre, les voleurs et les violeurs qui sont ici au pouvoir. »

Difficile de stopper Bachardost sur ce thème : il ne tarit pas d'exemples prouvant, selon lui, que les gouverneurs nommés par le président Karzai sont des hommes de Gulbuddin Hekmatyar[1] ou d'autres

---

1. Ancien chef de guerre.

seigneurs de la guerre. Choqué que les militaires occidentaux puissent protéger des gouverneurs afghans qu'il considère, lui, comme des criminels, Bachardost n'en démord pas : « Ici, les Occidentaux gaspillent leur argent, la vie de leurs soldats et même leurs fameuses valeurs ! » Quant au débat sur une éventuelle réconciliation avec les taliban, il ne trouve pas grâce à ses yeux : « L'État n'est pas un gâteau qu'on se partagerait. Pourquoi, après avoir nourri les criminels, faudrait-il en céder aujourd'hui un morceau aux taliban ? Et les Afghans alors ? On ne peut créer un nouveau système avec d'anciens acteurs, d'autant moins que les taliban "modérés", ça n'existe pas ! »

Les élections présidentielles se sont finalement tenues le 20 août 2009 dans un contexte marqué par deux attentats-suicides perpétrés à Kaboul, respectivement à cinq et deux jours du scrutin, alors même que les taliban avaient appelé au boycott. Selon les résultats officiels, qui, suite à des fraudes massives, n'ont été rendus publics que le 21 octobre suivant par la commission électorale indépendante, Ramazan Bachardost est arrivé en troisième position avec 10,46 % des suffrages[1].

---

1. Hamid Karzai a récolté 49,67 % des voix et Abdullah Abdullah 30,59 %. Un second tour les opposant aurait dû se tenir le 7 novembre, mais Abdullah Abdullah a finalement refusé de se présenter en raison de prévisibles nouvelles irrégularités.

# 6

## DÉTOUR PAR BAMYAN

*été 2009*

*La difficile route vers la vallée des bouddhas dynamités –
La simple vie dans une masure de pisé – Pourquoi les
superpuissances ont-elles peur de perdre des hommes ? –
La persévérance et le courage de la seule femme
gouverneure du pays.*

À un mois d'une deuxième élection présidentielle censée se dérouler démocratiquement, poin-
tait timidement en Afghanistan l'espoir de sortir
d'un long cycle guerrier commencé avec l'invasion
de l'Armée rouge en 1980, poursuivi par la guerre
intérieure des taliban, puis par l'opération occidentale destinée à les neutraliser. Dans un pays plus
désabusé que jamais, la réalité ambiguë du terrain
réduisait souvent à néant les efforts militaires et
humanitaires de l'étranger.

Nous sommes à près de 200 kilomètres au nord-
ouest de Kaboul, en terre hazara, la troisième ethnie afghane[1] : des musulmans chiites descendants

1. Celle-ci représente de 10 à 15 % de la population.

du mythique envahisseur des steppes, Gengis Khan. Pour atteindre la somptueuse vallée bordée de falaises de grès ocre dans lesquelles avaient été sculptés les gigantesques bouddhas dynamités par les taliban au printemps de 2001 (deux ans plus tard, le site a été classé par l'Unesco patrimoine mondial de l'humanité), il faut tout de même, en l'absence de tout vol commercial, une quinzaine d'heures de voiture sur une piste caillouteuse encombrée d'engins de terrassement.

« Des taliban, en Afghanistan ? Il y en a partout… sauf ici ! » m'assure Besmellah alors que nous sommes brinquebalés dans son minivan Toyota, et qu'il me conduit chez lui, dans un village proche de la capitale de cette province mondialement connue depuis le triste épisode du dynamitage. Sitôt tourné à gauche vers l'ouest, après la localité de Charikar, le ruban d'asphalte se transforme en piste. « On reçoit très peu d'aide, parce qu'on est loin de Kaboul, mais la vraie raison, c'est qu'on jouit d'un bon niveau de sécurité : donc, pas d'aide ! Peut-être que si on avait vécu dans plus d'insécurité, on en aurait reçu davantage ! » ajoute ce père de six enfants, peu gêné de ces audacieuses explications. « Hamid Karzai est venu par trois fois en hélicoptère et a promis de développer notre région, mais il a menti. Un président ne devrait jamais mentir ! »

Voilà tout le paradoxe afghan : huit ans après l'offensive américaine en réplique à l'attaque perpétrée contre les tours jumelles à New York, des milliards de dollars sont censés avoir été dépensés et ont effectivement été déversés sur l'Afghanistan en aide humanitaire, en aide au développement et en opérations militaires, et pourtant de nombreuses régions n'en ressentent aucun effet.

Nous longeons la rivière Ghowband, asséchée en été. Les paysages sont déchiquetés, rocailleux, la végétation (le seul arbre ici est le peuplier) limitée aux berges. À 11 h 30, de jeunes garçons rentrent de l'école à pied, quelques-uns à vélo, un petit sac à l'épaule. Nous progressons lentement ; l'accès à cette vallée isolée est malaisé en l'absence d'infrastructures modernes. Dénué d'importance stratégique, ce réduit n'intéresse personne. Unique particularité : depuis quatre ans, le gouverneur est une femme, la seule du pays à occuper un tel poste officiel.

La gêne de Besmellah et des autres hommes à bord du minivan est perceptible quand je leur demande leur avis sur cette gouverneure. Ils grimacent tout en ajoutant : « Notre province est la seule du pays où une pareille situation est possible. Ça montre notre ouverture d'esprit ! » En revanche, ils sont satisfaits que la loi chiite sur les relations au sein du couple ait été votée, même si elle a fait grincer des dents en Occident[1].

En traversant Shenwari, Besmellah d'un coup de menton m'indique les restes de constructions édifiées par des « esclaves » hazaras pour détourner l'eau de la rivière. Sous le régime taliban, son ethnie était en effet méprisée et exploitée.

Notre parcours est ralenti par des travaux titanesques. Bétonneuses et pelleteuses s'activent sur les bas-côtés. Des ouvriers pakistanais, me dit-on. On double des camions chargés de briques, sans jamais dépasser les vingt kilomètres/heure, et il faut parfois des trésors d'habileté et de courage à notre chauffeur pour nous faire passer sur quelques branches à moins de dix centimètres du ravin.

De grosses gouttes de pluie éparses éclatent sur ma main tendue par la portière. Parvenues sur le sol brûlant, elles s'évanouissent aussitôt, happées par la terre aride.

On croise encore cinq transporteurs de charbon pakistanais de retour des mines de Bamyan. À l'intérieur de l'habitacle, mon corps épouse le roulis du véhicule ; je me sens transportée en pensée en pleine savane tant mon cou semble s'étirer comme celui d'une girafe. Parfois, nous sommes

---

1. En mars 2009, une loi formalisant la discrimination à l'égard des femmes chiites et légalisant le viol conjugal avait été adoptée par le Parlement et paraphée par le président Karzai dans un tollé international.

obligés de faire marche arrière pour laisser la place aux manœuvres des grues et autres engins, indifférents au trafic environnant. L'activité du chantier sur cet axe capital nous fait perdre énormément de temps.

À 4 880 mètres d'altitude, au col du Shebar, l'air est vivifiant, le silence est lourd. Un village ismaélien se trouve perché à bonne distance de la route dans ce havre de solitude et de paix. Les occupants de ce qui ressemble, de loin, à des cubes de pisé sans ouvertures, comme posés à même le sol, sont-ils heureux ici ? Pas une ombre ne s'en extraira le temps de notre halte.

Nous dépassons aussi des ruines de *qalats*[1] désormais protégées par l'Unesco (dont celle, aux volumes parfaits, reproduite sur les billets de 500 afghanis), et longeons, surplombant la rivière, des cultures en terrasses de blé *lam* (qui n'a pas besoin d'eau), financées par l'Agha Khan, particulièrement actif dans cette région où vivent ses adeptes ismaéliens.

Alors que nous croisons notre vingtième chargement de charbon, une pie passe lourdement devant notre pare-brise et manque de basculer en se posant, à droite, sur le tranchant d'une pierre.

Besmellah me désigne un bâtiment flambant neuf : une école pour filles construite par la fon-

---

1. Anciennes forteresses ou maisons fortifiées.

dation de l'Agha Khan. Du coup, ça ne rate pas : il me pose la question récurrente sur l'interdiction du port du voile visant les jeunes musulmanes dans les écoles de France. Je réitère mes explications, déjà cent fois répétées en Afghanistan comme en Irak.

Signe que nous sommes parvenus en terre chiite hazara, voici les premiers champs de pommes de terre en fleur où des femmes légèrement voilées ne détournent pas systématiquement leurs visages au passage de l'automobile. Pour aller chez Besmellah, il nous faut passer devant l'emplacement des bouddhas, qui reste un point de repère pour les autochtones, même s'ils ont disparu. Ces monumentales sculptures se dressaient au centre d'un complexe monastique, lieu de vie de milliers de moines, à l'intérieur de grottes creusées dans la falaise. Plus récemment, ces grottes ont été occupées par des réfugiés. Besmellah n'était pas à Bamyan le 10 mars 2001, jour où les taliban se sont plu à les détruire. Il se trouvait alors avec sa famille à Quetta, au Pakistan, où il survivait en vendant du jus de raisin. En rentrant, il a pleuré devant cette béance : « Désormais, les bouddhas ont deux histoires : leur création, avant même l'arrivée ici de l'islam, et leur destruction par des fous de Dieu. Quand je contemple la falaise, je les vois encore ! » Besmellah et bien d'autres ici sont convaincus que les taliban ont voulu les détruire pour empêcher les Hazaras de s'enrichir grâce au tourisme.

Nous arrivons à Mullah Ghulam, son village, couvert de poussière. Le site a été créé un an auparavant pour faire face au retour dans la région de près de deux cents familles de réfugiés. Les femmes filent cuire du pain dans le *tandoor*, le four creusé à même le sol. On me sert de succulentes lentilles et du *mast*, ce yoghourt nature frais dont je raffole. Après extinction de la seule ampoule du foyer, nous nous couchons à 22 heures dans la pièce destinée aux hôtes, pour nous réveiller dès la première prière.

Voici deux ans, attiré par ces terres à bas prix, Besmellah a acquis une parcelle de 400 mètres carrés pour 100 dollars. Il gagne sa vie en conduisant ce minivan offert par un ami étranger, qui lui rapporte quelque 200 dollars par mois, et encore, pas régulièrement car il y a pléthore de chauffeurs et peu de clients. Les mauvais jours, notre homme part pour Kaboul sans même avoir rempli le van. Sa hantise est que le véhicule casse ou tombe en panne. « Je suis bon mécanicien, mais, parfois, il faut faire appel à un professionnel, ils sont chers et n'acceptent pas tous d'être payés par mensualités... » Besmellah ne peut se permettre d'acheter à volonté des fruits ou de la viande pour la famille.

Il est parfaitement conscient de son « rang » au sein du village : les changeurs d'argent, par exemple, forts de leur trésorerie, ou les commerçants du bazar sont bien plus riches que lui. Ni l'une ni l'autre de ces professions ne lui est accessible : changer de l'argent est risqué, à cause des fluctuations des cours ; acquérir une petite boutique crasseuse en ville est impossible à moins de 8 000 dollars. Il sait aussi que d'autres n'ont même pas les moyens de s'acheter une voiture !

Vers 10 ans, Besmellah est tombé gravement malade, à tel point que son père envisageait qu'on lui ampute la jambe. Parti à Kaboul pour le faire soigner, il apprit que le seul traitement possible, long et ne pouvant être dispensé que dans la capitale, dépassait de loin ses capacités financières. Par hasard, il croisa la route de Serge de Beaurecueil[1],

---

1. Serge de Beaurecueil est né en 1917 au sein d'une famille aristocratique parisienne. Devenu dominicain, il a résidé au Caire jusqu'au début des années 1960, puis s'est installé en Afghanistan en 1968 pour y étudier la vie et l'œuvre d'Ansâri, un des maîtres du soufisme. Il était aussi professeur à l'université et au lycée français de Kaboul. Serge de Beaurecueil a suspendu ses recherches pour loger, soigner, nourrir, élever pendant vingt ans un groupe de jeunes. Seul prêtre demeuré à Kaboul au moment de l'invasion par l'Armée rouge en 1979, les Soviétiques ont tenté de le faire passer pour un espion. Obligé de quitter le pays en 1983, il n'a pu y retourner que deux décennies plus tard. En 2001, l'association Afghanistan Demain, créée par Ehsan Mehrangais, un de ses « enfants de Kaboul », a redonné vie à son œuvre. À sa mort, en février 2005, dans une clinique de Rouen, Serge de Beaurecueil en était encore le président d'honneur.

un père dominicain qui recueillit le garçon chez lui avec une quinzaine d'autres. Besmellah a résidé chez le *bacha*, comme les jeunes l'appelaient, jusqu'à l'âge de 16 ans, quand le religieux fut contraint de regagner la France. Il évoque encore avec émotion celui qui lui a tout appris et conserve religieusement, dans des pochettes en plastique, des documents et extraits de presse de l'époque retraçant le parcours du maître. Après le départ précipité du dominicain, Besmellah est retourné dans ses montagnes et s'est marié. Dix ans plus tard, pour éviter l'horreur du régime taliban, il a fui à Quetta, au Pakistan voisin, où est née sa dernière fille.

Besmellah a laborieusement construit de ses mains ses trois pièces en pisé, faisant parfois appel à la famille, n'achetant que le minimum de matériaux, dont les fenêtres. L'habitation ne possède pas de salle de bains, et une échelle de bois mène aux toilettes au-dessus d'un poulailler où s'affairent trois poules (le coq, on se le repasse régulièrement entre voisins). Le sol de la cuisine est en terre battue, son seul équipement est un réchaud à gaz. À la nuit tombée, les femmes s'activent dans le noir. Avec obstination, la famille a commencé à creuser un puits pour s'arrêter, vingt-sept mètres plus bas, sans avoir atteint la nappe d'eau. Faute d'argent (il manque environ 500 dollars), les derniers mètres n'ont toujours pas été forés par un technicien. Sa femme et ses filles se relaient quotidiennement à la rivière pour la vaisselle et les lessives. Quant à l'eau pour le thé, c'est celle du puits des voisins.

Il y a bien aussi le puits du bazar, mais il est éloigné et il faut se coltiner les seaux. « C'est d'ailleurs à cause de ce problème que ces terrains n'avaient pas été lotis auparavant », explique Besmellah.

Au petit déjeuner, on me sert un œuf et du thé, quelle chance ! C'est que les trois poules du foyer pondent irrégulièrement, faute d'une pitance adéquate, trop onéreuse.

L'école primaire est à une dizaine de minutes à pied, mais il faut près d'une heure de marche pour atteindre l'école secondaire ; aussi, Besmellah a-t-il acheté un vélo à son plus jeune fils. Mais la fierté de la famille, c'est le fils aîné qui vit dans un foyer d'étudiants à Kaboul où il a été admis à l'université polytechnique. L'adolescent étant boursier et vivant de peu, son père n'a heureusement pas à assurer son logement ni sa nourriture : ses seuls extras sont l'huile de cuisine et parfois des oignons frais pour mettre à réchauffer ce qu'il reçoit de la cantine.

« Encore trois ans, soupire le père, et ses études seront terminées, mon fils pourra enfin me décharger et nous aider à son tour, car je suis fatigué !

Qu'il choisisse le métier qu'il veut, mais surtout pas fonctionnaire : ça ne rapporte pas assez !... »

À la pression du père s'ajoute celle de la mère et de la famille en général, car le jeune homme est en âge de se marier. « Si c'est un mariage d'amour − et nous le lui souhaitons −, ça ne coûtera pas trop cher, car les mariés seront alors responsables de la cérémonie », livre Besmellah, soulagé, les épousailles d'un fils aîné restant en Afghanistan un terrible poids.

« Le *bacha* français vérifiait toujours nos connaissances, se souvient-il, alors j'essaie de faire de même avec mes propres enfants ! Qu'ils étudient, c'est mon vœu le plus cher ; qu'ils obtiennent une bourse pour partir à l'étranger, ce serait mon rêve, même si je sais que la plupart de ceux qui en bénéficient sont des gosses de riches, des pistonnés ! »

Besmellah a la tête ronde et les yeux rieurs. Assis en tailleur dans la pièce d'hôtes, ses mains, ses pieds, l'ensemble de son corps paraissent tout déformés, usés, alors qu'il n'est pas si âgé.

Sur les trois pièces, une chambre est occupée par deux locataires (pour un loyer de 10 dollars par mois !) : ce sont deux sœurs de 20 et 17 ans, confiées à Besmellah par leurs parents bergers pendant que ceux-ci sont dans la montagne avec leur troupeau. Jusqu'à la tombée de la nuit, les deux jeunes femmes tissent des tapis sur commande. La vache efflanquée affalée dans la cour leur appartient ; elles en partagent parfois le lait avec la famille et vendent le reste au bazar. Laïla, une des filles de Besmellah, reste le jour auprès d'elles pour apprendre leur savoir-faire. De la pièce où je dors, j'entends dès l'aube le bruit mat et régulier de la navette du métier.

Branle-bas de combat dans la maisonnée après que j'ai exprimé le souhait que les deux sœurs me montrent leur technique, aucune ne pouvant communiquer directement avec moi, faute d'une langue commune ; et il est hors de question que Rafi, avec qui je suis venue de Kaboul et qui parle l'anglais, puisse même les entr'apercevoir. Besmellah, plus âgé, pourrait bien servir de truchement, mais je ne le sens pas à l'aise : si les parents des jeunes filles apprenaient la chose, ils ne lui feraient plus confiance. Après une demi-heure de tergiversations, on décide que Rafi se tiendra debout derrière un rideau, dans la courette jouxtant la pièce, et me traduira d'une voix forte leurs propos cependant que je me trouverai dans leur chambre.

Mon intérêt pour leur ouvrage excite beaucoup les deux sœurs aux fins visages couverts de taches de rousseur et dont la carnation est beaucoup plus claire que celle de la famille de Besmellah. L'aînée porte un voile bleu roi, l'autre un rose fuchsia. Imposant, presque embarrassant, le métier à tisser occupe les trois quarts de leur chambre. Il leur faut à peu près deux mois pour parachever un tapis de trois mètres carrés environ. Les sœurs se disent satisfaites de leur travail, car « toutes les femmes de Bamyan sont sans emploi, hormis celles qui possèdent des terrains ou qui sont éduquées ».

Besmellah et son épouse sont soucieux de l'état de santé de Laïla, leur fille de 16 ans, qu'ils n'envoient pas à l'école, car elle semble souffrir d'une certaine arriération depuis que des taliban ont fait irruption chez eux et ont pointé durant de longues minutes leurs armes contre sa tête, alors qu'elle avait 8 ans. C'est ce traumatisme qui avait provoqué l'exil familial au Pakistan. Sur les six enfants, la jeune fille est la seule à ne pas fréquenter l'école. Faute de savoir lire et écrire – l'obsession de son père –, elle saura au moins tisser, se console-t-il.

Qu'a apporté la démocratie à Besmellah ? « La liberté. » La liberté de mouvements, la liberté de choix dans son travail, dont il veut que son fils profite. Quant à la liberté pour les filles d'aller à l'école, il est à fond pour : « Au lieu de poser des questions sur elles-mêmes et sur leur avenir au mollah du quartier, elles les posent à des livres et décident ainsi toutes seules ! »

Besmellah invite un ancien du village dans son humble demeure afin que je puisse l'interroger. Ahmed Jan, 70 ans, ancien réparateur de vélos, porte haut son turban. « Beaucoup d'étrangers sont

venus puis repartis en nous ayant à peine écoutés »,
commence-t-il. Puis il se lance dans le récit de la
genèse de ce village où quatre-vingts maisons de
deux pièces ont d'abord été construites pour les
réfugiés des trente années de guerre, regroupant
une population d'instituteurs, de porteurs du
bazar, de maçons, de petits fonctionnaires, jusqu'à
accueillir d'autres réfugiés comme Besmellah, prêts
à investir à distance du bazar et du centre-ville.
« Mais, finalement, l'éloignement du bazar est
bénéfique pour nos enfants qui ont ainsi moins de
tentations », philosophe l'ancien.

L'eau de la rivière, dans laquelle les agriculteurs
déversent leurs engrais, est bue par les familles du
village, et c'est le principal problème, selon
Ahmed Jan. « Mais cette terre nous a été offerte,
on ne pouvait se permettre de la refuser ou de
faire les difficiles ; et puis, nous sommes mieux
installés que ceux qui nichent dans les hauteurs ! »
Au surplus, le village se retrouve pris dans un
imbroglio immobilier, les mauvaises terres distribuées par l'État étant disputées par des individus
qui prétendent en être les propriétaires, cas fréquent dans l'Afghanistan post-taliban.

Cet ancien se plaint aussi que la région de
Bamyan semble oubliée de tous, surtout en
période pré-électorale. Ce quartier est de la ville
a bien fait l'objet de l'attention de différentes instances internationales et afghanes qui y ont amé-

nagé trois puits, mais trop de monde les utilise, et ils ont rapidement été endommagés. Une mosquée a aussi été construite par les riverains, mais reste sans mollah attitré.

Après avoir déclaré non sans emphase son peu d'espoir en l'avenir, Ahmed Jan crache son *naswar*[1] dans un récipient apporté par la femme de Besmellah qui arbore un voile vert des plus seyants, ce qui met en valeur sa peau foncée. On discute maintenant politique.

Les anciens se doivent d'aider les habitants à voter, sans pour autant énoncer clairement aucun nom, mais, pour ce faire, encore faudrait-il qu'eux-mêmes sachent en faveur de qui se prononcer : « Ce n'est pas très clair. On n'a pas encore pris notre décision. Bien sûr, ceux qui font campagne nous invitent à des *palaus* gratuits, ils pensent nous acheter de cette façon, mais ils ne cessent de nous mentir. En fait, dans ce pays, nul n'est capable de traiter toutes les tribus sur un pied d'égalité. Les promesses concrètes de campagne de Karzai d'il y a cinq ans n'ont pas été tenues, et maintenant, quarante candidats l'imitent ! »

Un seul semble trouver grâce à ses yeux : Ramazan Bachardost. Parce qu'il est hazara ou parce qu'il tranche sur les autres, faisant campagne juché sur un âne en Logar et n'hésitant pas à ren-

---

1. Chique de tabac.

contrer des taliban à Ghazni ? « On ne peut cacher aux gens la réalité : Bachardost est quelqu'un de simple et propre, pas corrompu. » Cependant, remarque-t-il, Bachardost n'est pas issu d'une puissante tribu alors que tous ceux qui se sont hissés aux sommets du pouvoir viennent de familles influentes. « Alors je pense que c'est trop tôt pour lui : la discrimination qui frappe les Hazaras demeure trop forte. »

Une question me brûle les lèvres. Je décide de la poser à Ahmed Jan que je sens en confiance :

« Pourquoi les taliban sont-ils encore aussi puissants ?

— Parce que... c'est dur de considérer l'occupation étrangère comme un succès. (Pour la première fois, Ahmad Jan semble avoir du mal à répondre, il hésite, choisit ses mots.) Personne n'est ici pour le bien du peuple afghan, chacun agit au gré de ses propres intérêts. On n'a accepté les étrangers que parce qu'on pensait qu'ils viendraient à bout des taliban. Maintenant, on sait que les étrangers partis, les taliban reviendront. C'est un drôle de dilemme... Nous, Hazaras, n'aimons pas les taliban, parce que ce sont des tueurs, ils nous ont massacrés dès les premiers jours de leur arrivée ici. Sinon, leur régime ne nous déplaisait pas : il n'y avait pas de vols, ils avaient promulgué de bonnes lois. Mais il y a aussi une chose que nous ne comprenons pas : pourquoi les soi-disant super-puissances ont-elles si peur de perdre des hommes ? C'est normal de perdre des soldats à la guerre, non ? Ou alors c'est que ces gens-là ne sont pas vraiment venus ici pour se battre. Mais alors, pourquoi sont-ils venus ? Et pourquoi leurs frappes aériennes, capables de tuer des civils, ne sont pas venues à bout de taliban en pleine déroute, qui fuyaient ? Ç'aurait été si facile de les achever, or ça n'a pas été fait... Les taliban sont impliqués dans le trafic de drogue, ils maîtrisent des provinces frontalières clés ; rien de plus aisé pour eux que de reprendre Bamyan, s'ils voulaient. Ils nous ont raflé toutes nos armes, or c'est le cœur du pouvoir d'une tribu ! Nous, Hazaras, sommes restés désarmés, donc sans pouvoir. Les Pachtounes ont toujours régné sur notre pays et notre ethnie a toujours servi les dominants. Nous n'avons gagné la reconnaissance de nos concitoyens que du jour où nous avons montré notre capacité à nous battre contre l'Armée rouge ! Avant l'invasion soviétique, pas un Hazara n'avait été envoyé à l'université ni n'occupait une fonction dans l'administration. »

Ce cri du cœur qui paraît se rapporter à l'ensemble de la tribu hazara en dit long sur les taliban et leur popularité au sein de la population afghane.

Je cherche à rencontrer Habiba Sarabi, la gouverneure. Besmellah me conduit sur les hauteurs de la ville dans un *compound* neuf, juste en face de l'emplacement des bouddhas, où sont regroupées les administrations clés : police, prison, palais du gouverneur, tribunal, département de la santé, tous entièrement reconstruits, les anciennes installations ayant été jugées vétustes. En direction du bazar, au rond-point, impossible de rater une immense affiche électorale pour le *sayyed* Jalal Karim, un Tadjik chiite longtemps exilé en Arabie saoudite. Mais les plus nombreuses montrent Karim Khalili, un Hazara, second vice-président de Hamid Karzai depuis 2001. Accroupies sur leurs talons dans les champs de pommes de terre, de nombreuses femmes désherbent. Comme partout, le quartier des ONG, regroupant les sièges locaux de l'Unama[1] et de la fondation de l'Aga Khan, est fortifié. Ne m'étant sciemment pas fait annoncer auprès de la gouverneure afin d'éviter toute prise en charge par les autorités, certes accueillantes mais un peu trop promptes à vous « cornaquer », il me faut attendre, même si, pour calmer mon impatience, je me dis que je préserve ainsi ma liberté de mouvement. Ce n'est pas grave, j'ai tout mon temps, d'autant plus que le secrétaire de la gou-

---

1. United Nations Assistance Mission in Afghanistan, la mission d'assistance des Nations unies en Afghanistan.

verneure, soit parce qu'il s'ennuie dans son vaste bureau vide, soit parce qu'il est journaliste à ses heures, paraît particulièrement heureux de rencontrer une collègue.

Ekhlasi, 35 ans, m'apprend qu'ici les deux priorités sont le développement de l'écotourisme… et les mines de charbon et de fer mises au jour par les Soviétiques et privatisées voici trois ans. La contradiction entre ces deux « pôles de développement » semble avoir échappé à tous. Unique correspondant du *Daily Afghanistan* dans la région, il cumule son salaire de fonctionnaire et celui de journaliste pour nourrir ses trois enfants.

D'une part, il confirme qu'« en Afghanistan, il n'y a personne mieux que Karzai à la tête du pays » — remarque rarement glanée, puisque je donne peu la parole aux représentants du gouvernement de Kaboul. D'autre part, selon lui, la loi chiite qui fait tant scandale en Occident serait justement la preuve que, magnanime, Karzai, un sunnite, accorde des droits aux minorités !

Notre conversation est interrompue par l'irruption triomphale d'un garde du gouvernorat, gêné mais perspicace, tenant nos deux paires de chaussures à la main. Obéissant à une affichette ordonnant à « tout visiteur de se déchausser » à l'étage de la gouverneure où nous étions parvenus sans même avoir été fouillés, nous avions obtempéré, néanmoins surpris que d'autres chaussures n'eussent pas été déposées là avant les nôtres. En fait, notre comportement banal avait plongé dans la perplexité ce pauvre garde paniqué à l'idée que deux individus, dont une femme – c'était évident, au style des chaussures –, s'étaient introduits chez le *wali* sans qu'il en fût informé ! L'homme avait cherché à qui pouvaient bien appartenir les chaussures, et s'était armé de courage pour pousser la porte du bureau du secrétaire, antichambre de celui de la gouverneure. Soulagé, il a aussitôt considéré nos pieds et lancé : « Le panneau ne veut rien dire : il faut garder ses chaussures aux pieds ! »

Le lendemain, nous retournons chez la gouverneure, avertis de sa présence par son secrétaire (et non l'inverse). Dans la salle d'attente, un poster des bouddhas géants avant leur destruction est punaisé de guingois. Je n'ose le remettre d'aplomb. L'affichette « Ôtez vos chaussures » est toujours là, mais nous nous gardons bien d'obtempérer. Deux policiers, kalachnikov en bandoulière, signalent la venue d'une personnalité.

« Oui, notre région est l'une des plus pauvres du pays. Oui, la seule route qui mène à Kaboul reste souvent bloquée pendant deux mois de l'année, en hiver, et nous coupe du reste du monde. Oui, tout le monde n'a pas l'électricité tous les jours, encore moins le chauffage, mais ici, à Bamyan, la population vit en sécurité par rapport au reste du pays, et moi, en tant que gouverneure, je coordonne avec succès les activités des différents acteurs sur le terrain. On avance, c'est le principal ! »

Ainsi résonnent les paroles de Habiba Sarabi, 52 ans, une Hazara originaire de Ghazni, la seule femme nommée à un tel poste dans un des pays les plus conservateurs du globe[1].

« Je suis parfaitement consciente que notre désenclavement est la clé, voilà pourquoi je suis fière de l'avancée que représente la réfection de cette route ! » clame celle qui a été nommée par le président en 2005. Telle est Habiba Sarabi : franche, tenace et… optimiste !

Car la route est loin d'être achevée et les travaux titanesques effectués sur ce terrain difficile (le col le plus haut se situe à plus de 4 000 mètres d'altitude) subissent des ralentissements supplémentaires : imaginez une piste où, le plus souvent, un seul véhicule peut passer à la fois, avec d'un côté la montagne en éboulis, de l'autre le vide… Pressés par un été fugace, les ouvriers se préoccupent peu des longues heures d'embouteillage qu'ils provoquent : en Afghanistan, on est habitué à attendre. Quant aux mauvaises langues, elles objectent que, de toute façon, les nantis et les

---

1. Habiba Sarabi a occupé le poste de ministre de la Condition féminine de 2002 à 2004.

politiques n'empruntent jamais cette voie-là : ils se font inscrire sur les listes réservées aux personnels humanitaires et se déplacent en avion.

Nous sommes constamment interrompues par son téléphone portable : la gouverneure a visiblement des affaires urgentes à traiter. « Un hôte est arrivé et a besoin de sécurité, or personne n'est là, il attend au niveau du col, il faut que je m'en occupe », s'excuse-t-elle en composant des numéros pour aboyer des ordres.

Reléguée à la périphérie depuis que, dans les années 1960, le tunnel du Salang, construit par les envahisseurs soviétiques, a relié le nord et le sud du pays, et que babas-cool et hippies des années 1970 ont cessé de venir, cette région centrale rêve de recouvrer son statut de passage obligé entre l'est et l'ouest. « La route entre Kaboul et Hérat[1] est plus courte en kilométrage si l'on traverse notre région, vante Habiba Sarabi, mais elle est quasi impraticable… » Du coup, le trafic routier passe par Kandahar, la dangereuse mégapole du Sud, et se déverse à travers les provinces pachtounes frontalières de l'Iran, infestées de taliban.

Si, depuis 2001, plus de 12 000 kilomètres de routes ont été officiellement réhabilités en Afghanistan, la province de Bamyan n'a été concernée qu'en 2008 : « J'ai eu du mal à

---

1. Grande ville de l'ouest, quasi frontalière avec l'Iran.

convaincre Kaboul de financer les travaux de la portion comprise entre eux et nous, soupire la gouverneure en rajustant son voile bleu pâle, porté de façon très lâche, à la Benazir Bhutto, sur un visage au front dégagé, altier. Normalement, tout devrait être terminé à la fin 2011. Cette lenteur est due au souci de préserver la sécurité des ouvriers dans les poches de peuplement pachtoune où la présence talibane est la plus forte », ajoute-t-elle comme pour s'excuser.

C'est vrai que le problème de la route reste l'un des griefs antigouvernementaux le plus fréquemment entendu sur ces terres : « Le président avait promis », se plaint-on souvent, tout en soulignant qu'ailleurs le développement, *via* des agences humanitaires et la présence de troupes militaires étrangères, bat son plein. Or, comme l'a bien compris cette pharmacienne de formation, elle-même rompue à l'humanitaire – domaine où elle a fait ses classes, exilée au Pakistan sous le régime des taliban, quand aucune activité professionnelle n'était plus possible dans son propre pays –, ce statut de « havre de paix » est ambivalent : « On ne reçoit peut-être pas autant d'aide que d'autres régions, reconnaît la gouverneure, mais celles qui croulent sous les dollars sont aussi les plus exposées. Nous devrions être heureux de compter parmi les plus tranquilles ! » Elle réfute aussi la trop grande influence de l'équipe de reconstruction provinciale (PRT) néo-zélandaise :

« Ici, le chef, c'est moi, et la raison d'être de cette PRT est de soutenir le travail du gouverneur. Par ignorance, mais surtout parce qu'ils prêtent trop d'influence aux étrangers, les gens ont peut-être une vision confuse de ce qu'il en est, mais telle est la réalité ! »

C'est justement parce qu'elle peut se permettre de penser à autre chose que la sécurité de ses congénères que Habiba Sarabi nourrit, on l'a vu, de grands projets pour sa province : l'écotourisme et l'exploitation des mines. À ceux qui décrètent que personne ne viendra jamais investir dans cette pauvre et lointaine région de 500 000 habitants, encore moins y ouvrir un hôtel trois étoiles, cette mère de trois enfants, qui a su s'adapter à une vie de famille disloquée (son mari ne vit pas avec elle à Bamyan), oppose une attitude de précurseur en matière d'environnement, ce qui lui a valu, fin 2008, d'être nommée par l'hebdomadaire américain *Time* parmi les personnalités du globe les plus « vertes » ! Sur les rives des prodigieux lacs Band-I-Amir, et malgré la perplexité générale, Habiba Sarabi a osé créer le premier parc naturel du pays, ordonnant la destruction des paillotes et buvettes de fortune qui les polluaient et forçant la communauté locale à respecter le site.

En revanche, faute d'un accord entre Kaboul et ses partenaires internationaux sur la restauration du plus fameux site historique afghan, dix ans après la destruction des bouddhas, ils peinent à renaître. Si, dès 2003, l'Unesco a inscrit la vallée de Bamyan sur la liste des sites faisant partie du patrimoine mondial en danger, rien n'a encore été reconstruit. C'est que la conservation même du lieu était prioritaire : il a fallu déminer, stabiliser le terrain cependant que les milliers de débris des bouddhas étaient collectés et stockés.

Indifférente aux querelles de pouvoir de la capitale, la gouverneure trace son sillon : « C'est grâce à l'exploitation des mines qu'une route goudronnée, la rénovation prévue de l'aéroport et l'édification des futurs hôtels deviendront réalité », se réjouit-elle, alors que la population considère toujours d'un mauvais œil ces centaines de camions surchargés de charbon qui ralentissent quotidiennement la circulation et dont personne ne sait vraiment qui ils enrichissent. Le gisement de minerai de fer de Hajigak avait été découvert du temps de l'occupation soviétique, mais les mines de charbon sont récentes et l'État a confié leur exploitation à des compagnies privées, *via* des appels d'offre. Sur les sept entreprises retenues, cinq sont indiennes, une chinoise, une autre pakistanaise.

De quoi la gouverneure est-elle la plus fière ? Du plan d'urbanisme de sa ville. On reste interloquée, n'ayant rien remarqué jusque-là de particulier. Habiba Sarabi est pourtant intarissable sur le sujet : malgré son insalubrité, le vieux centre historique, constitué de deux rues parallèles bordées d'échoppes, sera conservé, tandis qu'une « ville nouvelle » est en train de prendre forme sur les hauteurs, face aux bouddhas ou plutôt face aux énormes cavités desespérément vides pour l'œil du visiteur – mais pas pour celui des autochtones qui y voient toujours les antiques figures préislamiques. C'est dans ce nouveau centre que trône le bâtiment blanc de l'administration régionale abritant le vaste bureau de Habiba. En ce qui concerne le reste de la « ville moderne », il faut encore faire montre de pas mal d'imagination. Pour l'heure, on s'y rend depuis le « bas », en traversant dans un nuage de poussière des terrains vagues où l'on aperçoit çà et là quelques bâtiments neufs, comme le quartier général de la police, la prison, le tribunal, etc. La route n'est même pas asphaltée.

En dépit du caractère ultraconservateur et puritain de la société afghane, c'est bien parce qu'elle est une femme que Habiba Sarabi est devenue un modèle : dans sa région, 42 % des élèves scolarisés sont des filles, c'est le plus fort taux du pays, et la gouverneure s'astreint à mettre l'accent sur la participation des femmes à chaque domaine de la vie publique. Pourtant, les traditions sont tenaces : quand la loi légalisant le viol conjugal dans les couples chiites a été signée par le président Karzaï, Habiba Sarabi a dû se retenir pour ne pas exprimer son opinion, ses administrés mâles, eux, étant plutôt pour. La loi ayant été publiée au *Journal officiel* six jours avant la présidentielle, le 14 août 2009, la gouverneure a dû l'accepter par respect des institutions, mais elle ne s'est pas résignée : « Les extrémistes ont souhaité imposer cette loi et y sont parvenus. Les femmes chiites sont déçues, mais, avec de la persévérance, nous referons le chemin en sens inverse. » Mme la gouverneure excelle dans ce rôle d'équilibriste.

La région est avant tout agricole. Ici, à 2 500 mètres d'altitude, on cultive la pomme de terre depuis trente ans, même si la saison est courte (on plante au mois de mars, on récolte à la fin septembre). Au département local de l'agriculture, on répète l'antienne sur le manque de moyens. « Tout l'argent va aux régions plongées dans l'insécurité », grommelle le docteur Hayder, responsable vétérinaire de la région, qui détaille les deux principaux écueils auxquels se heurtent les paysans de la région, soit 95 % de la population : d'abord le problème du stockage, puis celui des prêts. Car les agriculteurs manquent de trésorerie pour rembourser régulièrement leurs emprunts souscrits auprès des ONG, et le gouvernement qui leur a vendu à crédit semences et engrais. « Dans cette nouvelle économie de marché, nos importations plombent les fermiers. Ceux-ci n'ont pas assez de débouchés et devraient être davantage soutenus par le gouvernement qui importe des patates du Pakistan, ce qui est un comble ! La politique du ministère est loin d'être claire… »

Rentré d'exil en Iran, le fonctionnaire parle un bon anglais et regrette l'époque de la planification sous occupation russe. Il a l'impression qu'en Afghanistan le peuple ne décide de rien : « On aura les résultats de nos élections au moins deux mois après, alors qu'en Iran ils sont rendus publics la nuit même du scrutin, et les gens descendent dans la rue pour s'exprimer ! » L'homme n'a pas de mots assez durs contre les *traders* en tout genre, spéculateurs invétérés, qui, parce qu'ils ont attendu que « les prix soient au plus haut pour vendre, ont détruit l'économie traditionnelle de l'Afghanistan. Ces commerçants ne pensent qu'à eux ».

Besmellah m'emmène rencontrer Mohammed, chez qui on est paysan depuis trois générations, et dont l'exploitation, minuscule, mais dans la moyenne nationale, occupe un peu moins d'un hectare. Nous le retrouvons pieds nus, bonnet crotté, dans son champ de blé, disséminant de l'engrais à la main sous un soleil de plomb. Depuis qu'il travaille, aucune organisation humanitaire ne l'a aidé.

« Je suis paysan parce que j'ai hérité de ces terres. Je cultive pour survivre, je n'ai pas le choix », explique l'homme dont le visage s'éclaire souvent d'un sourire édenté. À 47 ans, il en paraît 60, voire 70. Chaque année, une partie de sa production pourrit, faute de capacités de stockage suffisantes. L'année dernière, il avait opté pour la pomme de terre, mais les prix se sont effondrés à cause de la surabondance de l'offre. « Je préférerais qu'on ferme les frontières avec le Pakistan ! » Cette année, ce sera du blé, même si une partie de son champ vient d'être ravagée par une maladie. Ses semences ne sont pas de bonne qualité, et il manque de moyens pour se rendre à Kaboul ou à Jalalabad en acheter de meilleures. À nouveau, il lui faudra terminer la saison en travaillant comme maçon.

Depuis que l'Afghanistan est en guerre, le secteur agricole reçoit beaucoup moins de subsides, et même les banques qui proposaient des crédits pour l'achat de semences et d'engrais ont périclité. Mohammed regrette ce « bon vieux temps » et souhaite que ses trois garçons, âgés de 20, 18 et 16 ans, changent de métier. « Ils m'aident le vendredi, quand ils n'ont pas cours, mais c'est tout. Pour rien au monde je ne les laisserais manquer un jour de classe ! »

Sait-il qu'en d'autres régions les militaires étrangers (français) distribuent des semences pour s'assurer la loyauté des autochtones ? Le fermier secoue la tête : « Tout ce que je sais, c'est que l'État choie et finance ceux qui cultivent le pavot en les aidant à se diversifier, comme en Helmand, alors que nous, nous ne recevons rien... »

Ce matin, nous avons quitté la maison de Besmellah sur le coup de 5 h 45. Vers 14 heures, on arrive à Borhe Afghan, village pachtoune qui longe la rivière. Un Kamaz[1] chargé de 30 tonnes de charbon s'est à nouveau renversé en plein milieu de la route. Besmellah rigole : « Évidemment, il était surchargé ! Ça arrive tout le temps ! » Presque instantanément, une file se forme dans les deux sens, les hommes sortent des véhicules, d'autres rappliquent d'on ne sait où, équipés de pelles et de pioches. Tous se mettent à ménager un passage. Visiblement, ils ont l'habitude et cette avanie compte peu parmi les aléas d'un tel voyage. Au mépris de la plus élémentaire sécurité, à laquelle d'ailleurs personne ne songe, ces hommes creusent, égalisent, se démènent rapidement et collectivement pour le bien de chacun. Seul objectif : pouvoir passer le plus vite possible. Besmellah, resté au volant, m'affirme qu'on en a pour à peine une demi-heure d'attente dans la poussière et sous le soleil. De fait, trente minutes plus tard nous nous élançons à nouveau sur la piste.

---

1. Marque de poids-lourd soviétique, encore fréquemment rencontré en ces contrées d'Asie centrale.

À l'entrée de Charikar, au débouché sur la plaine, presque aux abords de Kaboul (à 60 kilomètres), la loi oblige à laver toutes les voitures, méconnaissables au terme d'un si rude voyage. Notre van ne fait pas exception. Je m'amuse à voir notre véhicule récuré par un jeune homme méticuleux aux pieds nus. Il lave à grande eau la voiture sous toutes les coutures, la savonne, puis son acolyte (son frère cadet) entre en action avec un jet d'eau directement puisé à la mare qui s'étend à mes pieds. Quand il replie en quatre son ample torchon, coincé sous son menton, c'est fini. Ce pays où les lois sont si difficiles à faire respecter tient en tout cas à la propreté des véhicules ! Les litres d'eau engloutis dans cette toilette, alors que tout le pays la rationne, me laissent pensive.

Durant cet intermède, je me suis réfugiée dans la boutique adjacente, un bric-à-brac dont on se demande comment il tient encore debout, à l'instar de la plupart des échoppes de ce pays. Elle est tenue par l'aîné de la fratrie, 18 ans seulement, ravi de pouvoir pratiquer son anglais. Il raconte être obligé de travailler depuis la mort de leur père, il y a cinq ans.

« Je suis orphelin, tu vois ? » lance-t-il d'un air grave, pour se remettre à sourire sitôt mentionnés ses cours d'anglais et d'informatique.

Je reçois alors un coup de fil d'un ami afghan avec lequel je dialogue en russe, ce qui le laisse éberlué. Nous prenons congé.

Le brusque retour sur une chaussée asphaltée est un émerveillement. On avait oublié qu'un tel confort existait ! Reste à nous laver à notre tour : mes ongles sont noirs, la peau me tire, ma tignasse voilée est devenue un casque de crasse...

# 7

## CHEZ FEU LE COMMANDANT MASSOUD

*été 2009*

*Une étrange et agréable rencontre à l'heure de la sieste –
Une nuit dans le Pandshir – Les femmes ne s'en laissent
pas conter – Discussions, en attendant le wali.*

Grande est l'amertume en cette région de
Kapisa où une population de petits agriculteurs
survit au jour le jour sans claire vision de son
avenir. C'est dans cette fertile province située à
une soixantaine de kilomètres à l'est de Kaboul,
peuplée de Tadjiks au nord et de Pachtounes au
sud, que sont déployés 600 des 2 800 militaires du
contingent français. Leur mission ? « Contrôler la
zone » conjointement avec l'ANA, ce qui, en jargon militaire, ne veut rien dire de précis.

Je me rends pour des raisons de discrétion en taxi
collectif à Mahmoud Raki, la capitale régionale.
Les romances de Wahid Qasimi, chanteur afghan
émigré en Allemagne puis au Canada, imposées
par le chauffeur, sont plutôt reposantes.

Au sud de la région, les deux districts de Tagab
et Nijrab sont infestés de taliban, essentiellement

des combattants du groupe du redouté chef de guerre Gulbuddin Hekmatyar. Peuplée de 300 000 à 350 000 habitants, cette zone a toujours été leur fief et un des points de passage les plus fréquentés vers le Pakistan.

Les Américains de la PRT qui avaient précédé les Français sur place avaient entamé la construction, pour un investissement de 24 millions de dollars, d'une route asphaltée allant du sud vers le nord en direction de la capitale provinciale de Mahmoud Raki. Sur leur chantier, ils ont été confrontés à différentes sortes d'insurgés, tantôt des « intermittents » qui ont décidé de rallier la résistance pour de l'argent, tantôt des trafiquants en tout genre, notamment de drogue, mais aussi des combattants aguerris.

À en croire le fonctionnaire qui partage notre taxi, même les représentantes de l'État venant de Mahmoud Raki doivent revêtir une burqa pour aller constater que les écoles de filles ne fonctionnent pas. « D'ailleurs, il n'y en a jamais eu. À Tagab, on a toujours instruit les filles à la maison, et c'est encore le cas aujourd'hui. Ce n'est pas une question de sécurité, mais de culture. Le bâtiment existe, mais il est vide, faute d'institutrices et d'élèves. »

À Koh-Lali, dans le district de Kohestan, une famille de fermiers devait me recevoir. Au bout d'une dizaine de minutes de discussion dans notre voiture stationnée avec un frère de la maisonnée, je sens que l'affaire a mal débuté. La personne qui aurait dû venir me chercher n'est pas là ; celui qui a pris place à bord de notre véhicule refuse de nous mener jusque chez lui, car son grand frère ne l'a pas mis au courant de ma venue. D'ailleurs, l'aîné ne répond même plus au téléphone. De plus en plus de gens rôdent autour de notre véhicule garé depuis trop longtemps au même endroit. Cela pourrait mal se terminer. Notre discrétion n'étant plus assurée, je décide de quitter les lieux.

Ma déception est compensée par une belle rencontre au département local du ministère de l'Agriculture. Alors que je pénètre dans le bureau du directeur sans avoir été annoncée (c'est une de mes techniques préférées pour approcher des officiels), un homme barbu, au visage ouvert et affable, qui, visiblement, dormait sur un divan – rien de plus normal à l'heure de la sieste –, se relève en hâte. Sa belle chevelure tout ébouriffée, Abdul, 33 ans, accepte de répondre à mes questions.

L'homme me demande d'abord où je compte passer la nuit, car, vu l'heure, il sait qu'il est trop tard pour rentrer sur Kaboul. Je lui réponds que la directrice du département des Affaires familiales de Mahmoud Raki m'a poliment proposé une chambre dans son bâtiment, mais non sans avoir précisé que celui-ci ne bénéficiait d'« aucune sécurité ». Pas question non plus d'aller à l'hôtel : ce serait la meilleure façon de me faire repérer. Sur un coup de tête, je décide d'accepter l'invitation émise par Abdul. Je n'ai jamais été dans le Pandshir voisin, la mythique région de feu le commandant Ahmed Shah Massoud : c'est l'occasion ou jamais ! Et puis, en me proposant l'hospitalité, cet homme m'inspire confiance. Chez lui, au moins, on pourra bavarder sans être en permanence sur ses gardes, ni chercher à repérer qui assiste à la conversation, ni songer à se hâter de rentrer.

Sitôt franchie la « frontière » administrative avec le Pandshir, les affiches électorales se limitent aux posters du candidat Abdullah Abdullah, tadjik par sa mère, pachtoune par son père, héros des Tadjiks depuis la mort du commandant Massoud, et leur seul espoir pour la présidentielle. L'unique « concurrent » en matière de posters est le commandant Massoud lui-même dont le mausolée, toujours en construction, n'est pas loin. On longe la torrentueuse rivière Pandshir dont le tonitruant grondement couvre tout autre bruit. Comme s'il évoquait un événement anodin, Abdul relate que, trois jours auparavant, un jeune très bon nageur qui avait plongé du haut d'un pont a été emporté par les flots. Avant d'atteindre Tablakh, le village natal d'Abdul, sur les contreforts surplombant la rivière, on s'arrête à Hanabah pour acheter du pain tout juste sorti du *tandoori*[1]. Abdul décline tout autre achat : tout sera prêt à notre arrivée, assure-t-il.

Bâtie de plain-pied en forme de « U », la maison de mon hôte m'apparaît comme un havre de paix. Les chambres d'amis sont couvertes de tapis et de tissus brodés sur toute la largeur des murs. Ici, à flanc de montagne, tout embaume le foin ; les fleurs du jardin, mêlées aux mûriers et aux herbes folles, exhalent des essences variées. Le ciel fourmille d'étoiles comme si, face à la magnificence du site, la voûte céleste s'efforçait de mieux l'éclairer. Nous avons fait le plein de carburant pour le générateur domestique et, grâce à cette installation bricolée, en pleine campagne on peut même s'offrir le luxe de regarder les infos à la télé par satellite !

Père de quatre filles (une cinquième est en route), Abdul me rappelle un ami de Kandahar (pachtoune, lui), heureux père de deux garçons après que la naissance de quatre filles eut commencé à peser sur la famille, surtout sur son épouse, critiquée pour « incapacité à produire un mâle ». Abdul, qui est tadjik, tente de me convaincre qu'ici la pression est moindre, en tout cas en apparence : « Dans ma maison, c'est un concert permanent, mes filles chantent, chantent,

---

1. Four artisanal creusé à même le sol.

chantent tout le temps, elles sont capables de reprendre les airs de n'importe quel chanteur, je suis très fier d'elles ! » J'ai rarement entendu un père afghan tant vanter sa progéniture féminine.

Ingénieur agronome de formation, Abdul a appris l'anglais et l'ourdou au Pakistan. Il se trouvait dans le bureau du directeur du département local du ministère de l'Agriculture, là où nous nous sommes rencontrés, en qualité d'agronome employé dans le cadre de ses programmes par l'agence américaine Usaid.

Nous dînons de mets succulents posés à même la toile cirée déployée sur le sol : du riz parfumé, des bols de *bamyan*, un légume ressemblant à une courgette naine, des morceaux de viande en sauce, de la pastèque, du melon, des mangues et des bananes. Pendant ce festin, Abdul me parle du passé, notamment du jour où – il avait 9 ans – la première bombe soviétique est tombée dans sa vallée. Le lendemain, son père pliait bagages pour le Pakistan.

Pour Abdul, pourtant musulman sunnite, l'Afghanistan pourrait et devrait suivre l'exemple du voisin iranien (argument maintes fois entendu) : « Là-bas, les femmes sont autorisées à aller faire leurs courses au bazar, et elles conduisent ! Ici, on vit encore sous le régime des taliban, même s'il a officiellement été aboli ! » s'insurge-t-il. Pour lui, l'Iran chiite représente avant tout une superpuissance capable de mener sa propre politique étrangère dans l'intérêt de son peuple, « pas comme le Pakistan qui est sous influence ».

Même si les membres de sa famille élargie (oncles et cousins) sont conservateurs, surtout pour ce qui concerne le rôle des femmes, Abdul et son frère – qui vit lui aussi sous son toit – sont plus ouverts et tentent de modifier les comportements, au moins au sein de la cellule familiale. Ainsi, Abdul sait déjà qu'il offrira à toutes ses filles la possibilité d'aller à l'école si elles le souhaitent.

Comme tant d'autres, il se plaint du légendaire manque de coordination entre l'ANA et les forces de l'Otan, cause de multiples dérapages et de fatales erreurs. Il va même plus loin : « C'est pareil dans le domaine du développement, entre les agences étrangères et le gouvernement... Cette confusion arrange bien les deux parties ! » – sans compter que l'Afghanistan ne bénéficie d'aucune planification agricole et que la communication entre le ministère, les directorats et les agriculteurs eux-mêmes laisse à désirer. Faute d'équipements, sur les quatre-vingt-quatre coopératives agricoles de Kapisa, aucune ne fonctionne normalement : « Elles n'existent que sur le papier, ce qui est bien suffisant pour les donateurs, jamais visibles car il y a trop d'intermédiaires ! » Le comble, c'est que les agents de l'État ne peuvent se rendre sur le terrain, faute de moyens de transport...

Si Abdul se sent à 100 % en sécurité dans sa vallée natale, il estime ce risque à « 50 ou 60 % » sur son lieu de travail pourtant situé à une cinquantaine de kilomètres à peine dans la province voisine de Kapisa. Un de ses amis, ancien camarade de classe, employé d'une ONG occidentale, a été assassiné par des taliban en Helmand : un meurtre atroce suivi d'un autre, cette fois celui de l'homme chargé de rapatrier le corps du premier, sur la route à hauteur de Zabul[1]. En juin 2009, un attentat à la voiture piégée a manqué de peu le directeur de la PRT américaine, lors du passage d'un convoi, en plein centre de Mahmoud Raki. Pourtant, contrairement à la majorité, Abdul ne s'abandonne pas au pessimisme : « Les taliban auront beau continuer à semer çà et là la terreur, ils seront incapables de reprendre totalement le contrôle du pays, assure-t-il. D'ailleurs, regarde : en de nombreuses régions du Pakistan, ils rendent déjà la justice, et là-bas qui s'en offusque ? »

Dans les maisons qui m'hébergent, passer du côté des femmes est souvent le moment que je préfère. En ma qualité de femme, j'ai le droit de franchir cette invisible frontière derrière laquelle on m'attend toujours avec impatience. Munie de

---

1. J'ai raconté ces deux meurtres dans une édition spéciale du *New York Times* à l'occasion de l'anniversaire du 11-Septembre, parue le 11 septembre 2011. Il s'agit de Khair Muhammad Miakhel, 23 ans, et de Hayatullah Salarzai, 25 ans.

mon carnet et de mon stylo, je plante mes accompagnateurs mâles là où ils sont et m'engouffre dans des couloirs, des arrière-cours, ces coulisses qui constituent le cœur de la demeure. Le chef de la maisonnée m'accompagne, délaissant pour un temps – qui peut parfois être long – ses autres invités, car il faut traduire.

L'épouse d'Abdul a 25 ans, mais c'est sa sœur aînée qui prend la parole, et il serait malvenu de la couper pour demander à m'entretenir directement avec mon hôtesse. Âgée de 27 ans, cette sœur n'est « que » fiancée : son mariage est programmé pour après l'été. Pleine de vivacité et de curiosité à mon endroit, son foulard bleu ciel quasi tombé d'excitation sur ses épaules, elle voudrait me presser de questions, mais il lui faut se retenir en présence de son beau-frère. D'autant que sa première remarque – sur le fait qu'« ici, c'est comme si les taliban étaient encore présents… car ce sont nos anciens, les taliban ! » –, entrecoupée de rires, contredit illico les confidences d'Abdul sur l'ouverture d'esprit de sa famille. Je sens planer une certaine gêne quand il me traduit ces propos, mais il a décidé de laisser la jeune femme s'exprimer. « J'aimerais pouvoir me déplacer plus librement et bénéficier d'une certaine égalité par rapport à mon mari », continue-t-elle. Les autres femmes présentes – des sœurs, cousines, voisines, la vieille mère, en grappe autour d'elle : au moins une dizaine de tous âges – pouffent. Rarement une femme m'aura tenu pareil discours, et en aucun cas une Pachtoune !

Abdul la laisse tranquillement terminer et ajoute : « Mais cette émancipation de la femme va à l'encontre de l'intérêt de l'homme ! Quand je rentre du travail, je voudrais que ma femme soit là et que le dîner soit prêt. Nous ne sommes pas contre l'émancipation de nos femmes, mais elle ne peut venir que progressivement, avec les années, pas d'un coup, non, ça, sûrement pas ! »

Silence. Je lui demande d'expliquer aux femmes, dans sa langue, ce qu'il vient de me dire : cela m'intéresserait d'avoir leurs réactions. Il obtempère, mais trop rapidement ; je suis sûre qu'il n'a pas tout traduit. Tant pis, insister risquerait de vexer mon hôte, le patriarche, dont le salaire doit frôler les mille dollars mensuels, somme colossale rapportée aux standards afghans, surtout à la campagne, et avec laquelle il fait vivre une famille de quinze personnes !

Le lendemain, avant de s'en retourner au bureau, Abdul tient à me montrer le mausolée érigé en l'honneur du commandant Massoud, où il aurait souhaité que nous allions déguster des mûres cueillies au jardin, mais le site est trop venteux pour profiter longtemps de la halte. Nous ne sommes pas seuls : trois voitures nous ont précédés. Chacun se dirige à pas lents vers le sanctuaire inachevé, encore ouvert à tous vents. C'est émouvant de me retrouver à Bazarak, village de celui qui fut un héros pour toute une génération de Tadjiks, et véritable mythe en France même. À quelques pas de l'entrée, on admire sur des panneaux de bois une galerie de photos en couleurs signées Reza. Quand les travaux seront terminés – mais cela va faire dix ans qu'ils ont commencé –, le site devrait également accueillir un amphithéâtre, un musée, un magasin de souvenirs qui proposera des produits kitsch mais prisés, comme des tapis de prière à l'effigie du « premier moudjahid à avoir lutté contre les taliban », ou des services à thé dûment estampillés. La mine grave, on se fait photographier à l'intérieur du mausolée, près de la tombe recouverte d'un drap vert.

Les autochtones de Kapisa semblent apprécier que les troupes françaises se soient substituées aux américaines : « Les attaques de l'automne et de l'hiver derniers [2009] ont été efficaces ; au moins, les Français, on sait qu'ils combattent pour de bon les taliban ! » note Abdul, même si, depuis lors, les insurgés auraient repris du terrain. Lui-même se pose néanmoins les mêmes questions récurrentes : pourquoi les taliban ne sont-ils toujours pas vaincus ? D'où viennent leurs armes ? Qui les soutient ?

Lorsque les militaires mènent des opérations claires conduisant à l'arrestation ou à la mort de taliban, ils sont en général soutenus par la population. C'est moins vrai pour le travail quotidien de la PRT : « Faire du social avec des militaires, ça ne marche pas vraiment ; je ne comprends pas très bien », avance Abdul, lui aussi perplexe devant l'action de l'*agriculture development team* rattachée à la PRT de Kapisa.

Dans le bureau du *wali* absent, je converse avec Abdul Saboor Wafa, son chef de cabinet, un Pandchiri qui avait déjà été au service du précédent gouverneur, le très décrié Abdul Sattar Murad, chef de campagne du docteur Abdullah[1]. En attendant le gouverneur qui n'apparaîtra finalement jamais, Wafa m'offre son appréciation de la situation. Représentatif de ces jeunes cadres assistant les gouverneurs nommés par Karzai, le jeune homme parle couramment l'anglais et revient d'un voyage en Corée du Sud où la quasi-absence de différences entre secteur privé et secteur public, ainsi que le fort développement des structures d'État l'ont beaucoup marqué. Pour des raisons de sécurité, Wafa se rend quotidiennement en voiture à son bureau en Kapisa, depuis Kaboul

---

1. Ancien compagnon de route de Massoud et principal concurrent de Hamid Karzai à la présidentielle de 2009.

(il a décidé de ne pas dormir sur place) pour un misérable salaire mensuel de 210 dollars ; mais, si « son » gouverneur se débrouille bien, il peut espérer une promotion dans un ministère à la capitale. Au cas où cette promotion tarderait à se concrétiser, Wafa changerait de travail, sa priorité étant d'envoyer son fils aîné dans une école privée, à compter de l'année prochaine. Il tient à me rappeler que l'Afghanistan a obtenu son siège aux Nations unies en 1946, un an avant la partition de l'Inde et la création du Pakistan, sous-entendant clairement que « tout le potentiel » du pays a été gâché depuis lors par les guerres successives.

Pour les mêmes sacro-saintes raisons de sécurité qui tournent parfois au ridicule, jusqu'aux plus proches collaborateurs du gouverneur ne peuvent localiser celui-ci. Agacé par ces précautions, mais surtout soucieux de me satisfaire, Abdul téléphone à son fils, membre de la garde rapprochée du *wali*, lequel nous apprend que le gouverneur serait justement en train de discuter « sécurité » avec des représentants de l'armée française. Il ne devrait pas tarder à regagner son bureau.

Une heure plus tard, toujours en l'absence du *wali*, je retourne au département local de l'Agriculture où m'attend Sohaila Kohistani, 45 ans. Entièrement voilée de blanc, les doigts couverts d'or, les lèvres soulignées de rose, les yeux charbonneux,

avant de m'entretenir de ses activités, la fonctionnaire m'offre thé et biscuits agrémentés de raisins
secs qu'elle puise par poignées à même le tiroir en
bois de son bureau. Sohaila revient d'une *training
session*[1] à Kaboul, organisée conjointement par son
ministère de tutelle et la FAO[2]. On lui a remis
une brochure intitulée *Guide de l'alimentation familiale*, pour apprendre aux familles comment se sustenter de façon équilibrée. « 60 à 70 % des Afghans
ne nourrissent pas leurs enfants correctement, ni
trois fois par jour ; par exemple, les familles qui
possèdent des vaches ne donnent jamais de lait
filtré à boire aux enfants pour le petit déjeuner ;
et ceux-ci n'ont pas assez de calories pour entamer
la journée. On va aussi leur apprendre à entretenir
et développer leur poulailler, de la naissance du
poussin jusqu'aux volailles de six mois, pour produire de bons œufs qu'ils pourront donner à manger, durs, à leurs enfants. »

Au fur et à mesure que Sohaila tourne les pages
de la brochure, je ne peux m'empêcher de remarquer ses ongles longs, manucurés, peints de rose,
de blanc et de nacré, nuances en harmonie avec
son rouge à lèvres. Même son téléphone portable
rose pâle est assorti. Demain, elle a l'intention de
réunir des femmes d'un district pour commencer

---

1. Session de formation.
2. Food and Agriculture Organization, une agence des Nations
unies.

à faire passer le message et instaurer ainsi de nouvelles habitudes nutritionnelles. Ces sujets domestiques ne concernant que les femmes et n'impliquant
aucun mâle, les taliban, paraît-il, ne sont pas
contre.

Sa collègue de bureau qui exerce le même
métier est rentrée hier de ces fameux districts du
Sud peuplés de Pachtaïs ; elle a dû endosser son
*châdri* pendant les longues heures de route. La
fonctionnaire affirme avoir été très bien accueillie :
faute de mode de transport, la seule voiture « gouvernementale » ayant été affectée à une autre mission, les autochtones, proches des taliban, ont
même organisé son retour. À l'encontre de la propagande de Kaboul qui s'emploie en permanence
à surestimer le danger, cette femme simple mais
expérimentée explique qu'en ces régions reculées
les tensions sont avant tout causées par des conflits
internes entre chefs de guerre, et non par des
heurts entre eux et des éléments de l'ANA ou des
troupes étrangères. Si elle a toujours été bien
accueillie, c'est parce que sa mission contribue au
développement économique et social des foyers, la
femme étant en Afghanistan traditionnellement
responsable des activités *intra muros* (poulailler, soin
du bétail), l'homme se chargeant des activités
impliquant une présence à l'extérieur. Même si,
dans ces deux districts, elle est sûre que les

hommes travaillent pour le gouvernement le jour et pour les taliban la nuit...

Pénètre dans son bureau Enayatullah Kochi, membre du conseil provincial, de retour de Tagab où il a participé à la campagne de vaccination contre la polio. Il est atterré : « Là bas, le bâtiment de l'école des filles existe, mais il est désert. Même les garçons reçoivent des menaces, et un des instituteurs a récemment été tué. » Selon lui, l'arrivée de nouveaux commandants taliban en provenance du Pakistan voisin a fait grossir les effectifs. Dans ce contexte, les gens du cru attendent des actions concrètes de la coopération civilo-militaire française, laquelle a promis aux agriculteurs des semences de qualité, des engrais et des ruches. Cependant, avec un décalage de quatre ans, au lieu de contribuer au développement du pays par le biais de structures purement afghanes, la France a préféré s'en tenir à imiter le système américain des PRT, contribuant ainsi à la confusion ambiante.

# 8

## Dubaï – Kaboul

### 2008-2009

*La foule bigarrée de l'aéroport de l'Émirat – La « bagdadisation » de Kaboul via les clones – Personne ne veut la « démocratie d'urgence » – Les anciens villageois ne peuvent plus rentrer au pays.*

Dubaï, et surtout son aéroport, est le centre du monde globalisé arabe. Rares sont les lieux concentrant un tel mélange de peuples unis par une seule et même activité : attendre un avion et consommer en attendant.

Au terminal 2, le moins moderne, celui qui n'est pas destiné à être fréquenté par les Occidentaux, on croise des femmes resplendissantes en saris, d'autres en boubous ou en *abbayas* ; de toutes jeunes filles voilées portent des jeans moulants ; des hommes arabes sont en tenue tribale et, le matin de mon vol, je reconnais les grappes d'Afghans à leurs longues et amples tenues pakistanaises et à leurs couvre-chefs : quelques *pakuls* portés par des Tadjiks à la Massoud, mais, surtout, des turbans noués autour du crâne de la plus belle façon pachtoune.

Devant le comptoir d'Iraqi Airways, j'observe non sans nostalgie la file d'attente pour Bassorah, mégapole du sud de l'Irak, quasiment à un jet de pierre de l'autre côté du Golfe. J'ai tant eu recours à cette compagnie nationale irakienne ; et si je modifiais ma destination ? Les femmes sont exclusivement vêtues de noir, mais leurs houppelandes aux larges emmanchures savamment perlées scintillent et leurs foulards couvrants ont un éclat attirant le regard. Pour ces femmes-là, telle est la dernière mode ! La gent masculine est grassouillette et arbore un air quelque peu hébété – serait-ce l'effet de l'épouvantable chaleur à laquelle tous sont pourtant habitués ?

Parmi la foule, plutôt à dominante masculine, qui se rend à Kaboul, je repère un groupe de trois Occidentales, deux journalistes britanniques et une Allemande dont c'est peut-être la première visite en terre afghane. Elles ont l'air si mal à l'aise ! Néanmoins, elles voyagent en première classe alors que je prends place à l'arrière, tout au fond, avec les Afghans. Mon « terrain » commence d'ailleurs souvent dans ces dernières rangées.

Même terminal un an plus tard. Rouler en taxi surclimatisé de l'hyper-moderne terminal 1 international jusqu'au terminal 2 est un prélude familier à mes départs pour l'Afghanistan. Ce matin, je vole avec la compagnie privée Safi Airways et mes compagnons de voyage sont en majorité des hommes étrangers. On dirait des clones : même façon de parler, de s'habiller, de déambuler, mêmes sacs à dos, mêmes iPad, mêmes casques sur les oreilles, mêmes lunettes de soleil noires, convexes, qui leur confèrent un air inquiétant, mêmes casquettes aux labels globalisés américains, mêmes coiffures ultracourtes (pour certains, la boule à zéro), mêmes moustaches, même collier de barbe finement taillé, mêmes mâchoires carrées mâchant sempiternellement du chewing-gum. Ces hommes seuls ont entre 30 et 50 ans. Avachis dans la salle d'attente du terminal rénové depuis mon dernier passage, ils ont tous l'air de se connaître ; je les entends converser à propos de leur femme ou de leur console d'ordinateur sur le même ton languide ; ils ont l'air revenus de tout. Mais ce qui m'inquiète le plus, c'est leur nombre.

Ces clones incarnent la « bagdadisation » de Kaboul. Ils étaient en Irak, les voici en Afghanistan, dans le sillage des militaires, dans leur ombre, pour le sale boulot. Presque tous bedonnants, ces *contractors* épluchent des revues style *Muscle & Fitness* ; je les imagine chez eux passant leur temps libre au « club de gym » et se plaindre qu'en Afghanistan il n'y en a pas à chaque coin de rue. Quelle est leur vision du pays où ils se rendent, dont le malheur leur assure de confortables revenus ? Sont-ils vraiment convaincus d'y apporter la démocratie, comme on apporterait des couvertures à des gens qui ont froid ? Sont-ils sûrs de semer le bien et de défendre une « cause juste » ?

Notre avion est bondé. Pas une place de libre. Les cendriers creusés dans chaque accoudoir ont été dûment neutralisés avec du scotch estampillé « Safi Airways », laquelle se targue d'être LA compagnie internationale afghane préférée du président Karzaï, comme le proclame la revue de bord qui met Kaboul et ses « lieux touristiques » à l'honneur *via* des photos avantageuses et des textes courts, du style guide de voyage.

Au micro, le commandant de bord salue les passagers et déclare par trois fois : *« Allah u Akbar*[1]. » Visage impassible des *contractors* confinés dans leur monde : ils écoutent leur musique, ils se protègent, ils vont « au boulot », serait-ce en traînant les pieds.

À Kaboul, c'est Younas, 28 ans, qui a promis de venir me chercher. Je ne l'ai pas revu depuis cinq ans, laps de temps qui lui a permis de devenir, paraît-il, et malgré la guerre (ou plutôt grâce à elle), un homme d'affaires avisé. Tous les amis afghans connus au lendemain du changement de régime, avec lesquels j'avais sillonné ce beau pays,

---

1. « Dieu est grand. »

usant et abusant de l'hospitalité de leurs familles[1], semblent poursuivre des carrières enviables. Ils ont réussi à s'adapter plutôt rapidement à cette « nouvelle donne » qui s'est concrètement traduite par une intarissable manne occidentale.

Younas m'a marquée, car c'est lui qui avait prononcé une des phrases les plus mystérieuses et provocantes que j'ai entendues lors d'un précédent séjour. Alors que nous roulions et tanguions entre d'énormes ornières, lui au volant, moi sur la banquette arrière, cachée par mon *châdri* bleu ciel, dans la campagne de Paktia, près de la frontière jouxtant les zones tribales pakistanaises, quatre jeunes femmes, ombres informes sous leur long voile, marchaient en sens inverse sur le bascôté de la route. Parvenus au niveau de l'avant-dernière qui, à mes yeux, derrière le grillage de coton du *châdri*, ne différait en rien des autres, et que Younas s'efforçait de ne point trop éclabousser au passage, je l'entendis s'exclamer :

« Regarde comme elle est belle !

– Mais, Younas, comment ça ? Tu ne peux pas la voir !

– Non, mais je la devine, et c'est encore plus beau ! Observe sa façon de marcher, plus féline, plus mûre, et ses pieds, ses chevilles... Non, vraiment, les trois autres ne la valent pas. »

---

1. Cf. Anne Nivat, *Lendemains de guerre, op. cit.*

Ce jour-là, ce tout jeune homme m'avait donné une leçon : on peut admirer ce qui ne se montre pas, mais se laisse deviner.

Il est là, fidèle au poste, à l'aéroport. Pas dans le bâtiment des arrivées, puisque ce dernier, comme il est de mode dans ces pays en guerre, n'est pas accessible au commun des mortels venus chercher familles et amis : ce « privilège » est réservé à ceux qui ont payé leur passage, ou possèdent un passe-droit émanant souvent d'ONG et autres structures humanitaires, ou des instances de l'État concerné. Il m'attend donc quelques centaines de mètres plus loin, derrière d'ultimes grillages qu'il faut franchir en bravant la foule à pied, bagage à l'épaule.

Younas est venu avec un ami ingénieur que je ne connais pas, sans doute le propriétaire de la voiture. Tous deux m'emmènent déjeuner et se montrent plus intéressés de savoir combien leur coûterait un séjour d'un mois en Europe et si je pourrais les aider à obtenir un visa, que de me raconter l'Afghanistan.

Je comprends quand même, à leur discours confus, qu'ils sont déçus par la situation et la politique du président Hamid Karzai. Ils ne tarissent pas de commentaires ironiques sur l'*emergency democracy*[1],

---

1. Jargon des donateurs que l'on peut traduire par « démocratie d'urgence ».

que « personne n'arrive à comprendre ici », arguant que, finalement, tant qu'à vivre en démocratie, « on préférerait une démocratie ordinaire et pas d'urgence ! ». Ils ont d'ailleurs bien du mal à saisir « ce que les Américains veulent en définitive ».

Voilà pourquoi Younas et ses copains errent dans Kaboul, désœuvrés, partagés entre leurs rêves de départ à l'étranger et la volonté de s'enrichir sur place : ils pressentent que c'est possible si on a la chance d'occuper un poste qui le permet – « le but de chacun de nous ». Seule une minorité s'en met plein les poches sans rien laisser aux autres, et Younas clame péremptoirement – mais avec sincérité – qu'une seule chose l'intéresse : « L'argent : en gagner et en dépenser ! »

Bien qu'ils ne l'expriment pas clairement, je finis par comprendre que les deux jeunes gens souhaiteraient, par mon entremise, parvenir à instaurer et développer des relations d'affaires avec « une PRT française ». Voilà qui montre à quel point, dans l'esprit des Afghans, même les plus jeunes, dynamiques, cultivés et pro-occidentaux, la confusion en termes de « qui fait quoi » sur le théâtre afghan est réelle et profonde.

Les PRT, *provincial reconstruction teams*, déjà évoquées, ont été inventées par les Américains sur le théâtre afghan au début de 2002, puis « importées » en Irak. Il s'agit de structures regroupant des militaires, des diplomates et divers experts en matière de « reconstruction » et d'aide civile, dont le but est d'aider le gouvernement local à s'implanter en région de manière plus efficace. Ces « bases » sont rapidement devenues des camps retranchés, difficiles d'accès, rencognés derrière de hauts murs de béton anti-attentats-suicides, protégés par des fils de fer barbelés, dirigés par un chef de PRT jouant le rôle de gouverneur bis de la région, non pas nommé par Kaboul, mais envoyé par les Américains et donc servant leurs intérêts.

Si, après la période de plus forte implication de l'Otan en Afghanistan, certaines PRT ont été transférées à des nations autres que les États-Unis, ces structures hybrides, humanitaro-militaires, demeurent dans l'imaginaire populaire « américaines[1] ».

Mes deux amis soulignent que toute prise de contact et donc toute future « affaire » se font par copinage : ils n'ont pas la moindre idée de ce que peut être la concurrence, et comptent sur moi pour leur ouvrir l'accès à ces précieux réseaux...

Une fois apportés les éclaircissements nécessaires sur mon absence de lien avec les militaires français, nous passons à un autre sujet : la famille de Younas, chez laquelle j'avais séjourné quelque

---

1. Par exemple, la PRT de Kapisa est une équipe américaine insérée dans l'état-major de la *task force* française La Fayette ; elle est composée de 80 personnes, dont 20 spécialistes civils américains.

temps, en 2004, dans un village situé non loin de Khost, à la frontière pakistanaise. Elle est désormais inaccessible, même pour lui. Il redoute de s'y rendre, les taliban et autres hors-la-loi étant parfaitement au courant de ses activités lucratives, notamment de ses pseudo-contacts avec des étrangers ; Younas est en quelque sorte « repéré ».

À l'enthousiasme des débuts a en effet succédé l'affairisme, sans doute au prorata de la déception. Un an plus tard, Younas s'échine à glaner des contrats par l'intermédiaire du gouverneur de la région de Wardak, à une cinquantaine de kilomètres de Kaboul. À condition de reverser 25 % des profits à l'administration gouvernorale, il n'a pas trop à se plaindre.

En fait, le seul à avoir conservé son « intégrité » est Hafizullah, employé d'une ONG afghane spécialisée dans les microprojets et financée par Usaid, la mégastructure américaine spécialisée dans l'humanitaire international. Hafizullah vient de se fiancer. Il est loin le temps où je me glissais avec lui dans des taxis collectifs, au départ de la banlieue de Kaboul, pour me rendre dans son village du Wardak. Hafiz est formel : aujourd'hui, plus personne travaillant ici ne peut plus se déplacer en ces lointaines et hostiles contrées à bord de voitures non blindées. À Kaboul, l'obsession sécuritaire atteint des sommets dignes des « pics » irakiens, jusqu'à me donner la désagréable sensation de ne pas avoir changé de pays !

Voici ce que Hafiz me dit de la politique intérieure : « Parfois, je ne comprends pas Hamid Karzai. À mon avis, il blâme trop facilement et trop fréquemment la communauté internationale ou le Pakistan, et ne se remet pas assez en question, lui ! Car si être président est une énorme responsabilité, il l'a bien cherchée et acceptée dès le départ ! »

Hafiz a été approché par diverses instances gouvernementales pour intégrer une des équipes présidentielles. Jusqu'à présent, il n'a pas cédé aux sirènes du pouvoir, mais je le sens tenté par d'alléchantes propositions en vue de devenir un des porte-parole du gouvernement. « Si j'acceptais, je n'aurais pas la vie facile, et je sais que, parfois – souvent, même –, je ne pourrais pas dire la vérité, mais j'aimerais tenter l'expérience, car je me dois de faire quelque chose pour mon pays », réfléchit à voix haute le jeune homme. Mais il ne s'en est même pas encore ouvert à sa future épouse tant il redoute sa réaction.

Lorsque, en 2009, je revois Hafiz après son mariage, alité, la jambe dans le plâtre – il a été heurté en pleine rue par un chauffard –, il est encore plus désabusé. Le jeune homme se refuse à quitter son pays, mais redoute d'y être forcé : « Tout a changé depuis le déploiement des forces internationales. On ne se fait plus mutuellement confiance entre Afghans, une seule chose compte : profiter au maximum de la faiblesse de l'État pour s'enrichir personnellement, le plus rapidement possible, et peu importe comment ! » déplore-t-il.

Mais le vrai regret de Hafiz, s'il acceptait le poste qu'on lui propose, serait de ne plus avoir à son tour la possibilité de se rendre dans son village natal, comme il aimait à le faire régulièrement, parce que avec un tel job il serait obligé de se plier à un certain niveau de sécurité impliquant qu'il se coupe du reste de la population. « De toute façon, j'avais déjà du mal à y aller, car les taliban savent qui je suis, et je ne veux pas créer de problèmes à ma famille… »

Effrayée de ce qui pourrait lui arriver, sa jeune épouse tente de l'empêcher de quitter Kaboul. Souriante, ouverte, elle me pose quelques questions en anglais. Hafiz aimerait qu'elle poursuive ses études, il lui a même proposé d'engager une femme de ménage pour la maison qu'il loue dans Kaboul, mais la jeune femme s'obstine à tout faire elle-même, et surtout à s'occuper de son beau-père, cloué au lit.

Comme mes nombreux amis afghans, Hafiz est convaincu de la nécessité de négocier avec les taliban, mais il sait aussi que ce n'est pas possible « tant que le gouvernement reste sous contrôle des gens de l'ex-Alliance du Nord » – selon lui des

Tadjiks n'ayant aucun intérêt à un dialogue qui amènerait des Pachtounes au pouvoir.

Pour ne pas participer à un système qu'il considère comme corrompu, Hafiz déclinera finalement la proposition de la présidence ; il préfère continuer à travailler pour son *contractor* américain. Il a pourtant reçu d'autres propositions, notamment du ministre de l'Éducation en personne, auxquelles il n'a pas donné suite.

Avant de quitter le pays, je dîne avec Hafiz, Younas, Rahmat, Zaher qui, tous, m'ont aidée et accueillie dans leurs familles respectives. Chacun, à son niveau, se sent utile dans cette société désemparée et estime nécessaire de négocier avec les taliban, tout en redoutant le départ des troupes alliées – « pas avant que l'ANA et l'ANP ne soient capables de nous défendre ». Tous dénoncent la corruption ambiante, sont déçus et remplis de honte par le niveau de gabegie dont ils sont témoins dans les structures étrangères où ils travaillent. Zaher, employé d'une ONG internationale active au Badakhshan, estime que « c'est à chacun de donner l'exemple en étant soi-même irréprochable et en affichant une déontologie exigeante ».

En ce mois de mai 2011, pour ne pas perdre les bonnes habitudes, nous nous retrouvons tous les cinq au restaurant, la veille de mon retour en France.

Les amis sont heureux d'être réunis par mon entremise : ils sont si occupés les uns et les autres qu'ils ne se voient quasiment jamais le reste de l'année, même s'ils restent en contact par *mails* et au téléphone. Younas poursuit sa quête de contrats avec des militaires étrangers et n'est pas satisfait de la tournure qu'ont prise les choses : il ne parvient à obtenir que des sous-contrats, les contrats principaux étant alloués à une grande entreprise (souvent irakienne), qui rechigne souvent à payer les *contractors* locaux. Je comprends que parce que ces méga-entreprises ont débuté leur expérience en Irak, elles bénéficient d'un bon réseau de contacts et sont à même de rédiger des propositions de *tender*. Ainsi, elles trustent le marché juteux de la reconstruction en Afghanistan. Lors de ce dîner, Younas profite même des lumières de Hafizullah, toujours employé de son ONG américaine, mais qui, en parallèle, termine des études de juriste, pour lui demander des conseils en matière légale. Arrivera-t-il à se faire payer ? Ses copains en doutent.

Zaher, lui, poursuit dans le domaine de l'agriculture, il est également salarié d'une ONG américaine financée par l'Usaid. On rit de ses récits de campagne : il a récemment distribué aux fermiers afghans des tracteurs à deux roues fabriqués en Chine. Certains les ont bien accueillis et s'en servent, d'autres (la plupart) ne veulent même pas en entendre parler, prétendant que ce genre d'outil n'est pas de bonne qualité et ne correspond pas à la dureté du relief.

Rahmat, désormais installé dans sa maison de Shar-i-Naw, a quitté la PRT américaine de Khost à l'été 2010 parce qu'il pensait être admis dans un programme universitaire en Angleterre. Or celui-ci a capoté au dernier moment. Débrouillard, il a déniché un bon poste dans la sphère « communication et médias ». Financièrement, c'est celui des quatre qui se débrouille le mieux. Il est rentré la veille d'un long périple dans son village natal des montagnes reculées du Wardak où il ne s'était pas rendu depuis fort longtemps : une de ses sœurs aînées, âgée de 39 ans, est décédée après avoir mis au monde son quatrième enfant. Son mari n'a même pas eu le temps de l'emmener en voiture à la maternité distante d'une cinquantaine de kilomètres. Par souci de discrétion et afin de ne pas croiser des taliban qui auraient pu le kidnapper et l'assassiner, Rahmat a dû se rendre aux obsèques à vélo depuis un autre village pour brouiller les pistes. Le trajet lui a pris cinq ou six heures au lieu de deux, question de survie.

Aucun de ces Afghans ne souhaiterait travailler pour une structure d'État tant le niveau de corruption les préoccupe. Seul Hafiz déclare, sous les quolibets des trois autres, mais surtout de

Rahmat, le plus virulent, qu'il pourrait éventuellement « réfléchir » à une proposition si elle était sérieuse, car « il faut bien aider notre pays ». Au fil des années, il n'a pas changé d'avis. Parce qu'ils sont employés de structures humanitaires qui aident les militaires américains sur le terrain, tous (sauf Younas) pourraient prétendre à émigrer aux États-Unis, qui dispose d'un programme spécifique pour les Afghans, notamment les traducteurs (comme Rahmat). C'est d'ailleurs ce dernier qui se pose le plus de questions quant à un éventuel départ. Les autres hésitent encore : tous savent qu'en Occident leur vie serait radicalement différente et sans doute moins « confortable ». Mais ont-ils vraiment envie de ce changement ? « En tout cas, résument-ils, dix ans se sont écoulés, on va boucler la boucle, et c'est comme s'il ne s'était rien passé. » Ce sentiment de la quadrature du cercle les oppresse.

Il y a dix ans, ces jeunes Afghans avaient soutenu l'arrivée des étrangers, mais estiment aujourd'hui que leur présence pose problème. Ils constituent la génération des quasi-trentenaires, désabusés, qui accédera bientôt au pouvoir.

# 9

## Retour à Kandahar

### *2009-2010*

*Une violence qui n'inquiète plus personne — Des entrepreneurs fuient le pays — Un poète taleb — Des ex-taliban parlent — Des femmes journalistes s'épanchent — Des burqas de plusieurs couleurs.*

Les taliban peuvent-ils revenir au pouvoir ? Palpable à Kandahar, ville natale du président Hamid Karzai, en cette année 2009, la tension témoigne du désarroi qui saisit l'Afghanistan. Et glace les états-majors des pays participant à l'opération de l'Otan : pour la première fois depuis la chute des taliban, le nombre de soldats étrangers tués en l'espace d'un mois a surpassé celui des pertes occidentales en Irak.

Même si une victoire militaire globale des taliban paraît exclue, leur emprise psychologique, politique et sociale sur le pays ne cesse de se renforcer.

« Sous le règne des taliban, la situation n'a jamais été aussi catastrophique en termes de sécurité et de pauvreté, déplore Mohammed Anas, secrétaire général du bureau du gouverneur. Quarante jours avant l'attaque de la prison, raconte-t-il d'une voix blanche, j'avais adressé une lettre au ministère de la Justice, proposant de licencier son directeur. On avait suggéré un nom pour le remplacer. Je n'ai jamais obtenu de réponse. Notre gouvernement ne gouverne que sur le papier... » De même, assure-t-il, ses services avaient informé les militaires de l'Isaf et les Américains que des taliban étaient en train de se regrouper dans les environs de la ville – en vain. « Et maintenant, ils sont tous là à promulguer des mesures exceptionnelles, et l'afflux de troupes crée des problèmes supplémentaires ! On se fout pas mal de la vie d'un Afghan, alors que la vie d'un soldat de la coalition compte cent fois plus ! »

Lorsque, en 2006, des troupes britanniques avaient été expédiées dans la province de Helmand, voisine de Kandahar, les militaires pensaient qu'ils s'en tireraient sans peine, les taliban ne constituant plus vraiment une menace. Les cibles sont désormais aussi bien civiles que militaires, ce qui déstabilise le pays. D'autant que, privée des services de base (eau, gaz, électricité), la majorité de la population vit au-dessous du seuil de pauvreté. La confiance envers le gouvernement, peu influent hors de Kaboul et gangrené par la corruption, a disparu. Les Afghans n'en finissent pas de se gausser de la lenteur du processus de formation de la police, de l'armée et des autres administrations, chapeautées par des armées de « conseillers occidentaux ».

En quatre ans, la région de Kandahar a changé par trois fois de gouverneur (tous nommés par le président Karzai). De toute façon, c'est le président du conseil provincial, Ahmed Wali Karzai, dit « AWK », demi-frère cadet du chef de l'État, qui, *de facto*, tient la ville. Insidieusement, tous les hauts fonctionnaires ont été remplacés par des membres de sa famille élargie. Ainsi, le brigadier général Mirwais Nurzai a été nommé chef de la police ; il est le frère d'Arif Khan Nurzai, ex-ministre des Affaires tribales et frontalières, leader de la puissante tribu pachtoune des Nurzai, mais surtout beau-frère d'Ahmed Wali Karzai.

Naseem Pachtoun Sharifi, déjà rencontré en 2008, est l'un des entrepreneurs les plus influents de la ville, mais il lui est devenu impossible de travailler normalement : les menaces, essentiellement par téléphone, sont constantes. Alors il accuse les représentants locaux du gouvernement, notamment Ahmed Wali Karzai et son entourage[1],

---

1. Des révélations du site WikiLeaks ont montré l'étendue du contrôle de la région de Kandahar par les frères de Hamid Karzai. Selon le *New York Times* (cf. articles du 10 avril 2008 et du 28 novembre 2009), Ahmed Wali, le plus connu d'entre eux, aurait même reçu pendant des années un salaire de la CIA comme informateur, alors qu'il est accusé d'être impliqué dans les trafics de drogue qui ternissent l'image de la province.

de mériter eux-mêmes le qualificatif de « taliban »,
mot qui, à ses yeux, a perdu sa signification première.

Naseem compare ce qui est en train de se passer
à Kandahar à une véritable « fuite des cerveaux »
rappelant celle de l'Est vers l'Ouest après la chute
du mur de Berlin. Kidnappings, assassinats d'intel-
lectuels, d'hommes d'affaires, de leaders d'opinion
influents, gênants pour le pouvoir, sont incessants.
« On n'a pas le choix, assure-t-il. Soit on accepte
de devenir soi-même membre de la mafia, soit on
est éliminé. » De nombreux individus auraient
cédé et scellé des accords avec les malfrats pour
sauver leur peau. « En échange, ils acceptent de
dénoncer des proies faciles. »

Naseem se sent en danger et reconnaît que
l'ensemble de ses cent cinquante employés sont
dans le même cas, sans toutefois bénéficier des
mêmes moyens pour fuir. Terrifié, il me montre
le numéro d'un téléphone cellulaire afghan qui
harcèle un de ses employés pour le faire chanter :
« C'est une technique destinée à forcer les gens à
partir. Ainsi le champ sera libre. Si tu ne paies pas
le *security deposit* de 25 % de ton chiffre d'affaires,
tu es foutu, car tous les fonctionnaires sont aux
ordres de AWK, et il possède par ailleurs une
milice. »

Après douze années d'exil à Karachi, puis aux
États-Unis, Naseem était revenu en Afghanistan en

2002, passeport américain en poche, nanti d'une éducation à l'occidentale. Dès 2006, suite à un coup de téléphone du secrétariat de Hamid Karzai, répondant lui-même à un appel d'AWK l'accusant d'activités illégales, il avait décidé de limiter sa présence dans sa ville natale. « Fais-moi donc un procès ! » avait osé répondre Naseem.

Depuis, l'Afghano-Américain déchante et s'afflige de voir sa ville natale sombrer. Il dénonce la dégringolade « d'une province tout entière dédiée à la drogue » et où l'agriculture, autrefois fierté régionale, n'est plus qu'un maigre moyen de subsistance. Pour lui, c'est AWK qui est à l'origine de la nomination de Tooryalai Weesa, le gouverneur de la région, ainsi que du maire, lui aussi un ancien exilé accusé de ne pas créer d'emplois[1]. Naseem redoute que ce dernier fasse détruire ses panneaux publicitaires : dans ce cas, il lui faudra licencier la moitié de ses effectifs, voire mettre la clé sous la porte.

En 2007, pressentant que le vent tournait, Naseem a rapatrié femme et enfants à Dubaï. Il prétend également avoir été suivi par des Land Cruiser aux vitres teintées et aux plaques d'immatriculation gouvernementales sur la route reliant le centre de Kaboul à l'aéroport, dans le seul but de

---

1. Ghulam Haidar Hamidi, le maire de Kandahar, moitié Afghan, moitié Américain, a été lui aussi assassiné le 27 juillet 2011, deux semaines après le meurtre de Ahmed Wali Karzai.

le terroriser. Naseem fustige la communauté internationale qui se fourvoie en n'entretenant des contacts qu'avec des menteurs. « Les Russes aussi avaient prêté l'oreille aux menteurs : cela les a perdus. »

Pendant la campagne présidentielle, Naseem m'envoie des photos de « ses » panneaux publicitaires en faveur du candidat Ashraf Ghani. À peine posées, les affiches ont été maculées de peinture noire ou lacérées par les autorités municipales, dénonce-t-il.

L'homme d'affaires se rend toujours à Kandahar sans prévenir afin que le moins de monde possible connaisse ses allées et venues, et il réside chez un de ses cousins, en zone protégée. « Cependant, je n'ai pas envie de devenir comme eux ; alors, je refuse d'être armé et de m'entourer de gardes du corps. J'évite toute routine, et me dépêche de traiter les affaires courantes. »

Naseem finançait également l'équipe de foot locale, mais il a cessé, faute de terrain pour l'entraîner. « En tant que citoyen afghan, j'ai des droits, mais aussi le devoir de me défendre ; mais cet état d'esprit est dû à ma mentalité d'Occidental, reconnaît-il. Il est hors de question que je partage mes profits, un point c'est tout ! Mais ici, c'est le contraire de la démocratie : on ferme la gueule de celui qui veut parler ! »

Courant 2010, Naseem et sa famille ont quitté Dubaï pour revenir aux États-Unis, en Californie, où il se sent à l'abri. Il n'est pas simplement « déçu » par ce retour au pays natal, mais considère l'évolution de son pays comme « un désastre » : « La situation n'est en rien meilleure, pas même pour 1 % ! Au gouvernement, ce sont toujours les mêmes corrompus soutenus par la communauté internationale. »

Forcé, comme il l'avait redouté, de mettre la clé sous la porte, Naseem a cependant réussi à conserver *Surgar*, son hebdomadaire en langue pachtoune, dont son frère assure la rédaction en chef depuis Dubaï. Sans surprise, un entrepreneur, lié à l'un des frères de Karzai, a repris le marché des panneaux d'affichage jusqu'à assurer un quasi-monopole.

À Kandahar, plus personne ne prête attention à la violence tant elle fait corps avec le quotidien : le 29 juin 2009, une fusillade a éclaté de jour, en plein centre, entre des policiers et des forces spé-ciales afghanes privées sous contrat avec l'armée américaine, chargées de sécuriser le siège de la CIA basé dans la kitschissime ancienne villa du mollah Omar. Quatre policiers sont morts, dont le chef régional, sans que personne ne s'en émeuve.

Au niveau local, la corruption est massive et généralisée. Conséquence : de nombreux jeunes se jettent dans les bras des taliban avec lesquels ils revendiquent de partager certaines valeurs : « L'amateurisme des autorités est tel que nous regrettons une époque où l'ordre et la discipline régnaient », résume avec satisfaction Youssef, un « poète » de 30 ans, assez proche des taliban pour ne pas vouloir décliner sa véritable identité.

J'avais fait sa connaissance lors de mon tout premier séjour en Afghanistan. Dans son souvenir, lors de cette rencontre, juste avant *iftar* marquant la rupture du jeûne observé pendant le ramadan, je tenais une pomme à la main. Que sont ses amis d'alors devenus ? L'un travaille pour une télévision locale, un autre écrit des livres pour enfants et publie dans un magazine religieux. Youssef a deux femmes dont il a eu trois filles et six garçons, deux morts en bas âge – mais non, il ne se souvient pas de quelle mère au juste est tel ou tel enfant, avoue-t-il en riant.

« Moi et mes amis nous considérons comme des taliban sans armes, mais, s'il le faut, nous finirons par rejoindre nos frères combattants. » Sa voix est douce, à peine audible. « Ici, les taliban ont le pouvoir, *sont* le pouvoir. Personne ne comprend que d'anciens chefs de guerre aux mains couvertes de sang soient devenus ministres – ceux-là mêmes qui ont combattu l'Union soviétique dans les années 1980 –, alors que de l'autre côté le mollah Omar, l'ex-chef des taliban, et Gulbuddin Hekmatyar [ancien chef de guerre] ont été diabolisés et exclus du pouvoir ; on se demande bien sur quels critères ! C'est à n'y plus rien comprendre. Les taliban essaient de remettre de l'ordre, rien de plus normal, car on ne peut partager le gâteau de façon aussi inique. Nous – je crois exprimer là l'opinion d'une majorité d'Afghans – souhaitons une plus grande justice dans la répartition des postes, et cela passe forcément par des négociations avec les taliban. »

Message entre les lignes : il faut faire davantage de place aux Pachtounes.

Le jeune homme s'interrompt pour prier. Je remarque que mon accompagnateur en fait autant alors que, d'habitude, il ne prie pas.

Nous reprenons. Les gestes de Youssef sont lents et posés, il a un peu tendance à s'écouter parler. « En tuant un taleb, ils en font naître dix autres ! » affirme, bravache, celui qui prétend ne pas connaître la peur dans une ville dont chaque recoin lui est familier. Sous le régime des taliban, « il n'y avait ni alcool ni prostitution », répète-t-il, sévère et nostalgique.

Comme il y a six ans, le « poète » met son nationalisme en avant et me récite son dernier opus, celui qu'il a déclamé au festival Anar Gul (« Fleur de grenade ») sur le thème de l'amour.

Pourtant habitués à l'insidieuse présence des « combattants de l'islam » dans cette région ultra-conservatrice, les habitants de Kandahar prennent des dispositions : les plus aisés ont envoyé femmes et enfants à Kaboul, voire à Dubaï ; les autres cherchent des maisons à louer dans le centre-ville, convaincus que les faubourgs sont infestés de taliban.

Malgré les dizaines de milliers de soldats stationnés dans le pays, l'influence des taliban continue de croître et se développe même hors de ses fiefs habituels du Sud et de l'Est. Qui sont ces « néo-taliban », et comment ont-ils refait surface ?

« Il faut faire la différence entre les taliban idéologiques, "historiques", et ceux, bien plus nombreux, qui ont récemment rejoint leurs rangs. Ce sont des gens désabusés, sans travail, ou percevant un salaire de misère, convaincus que les étrangers et les représentants du gouvernement profitent de la situation et ne se préoccupent que de leurs propres intérêts. Face à ce qu'ils estiment être une vacance du pouvoir central, ils s'auto-organisent. Ils déclarent vouloir se faire justice », explique le représentant d'une compagnie de téléphonie mobile amené, pour son travail, à rencontrer en permanence des taliban dans les zones reculées du Sud.

Anonyme pour raisons de sécurité, Mohammed[1] me décrit en ces termes l'incertitude de la situation et le climat de compromissions qui régnaient à Musa Qala, localité du Helmand reprise par l'Otan en décembre 2007 : « Si nous n'avons toujours pas de liaison de téléphonie mobile sur ce district, c'est parce que les taliban ne le souhaitent pas, reconnaît-il. Là-bas, ils n'ont nul besoin de demander de l'aide à la population locale : ils *sont* la population locale. »

Jovial, une chevelure drue lui encadrant le visage, barbe courte, tenue kaki, souriant malgré ses propos ultra-sérieux, Mohammed mesure le fossé qui sépare l'Occident des autochtones et cherche les comparaisons les plus parlantes pour m'expliquer :

« Chez vous, en Occident, vous êtes assurés par des compagnies privées que vous payez ; ici, c'est le fait d'avoir de nombreux fils qui assure une belle situation aux gens. La plupart des zones de combat coïncident avec des zones d'habitation de gens qui n'ont rien reçu du gouvernement central ou local : aucune subvention, aucun poste. Ils se retrouvent donc dans l'incapacité de protéger leur tribu. Par exemple, un sous-groupe des Popalzai, la tribu du chef de l'État, se sent lésée. À force de ne pas traiter tes deux fils à égalité, l'un des deux prendra un jour sa revanche… »

---

1. Nom d'emprunt.

Pourquoi les insurgés attaquent-ils régulièrement les antennes-relais ? « D'abord parce qu'ils sabotent les efforts de n'importe quel investisseur afin que le nombre d'opérateurs reste limité à quatre[1]. En second lieu parce que ces compagnies paient des impôts à un État que les taliban souhaitent affaiblir. Mais c'est avant tout pour montrer qu'ils existent ! »

Pas d'autre solution, dès lors, que de trouver un compromis avec eux ? « Quel genre d'accord ? Les quatre opérateurs de téléphonie mobile rechignent à en parler, mais, depuis le début de l'année, ils ont dû accepter qu'entre 19 heures et 6 heures du matin le réseau soit coupé afin de ne pas "faire le jeu de l'ennemi". » Il s'agit, en fait, pour les taliban, d'éviter d'être repérés[2].

Pour ne pas perdre de juteux profits et risquer une dégradation des installations techniques, les opérateurs ont fini par obtempérer : dès que l'on sort de Kandahar ou de toute autre agglomération du Sud, le réseau est muet aux heures fixées par les insurgés. D'après certaines rumeurs, les compagnies se feraient même racketter, ce que Mohammed dément.

Après avoir travaillé neuf ans pour l'organisation Handicap international, ce manager hors pair, qui

---

1. Roshan, AWCC, MTN, Etisalat.
2. Cette coupure nocturne concerne les provinces de Kandahar, Ghazni, Zabul, Uruzgan, Helmand, Paktia, Paktika, Kunar et Laghman.

sillonne hebdomadairement les cinq régions les plus dangereuses du pays, refuse de désarmer et fait toujours profiter les villageois de l'aubaine que constitue la présence de ces antennes-relais en ces lieux reculés. Il sélectionne lui-même des gens du village pour garder l'antenne et distribue à prix préférentiel des cartes prépayées. « Si un de mes relais est incendié, j'identifie sur-le-champ le vandale ! »

Pourtant la vie quotidienne de Mohammed est un enfer : il risque de se faire kidnapper, et nombre de ses amis lui ont conseillé de s'exiler, serait-ce temporairement, à Dubaï, à une heure d'avion. Imperturbable et un brin chauvin, Mohammed reste convaincu que « c'est aujourd'hui que le monde entier est ici pour nous défendre, ça ne se reproduira peut-être pas avant longtemps ». Seule restriction à son optimisme : il a abrité sa famille de huit enfants (trois fils, quatre filles, un orphelin adopté) à Quetta, au Pakistan, chez son frère, et leur rend visite tous les quinze jours. « Je pense à leur éducation, car mon *djihad* à moi, c'est d'éduquer mes enfants, pas de partir au front massacrer des gens ! »

Un an plus tard, en 2010, Mohammed est en voyage d'affaires à Kaboul pendant mon séjour à Kandahar. Nous conversons au téléphone. « Je suis en danger de mort, ils [les taliban] veulent ma peau. Je reçois des menaces, ils clament qu'ils me jugeront. »

À cela s'ajoute la pression des autorités de l'État pour tenter d'obtenir les relevés téléphoniques de tel ou tel individu. « Si je ne le fais pas, cela me causera des ennuis, déplore le manager. Mais, des ennuis, j'en ai de toute façon, car j'ai ensuite sur le dos celui dont j'ai lâché les fadettes[1], ou sa famille. Ici, tout se sait aussitôt. »

Le désir des taliban de « se payer » la une des médias internationaux, parce qu'ils auront assassiné le directeur d'un des plus grands réseaux de téléphonie mobile d'Afghanistan, horrifie Mohammed qui s'est mis à chercher un emploi dans un domaine moins exposé.

En 2011, j'apprends qu'il est revenu travailler au sein d'une ONG internationale. Son salaire est bien moindre, mais il est moins inquiet, car moins exposé.

Durant la campagne présidentielle de l'été 2009, le déferlement d'intimidations n'a pas ralenti : Youssef, le « poète », a été salement battu par des représentants de la municipalité pour avoir distribué, lors d'une réunion poétique (six cents personnes au palais du gouverneur), des tracts en

---

1. Factures détaillées obtenues auprès des opérateurs de téléphone.

faveur du candidat Ashraf Ghani, ex-recteur de l'université de Kaboul, particulièrement populaire à Kandahar. Réfugié dans les locaux d'une organisation non gouvernementale, il y avait improvisé une conférence de presse dont les photos avaient été diffusées sur Internet. Le lieu de cette réunion ayant été identifié par les taliban, c'est à présent au tour de celui qui avait prêté ses locaux, d'essuyer des menaces.

Si les taliban prennent l'avantage, c'est sur le terrain de la guerre psychologique : le manque de coordination entre les militaires étrangers et les ONG occidentales, la perspective d'un retrait des troupes de l'Otan jouent en leur faveur. Les Pays-Bas se sont retirés, le Canada a suivi en juillet 2011. Toutes les semaines, des DVD vantant les avancées rebelles font leur apparition sur les éventaires au Baloutchistan pakistanais. À l'inverse des années où musique et images étaient bannies par eux, les taliban utilisent cassettes et vidéos pour chanter leurs hauts faits et ne peuvent se passer d'appareils dernier cri, tels qu'ordinateurs et autres *smartphones*.

Autre obstacle à des négociations de paix : le refus officiel des hauts représentants taliban d'y participer tant que Karzai n'aura pas mis fin à l'« occupation » militaire étrangère. Lassée par ces longues années de guerre, la population, du Nord comme du Sud, aspire pourtant plus que jamais à vivre en paix. Le comportement de certains soldats de la Coalition et de trop nombreux dommages collatéraux infligés aux populations civiles lors d'opérations militaires mal calibrées restent les meilleurs agents recruteurs de la rébellion. Martelé par les insurgés, le message a frappé les esprits : « Quand les troupes étrangères seront parties depuis longtemps, nous serons encore là ! »

Il paraît cependant peu probable que les insurgés parviennent à inverser territorialement le rapport de forces : ils contrôlent de nombreuses zones rurales, mais peinent à s'imposer dans les villes et sur les grands axes routiers.

« D'accord, les taliban ne peuvent pas gagner, mais rien ne permet non plus de penser que le gouvernement puisse finir par l'emporter, constatent les Afghans. On est dans l'impasse. La guérilla est difficile à supporter pour les Alliés qui doivent sans cesse se justifier, rendre compte de leurs actes, alors que le temps joue manifestement en faveur des insurgés... »

Face à cette situation inextricable, de plus en plus de voix s'élèvent pour préconiser des négociations. Certes, un programme gouvernemental propose déjà une amnistie à des milliers de membres subalternes du mouvement des taliban, mais toute implication plus étendue des insurgés dans la vie politique afghane fait débat. Créée en

2005 et présidée par le président du Sénat, la commission Vérité et Réconciliation a pour but de réintégrer dans le système ceux qui ont déposé les armes et accepté la nouvelle Constitution.

« Karzai a sérieusement envisagé ces tables rondes pour être aussitôt contredit par d'autres membres de son gouvernement. Les anciens commandants, qui dominent le Parlement, redoutent de perdre du pouvoir, notamment dans la zone à population pachtoune du sud du pays. Comment progresser dans de telles conditions ? interroge Haji Agha Lalai, responsable local de cette commission à Kandahar. Les officiels étrangers, notamment les Américains, n'ont pas particulièrement envie de voir d'ex-taliban faire irruption dans le système politique afghan, mais ils ont tort de s'y opposer, car il va bien falloir en passer par là. »

Assis en tailleur sur son divan, Haji Agha Lalai Dastgeeri, ancien taleb localement très influent, au visage oblong et à la fine barbe, la manche gauche de sa tunique beige laissant entrevoir une lourde montre en or, écoute patiemment mes questions et lisse les longs poils de son menton avant de répondre d'une voix étonnamment fluette. Son coquet bureau, décoré de fleurs artificielles, est équipé d'un réfrigérateur, d'un ventilateur et d'un poste de radio. Une photo de Hamid Karzai en turban orne un pan de mur, un autre étant couvert de clichés mettant à l'honneur Sebghatullah Mujaddidi, président de la commission de réconciliation et du Sénat. L'absence de téléviseur est frappante. La renommée de sa famille a valu à Haji Agha Lalai Dastgeeri d'occuper des postes importants : membre du conseil provincial, il est également chef du conseil de district de Panjway et membre du conseil Qayum Karzai, un autre frère du président Hamid Karzai. Il entretient d'excellentes relations avec le grand manitou de la région de Kandahar, le fameux Ahmed Wali Karzai. Au moment de la redistribution des terres, la rébellion de son père contre le parti communiste d'Afghanistan lui avait coûté la vie. Pendant le *djihad*, le fils a souvent changé de faction avant de devenir un chef taleb respecté. Haji Agha Lalai a également eu recours aux « mariages politiques » pour renforcer ses réseaux : une de ses sœurs a épousé un commandant taleb, une autre un commandant de la tribu Nurzai. Haji Agha Lalai réussit aujourd'hui la prouesse de conserver de bons rapports avec le gouvernement et avec l'insurrection.

Lui aussi a du mal à expliquer comment on a pu en arriver à un tel degré de violence. S'il reste quasi muet sur les raisons de l'échec de sa commission de réconciliation, il est prompt a dénoncer l'absence du gouverneur « en une période aussi sensible, en plein été, au moment clé des attentats antigouvernementaux » signés par les « éléments hostiles au pouvoir ».

Pour l'heure, ce genre de commission n'existe que dans la ceinture pachtoune, et ses résultats sont mitigés. Même si Agha Lalai se vante d'avoir convaincu 520 personnes de rallier le processus, ce n'est pas un chiffre probant dans une région à très forte domination talibane où, par définition, il est difficile de distinguer les insurgés des simples représentants de la population civile.

Pour Agha Lalai, il existe trois types de taliban : ceux qui appartenaient au gouvernement des taliban et qui se sont enfuis ; ceux qui ont été torturés par les Américains et sont allés grossir les rangs des insurgés ; enfin ceux qui sont devenus taliban en combattant les forces étrangères. Ce sont principalement les représentants de ces deux dernières catégories qui « réintègrent la vie civile ». S'ils promettent de ne plus se battre et rendent leurs armes, l'État les « blanchit », mais ils ne bénéficient d'aucun privilège particulier, ce qui explique peut-être leur faible nombre. Sans compter que, depuis l'annonce – en 2009 – d'un éventuel calendrier de retrait des troupes étrangères, le moral de la résistance est au beau fixe. Les repentis se font de plus en plus rares, admet le haut fonctionnaire au visage impassible fixant uniquement le mien avec insistance pendant la traduction de mon accompagnateur.

« Quand les taliban sont entrés en Afghanistan et ont pris le contrôle de Kandahar, c'était avec le soutien de l'ISI[1] ; quand ils ont fui Kandahar, ce fut également sur ordre de ces services », se remémore l'ex-taleb qui insiste sur la nécessité de faire pression sur le Pakistan voisin et regrette que Washington « ne demande pas sérieusement des comptes » à Islamabad.

En juin 2008, raconte-t-il, l'insécurité régnait déjà sur le chantier de construction de la route, dans le district de Panjway, jusqu'à Mushan, dont les travaux n'étaient qu'un *remake* du chantier ouvert en 2005 : « Les ouvriers afghans étaient terrorisés : les habitants du coin et les taliban les exhortaient à ne pas prêter la main à ce projet de l'armée canadienne. Forcément, les gens les écoutaient, plus proches des étudiants en religion de tous points de vue que des étrangers. Ils ne se ralliaient pas forcément à leur cause, mais ils n'avaient pas le choix : sinon, ils étaient assassinés ! » insiste le président de la commission de réconciliation.

S'ajoute une certaine nostalgie pour l'ordre et la justice qui régnaient pendant les années du régime des taliban : « Aujourd'hui, les gangs criminels font ce qu'ils veulent, parce que leurs

---

1. Inter Services Intelligence, services secrets pakistanais.

chefs sont au gouvernement ! s'insurge Abdul
Salam Zaeef, ex-ambassadeur du régime au Pakistan, devenu auteur de livres[1]. Même si les taliban
ne sont pas revenus au pouvoir, qu'ils aient bien
souvent l'initiative sur le terrain les fait apparaître
comme les véritables vainqueurs. »

À Kaboul, cet autre ex-taleb me reçoit dans
son humble demeure du quartier Khosh Hak
Khan jouxtant un cimetière. Comme le mollah
Mutawaquil, ex-taleb lui aussi qui s'est établi non
loin, Zaeef est aidé financièrement par de généreux donateurs. Originaire du district de Panjway,
dans la campagne jouxtant Kandahar, encore considéré comme peu fréquentable par les diplomates
occidentaux, mais extrêmement présent dans les
amorces de négociations qui pourraient prendre
forme au sein de la mouvance ex-taleb, Zaeef
reçoit avant tout les journalistes pour promouvoir
son livre paru en France en 2008[2].

Devant sa porte, trois gardes avachis sont
censés veiller à la sécurité de l'ex-prisonnier de
Guantanamo qui, à l'invitation du roi Abdallah,
courant 2010, a participé à plusieurs reprises en
Arabie saoudite, à des réunions entre représen-

---

1. Cf. Mollah Abdul Salam Zaeef, *Prisonnier à Guantanamo*,
EGDV, 2008.

2. La version française a été mise en forme avec le concours du
journaliste Jean-Michel Caradec'h. Le livre est sorti aux États-Unis
début 2010 sous le titre *My Life with the Taliban*.

tants de l'État afghan et ennemis taliban. Le mystère plane sur le détail de ces rencontres, mais il se dit aussi que Qayum Karzai, un des frères du président, était présent au moins à l'une d'entre elles.

Retracé dans son ouvrage, le récit de sa vie reflète celui d'une bonne fraction de sa génération. Jeunesse dans une famille pauvre : alors qu'il est encore nourrisson, Zaeef perd sa mère, puis, quelques années plus tard, son père, le mollah du village. Peu après, c'est sa sœur tant aimée qui se marie. Seul au monde, le jeune garçon quitte son pays pour le Pakistan, chez un oncle qui le bat ; il débute d'interminables études religieuses dans des *medressas*. Adolescent lors de l'invasion soviétique, il rejoint très tôt les rangs des moudjahidine où il fait bientôt la rencontre de celui qui va s'autoproclamer l'« émir de tous les croyants », le mollah Omar. En 2000, Zaeef devient ministre de l'émirat d'Afghanistan taleb, puis ambassadeur au Pakistan où, après le 11-Septembre 2001, les services pakistanais le livrent à leurs homologues américains. Il est alors transféré dans la tristement fameuse prison sur l'île de Cuba où il passe 1 168 jours de « traitements humiliants et dégradants[1] ».

« Les Américains bombardent souvent des maisons par erreur et tuent des innocents, ils

---

1. Du 3 juillet 2002 au 11 septembre 2005.

n'hésitent pas à effectuer des descentes de nuit et fouillent les femmes sans se rendre compte que ce sont autant d'affronts à notre culture ! » tonne l'ex-ambassadeur, convaincu que le conflit ne sera résolu par le gouvernement afghan que lorsque ce dernier aura été capable de convaincre les Américains de l'inutilité d'une action exclusivement militaire.

En septembre 2010, le président Hamid Karzai a fait de la « réconciliation » une de ses priorités et a mis sur pied un Haut Conseil de la paix composé de soixante-dix membres, chargé de trouver une issue politique à l'insurrection des taliban. Dans le même temps, la coalition menée par les États-Unis tente de contraindre le commandement intérimaire taleb à venir s'asseoir à la table de négociations. Pour l'heure, aucun réel progrès n'a été enregistré ni du côté afghan ni du côté américain.

D'après des analystes du ministère de la Défense français ayant souhaité garder l'anonymat, le mollah Abdul Salam Zaeef serait resté en contact permanent avec le fameux mollah Omar, et saurait parfaitement où il se trouve ; il apparaîtrait donc *de facto* comme un des seuls intermédiaires potentiels et crédibles pour accéder au mollah borgne. Zaeef illustrerait-il pour autant la tendance « modérée » au sein du mouvement taleb ? La question reste ouverte.

Dans le bureau d'une ONG locale, décorée d'immenses tableaux représentant Haji Mirwais Khan Hotaki[1], figure historique pachtoune qui libéra le Sud afghan de l'empire safavide, je rencontre Nasima, première femme de Kandahar journaliste à la télévision publique locale. La veille, elle a donné sa démission : trop de lettres, de textos et de coups de téléphone menaçants l'exhortant à ne plus apparaître à l'écran. Originaire d'une famille « éduquée », ses parents et son fiancé l'avaient autorisée à travailler, non par pure ouverture d'esprit, mais parce que cette opportunité (un salaire mensuel de 350 dollars) permettait de nourrir toute la famille. Lorsque je m'enquiers de son âge, Nasima rougit et refuse de le révéler en présence de mon traducteur. Finalement, elle me l'inscrira sur un bout de papier. Nasima a bien l'intention d'aller voter, mais pas pour Karzai, qui l'a déçue. Comme de nombreux Pachtounes, son choix s'est porté sur Ashraf Ghani, un financier qui n'obtiendra, à l'issue du scrutin, que la 4ᵉ position, avec 2,94 % des voix.

La jeune journaliste se plaint de souffrir d'une liberté insuffisante, ce dont elle discute à loisir avec son père, à qui elle ose quand même demander

---

1. Mirwais Khan (1673-1715) est encore extrêmement populaire parmi les populations du Sud. Il a toujours souhaité que les Afghans restent unis et poursuivent leur lutte pour l'indépendance. Son mausolée se dresse à l'ouest de la ville de Kandahar.

pourquoi les femmes doivent toujours préparer le thé pour les hommes. Ce à quoi l'homme avisé répond inlassablement : « Mon père, mon grand-père et mon arrière-grand-père se sont toujours fait servir : il faut respecter la tradition... » Il n'empêche : la jeune fille rêve d'une « journée internationale où les femmes seraient hors de la maison et les hommes à l'intérieur ».

Entre deux rendez-vous, mon traducteur et ami me confirme qu'il règne dans le pays une ambiance délétère : il avait décidé de rapatrier sa famille de Quetta à Kandahar, puis avait opté pour Kundunz, dans le Nord, mais l'endroit n'est plus aussi sûr qu'il y a quelques mois. Du coup, il ne sait plus où envoyer les siens. Où en est son projet de monter une école privée à Kandahar, inexistante à ce jour, sur le modèle de la florissante Avesta Business School de Kaboul ? Lors de notre précédente conversation, le jeune homme envisageait même une filiale à Kundunz et des professeurs venant de Peshawar et d'Islamabad. Mais, d'école, il n'est plus aujourd'hui question.

Autre Kandaharie employée des médias, Nasifa, 26 ans, célibataire, est productrice pour la BBC. Son doux visage est entouré d'un double voile : noir d'abord, qui enserre sa chevelure, fermé par une épingle sous le cou, et rose par-dessus, « pour faire joli ». Rongée d'inquiétude, elle a de plus en plus de mal à travailler et doit pratiquement se terrer chez elle. Sa famille a dû déménager le jour où est apparue cette phrase taguée sur le mur d'enceinte de la maison parentale : « Votre fille travaille pour des étrangers. » Depuis, la voiture familiale a été identifiée, il a fallu la vendre, et Nasifa ne se déplace plus qu'en taxi. Têtue, elle résiste : alors que la jeune femme aurait la possibilité d'être mutée à Kaboul, c'est ici, dans le Sud, qu'elle souhaite persévérer pour donner l'exemple aux autres femmes, ne pas succomber à la terreur, mais, surtout, continuer à alimenter le programme britannique *Women's Hour*. Nasifa est particulièrement fière de son dernier reportage honorant des femmes qui ont été assassinées parce qu'elles avaient travaillé pour le gouvernement. Elle en a dénombré dix-neuf pour cette seule année 2009. Afin de faire revivre leur mémoire, la reporter s'est rendue dans leurs familles et a interrogé leurs proches. Nasifa est aussi la première journaliste à avoir fait état des jets d'acide sur les visages défigurés à vie des jeunes écolières de l'école Mirwais, à Kandahar, information qui provoqua de très nombreuses et vives réactions dans le monde entier. « Ces très jeunes filles portaient des *châdris* quand on les a attaquées », tient-elle à rappeler, encore choquée.

Pour ce qui est de la campagne électorale, elle est convaincue qu'« on obligera les femmes à voter pour Hamid Karzaï. Ici le chantage est permanent, les femmes ne sont pas éduquées, elle feront ce qu'on leur dira. Sinon, d'autres s'en chargeront à leur place ».

Nasifa ne dit jamais où elle se trouve et n'a pas de bureau. Aucun de ses nouveaux voisins ne connaît son activité, certains pensent même qu'elle réside à Kaboul. Elle ne rend visite à aucune amie. « Mon problème, c'est l'insécurité. D'ailleurs, ici, les seuls à ne pas avoir de problèmes sont ceux qui les provoquent ! »

Dernières femmes rencontrées : une institutrice et sa sœur cadette, elles aussi accompagnées d'une présence masculine (même jeune : dans ce cas, le fils de l'une d'elles, 4 ans). Pour 80 dollars par mois, Maryam, 33 ans (elle fait beaucoup plus âgée), enseigne le matin à l'école secondaire Zarhouna. L'après-midi, deux fois par semaine, elle instruit gratuitement chez elle les écolières que leurs parents refusent d'envoyer en classe.

Le quotidien de certaines de ces écolières n'a rien d'enviable : quand les filles sont « mal tombées » au sein de belles-familles qui les maltraitent, les cas de violences domestiques sont pléthore. Sans compter les cas d'immolations de toutes jeunes filles que l'entourage familial veut unir à des vieillards. À la maison, les allumettes sont l'arme la plus commode.

« Dans les districts environnants, des écoles sont incendiées en permanence, à tel point que même les garçons n'y vont plus. Les filles, j'essaie de leur apprendre à lire et à écrire tout en sachant que leur mariage sonnera le glas de leurs études. Et je suis obligée de gober le fait que si certains parents les envoient à l'école, ce n'est pas parce qu'ils sont convaincus du bien-fondé de leur éducation, mais seulement pour recevoir un peu d'aide humanitaire ! »

En parlant, l'institutrice au voile turquoise dévoile la paume de ses mains couvertes de dessins au henné.

Le visage de sa sœur est encadré d'un rose seyant. Samia, institutrice elle aussi, ose une comparaison : « L'Afghanistan est comme un gigantesque terrain de foot : tout le monde shoote dans le ballon en essayant de se montrer le plus fort. Mais le ballon, c'est nous, le peuple afghan ! »

La burqa ? Non seulement les deux sœurs y sont habituées et savent que sans ce voile intégral nous n'aurions pas même pu nous rencontrer, mais elles me font part d'une nouvelle façon de la porter, signe des temps on ne peut plus significatif : pour tromper ceux qui, dans la rue, épient celles qui sortent travailler, les deux sœurs, osant un étonnant pied de nez, revêtent des *châdris* de couleurs différentes au gré de leurs allées et venues : « Nous n'en avons pas une, bleue, mais trois ou quatre, brune, blanche, grise. Ainsi il est plus difficile de savoir qui se cache dessous. »

Je suis sidérée. Aller voter dans ces conditions ne paraît-il pas ridicule ? « Pas du tout ! rétorquent en chœur les deux sœurs. Nous irons voter, car le progrès est indissociable de la sécurité. Il faut voter pour que la police contrôle à nouveau la situation, il faut voter pour qu'on ne jette plus de l'acide à la figure des écolières, il faut voter en faveur de celui qui nous offrira cette sécurité. »

Mais pour qui voter ? Silence. Les deux sœurs n'en ont aucune idée.

À Kandahar la maudite, où le président Karzai n'a pas même osé se rendre pour un meeting de campagne, ce sont bien les femmes qui ont le plus de mal à continuer de vivre « normalement ».

# 10

## DRÔLE DE « ZONE DE GUERRE »

### *2010-2011*

*Le sas de KAF — « Ni armes, ni alcool, ni drogue ce soir » — Ici on paie en billets verts — Rocket attack — Chez Mamma mia — La Légion ne paie pas — Des rats dans la tente des Kirghizes.*

Pour la première fois, j'ai atterri dans le Sud afghan depuis Dubaï en empruntant le vol hebdomadaire de la compagnie d'État afghane Ariana[1]. Après le survol d'une partie de l'Iran, notre avion longe la ligne de séparation entre une étendue de sable ocre, presque rouge, au sud (l'inhospitalier désert du Registan), et une terre beige et sèche, au nord. Peu après, nous entamons un virage et la descente sur Kandahar. En perdant de l'altitude, les traces qui apparaissaient au sol comme des griffures, pareilles à des dessins d'enfant, grossissent et se précisent. La terre a été comme striée avec l'ongle, ces traits délimitant en fait des parcelles emmurées de pisé, toutes vides. En fin de vol, on

---

1. Début décembre 2010.

nous distribue des questionnaires de satisfaction en dari et en anglais. Je m'amuse de constater avec quel sérieux les passagers des sièges voisins prennent soin de remplir ce dépliant vantant « *the friendliest way of getting to Afghanistan* » à grands renforts de photos touristiques, la plus large exhibant les bouddhas de Bamyan avant leur destruction – preuve que cette vilenie des taliban n'a pas encore été acceptée par les Afghans.

Arrivée sur le tarmac de l'aéroport civil, il me faut passer du côté militaire en franchissant le poste de contrôle que je discerne au loin, dont on me dit qu'il est gardé par des Bulgares. Je n'ai aucune chance d'y parvenir sans « escorte ». Or, malgré les assurances prodiguées par *mail* par des officiers de communication de la Coalition, personne ne m'attend. Heureusement, dans l'avion, j'ai fait la connaissance d'un homme d'affaires afghan qui me prête gentiment son téléphone portable afin que j'appelle un numéro de l'armée... aux États-Unis ! Le planton à la voix d'automate m'assure qu'un « officier de presse » va bien arriver. La procédure n'est pas rodée, aucun journaliste étranger n'arrivant d'ordinaire directement sur KAF. La plupart viennent de Kaboul, accompagnés par des militaires, et non par leurs propres moyens, comme je préfère.

Après une demi-heure d'attente sous les arcs de béton de l'aéroport construit par les Américains dans les années 1960, et qui aurait servi de base dans l'hypothèse d'un conflit avec les Soviétiques, un véhicule militaire finit par se pointer : il est pour moi. Un jeune Américain du *media center*, peu disert, se trouve au volant. Il me ramène à son bureau, une longue pièce construite par l'addition de plusieurs containers, décorée de guirlandes de Noël, d'une table croulant sous les (faux) cadeaux, équipée de dix petits bureaux disposés les uns en face des autres, personnalisés avec photos encadrées d'époux et de marmaille, ainsi que des bibelots divers. Au mur, des écrans plats branchés sans discontinuer sur les chaînes de sport américaines où se succèdent matches de hand-ball, de base-ball et de hockey. Pas question de regarder ou d'entendre autre chose, pas question de s'extraire de cette bulle de confort d'un monde familier reconstitué. C'est tout juste si ces hommes et ces femmes ne m'en voudraient pas de leur rappeler où l'on se trouve. Aucun d'eux n'est d'ailleurs particulièrement souriant ni ne prête attention à ma présence, hormis celui chargé de m'enregistrer, mais surtout de me faire signer les incontournables papiers de décharge, puis de me prendre en photo pour le badge qui ne devra plus me quitter. En quinze minutes chrono, c'est chose faite et il m'entraîne à pied « chez les Canadiens », mes hôtes.

Kandahar Airfield est un sas. Certains y passent quelques jours, entre deux missions, parce qu'ils sont en partance pour leurs vacances ou de retour ; d'autres transitent par là avant de regagner leur FOB ou leur COP ; d'autres encore habitent KAF pendant les six, dix ou douze mois de leur rotation : ce gigantesque camp est généralement tout ce qu'ils verront et vivront de l'Afghanistan. On y trouve les états-majors des Canadiens, des Américains, des Britanniques, des Danois, des Hollandais, des Australiens, des Bulgares, des Roumains, des Slovaques, des Singapouréens et des Français (180, pour la plupart techniciens de l'escadron de chasse responsable de trois Mirage 2000 et trois Mirage F1).

À dix-neuf kilomètres au sud de la ville de Kandahar, KAF est la seconde base militaire alliée du pays après Bagram, située, elle, dans le Nord, non loin de Kaboul. Suite au renfort de troupes américaines ordonné par Barack Obama à l'été 2009, la population de ce camp retranché surgi du désert a grossi jusqu'à atteindre 30 000 à 35 000 personnes, militaires et civils inclus. C'est une fourmilière à 90 % masculine où tout le monde s'affaire et vaque à ses occupations, à pied, à vélo tout terrain, en 4 × 4 ou en véhicule militaire, dans une poussière pénétrante et suffocante. Les routes principales ont été asphaltées et baptisées de noms faciles à retenir comme All American Boulevard, Screaming Eagle Boulevard, Utah, Ohio, Iowa, Illinois ou encore Alabama Roads ; d'autres ont été créées de toutes pièces en déversant des tonnes de gravier. Nul brin d'herbe, pas le moindre arbre ou arbuste. Où que se pose le regard, ce ne sont que poussière, cailloux et montagnes ocre en arrière-plan, un paysage lunaire accentué par l'inesthétique de son habitat : des tentes à perte de vue pour les « quartiers », quelques préfabriqués et des containers version habitable (un hôtel sur site, le Kandahar, est même constitué de ces blocs rectangulaires), du béton jouant le rôle d'abri en cas d'attaque, et, au centre, le fameux *boardwalk,* une « promenade » en bois en forme de quadrilatère aux allures de centre commercial d'une ville moyenne américaine, renfermant un terrain sablonneux d'un kilomètre carré environ, où se pressent les militaires désireux de jouer au base-ball, au *soccer,* voire au hockey (sous influence canadienne)…

Depuis l'arrivée du premier contingent de Marines américains, fin novembre 2001, la verrue KAF a grossi. Aujourd'hui, sa population consomme près de 140 000 litres d'eau et se fait servir quelque 50 000 repas par jour. Le site fait face à des problèmes sanitaires insolubles, comme ce Poo Pound (« l'Étang à merde ») dont l'odeur pestilentielle envahit les abords au gré du vent (un hiver, les communicants militaires avaient bien tenté de faire croire aux médias embarqués que la zone deviendrait bientôt *green*, écologique, comme si c'était là une priorité !). L'unique piste est utilisée jour et nuit par une soixantaine d'avions différents, des drones aux gigantesques Globemaster de transport en passant par les appareils et les hélicoptères de combat, et accueille sans conteste le trafic aérien le plus dense au monde avec plus de 5 300 vols hebdomadaires.

Je m'installe dans les « lignes » canadiennes : des dizaines de tentes alignées, climatisées, dont deux sont réservées aux représentants des médias *(sleeping tents)*. Dans la journée, je travaille dans la *working tent* pourvue d'une connexion Internet gratuite au sein même de Task Force Kandahar, le *compound* canadien abritant le quartier général où se trouvent le général Dean Milner et son état-major, les avocats militaires et autres officiers aviseurs artillerie JTAC[1], en charge de transmettre les coordonnées de l'ennemi ainsi que le feu vert du commandement pour l'abattre si besoin est. Ces baraquements ultra-secrets sont « en dur » et inaccessibles au personnel non habilité, mais peu éloignés de la tente qui m'héberge.

On me remet une carte à présenter à chaque entrée dans l'un des sept *D-Fac* (prononcer à

---

1. *Joint Terminal Attack Controllers.*

l'américaine, pour *dinner facilities*) où j'ai le droit de me sustenter gratuitement (aux frais du contribuable) quatre fois par jour. La qualité de la nourriture offerte aux hommes dans ces gigantesques cantines est un sujet de débat permanent : pour ceux revenant de postes où ils n'ont ingurgité que des rations pendant plusieurs mois, c'est un régal ; pour ceux qui reviennent de FOB où un cuistaud militaire mitonne généralement des plats chauds, avec des ingrédients importés du pays, ainsi que pour les milliers de militaires de l'arrière ou les *contractors* de l'armée qui n'ont pas accès à une autre nourriture, c'est moins bon, car fonctionnel et industriel. Inodore et sans saveur, la popote sur KAF a au moins une qualité : elle n'empoisonne pas les soldats.

Lors de mon retour, en ce début mai 2011, l'ambiance sur KAF est bien plus stressée qu'en décembre 2010 : le camp bruisse de rumeurs d'infiltration de candidats à l'attentat-suicide : on vérifie les cartes d'identification à l'entrée des gigantesques cantines, l'endroit « idéal » pour se faire exploser. Les matches de hockey ainsi que le « marché du samedi » qui permet aux militaires de « faire leurs courses » en bibelots et toutes sortes de pseudo-artisanat local ont été annulés en raison du haut « niveau d'alerte ». La redoutable et redoutée (des soldats) police militaire serait en train d'enquêter.

Je me rends au « Luxembourg », le *D-Fac* le plus proche de Task Force Kandahar, une cantine aux allures de hall de gare où les écrans plats de télé sont intercalés entre des posters de foot et de publicité pour Suprême, l'entreprise qui nous sert. Aux heures des repas se forment des files imposantes. Des employés gantés et chapeautés de blanc, pakistanais ou philippins (surtout pas des Afghans), vous versent par louches légumes décongelés et brochettes de viande à gogo. Un coin « spécial hamburger/frites » ne désemplit pas, de même qu'un chariot « doughnuts » tellement populaire qu'à mon second séjour la consigne est à la restriction : « Pas plus de deux gâteaux par personne, SVP, pensez aux autres ! » D'ailleurs, à bien observer la population locale, on se demande si ces militaires, obligés de porter sur eux leur arme à toute heure du jour et de la nuit, en n'importe quel endroit de la base, seraient capables de s'en servir, voire de se défendre contre un ennemi potentiel, tant les physiques des uns et des autres sont alourdis — serait-ce la consommation de glaces et de doughnuts associés au manque d'exercice ?

Seule alternative à cette version moderne du mess, les restaurants franchisés du *boardwalk*, où le soldat peut oublier qu'il est en zone de guerre et déguster sa pizza, son hamburger ou sa *chicken*

*Caesar salad* « comme à la maison ». À telle
enseigne que l'austère général américain McChrystal, redoutant que de telles possibilités de nourriture et de jeux divers puissent « distraire » de
l'esprit et des obligations militaires, avait naguère
annulé la licence de certains de ces restaurants
pour que la vie « à l'arrière » ne fût pas confondue
avec un séjour de vacances. « Ici c'est une zone
de guerre, pas un parc d'attractions ! » avait même
commenté un commandant américain sur le blog
de l'Isaf. Un « salon de massage » thaïlandais avait
dû fermer. McChrystal débarqué en juin 2010,
*quid* de ces « bonnes résolutions » ? Burger King,
Pizza Hut et Subway, trois échoppes de nourriture
à emporter extrêmement populaires auprès des
troupes, ont certes disparu, pour laisser place à un
magnifique et imposant restaurant TGI's Friday
géré par un Indien de Delhi, au bar affichant de
beaux verres à vin alors que l'établissement ne sert
officiellement aucun alcool. Sous sa bannière « Ici
c'est tous les jours vendredi », le restaurant fait
quotidiennement salle comble ou presque. Il a été
rapidement rejoint par un Kentucky Fried Chicken,
montrant que les bonnes paroles de McChrystal
ont été à l'évidence oubliées.

Le *boardwalk*, cette promenade surélevée en
planches, protégée du soleil de plomb par un
auvent : voilà le véritable cœur de KAF où le

soldat se délasse, voire se prélasse en reluquant les rares femmes à jouer en short au base-ball ou à faire leur jogging. Zone de détente, le *board* est une zone de « *no hat no salute* », non fumeurs, où les vélos sont interdits. Ce samedi soir, dans KAF bouillant (il a fait toute la journée plus de quarante degrés à l'ombre), c'est l'heure de la disco pour les troupes internationales en campagne. Sur les panneaux d'affichage, j'avais repéré les informations : « DJ WHISP et DJ MITCH vous invitent à une *dance party* de 20 h 30 à 23 h 30 au coin hollandais. » Malheureusement, sans y avoir accès, c'est une soirée « *Coalition Forces only* ». En tout cas, l'affichette est claire : « *No weapons, no alcool, no drug* » (« Ni armes, ni alcool, ni drogue »). Les basses métalliques de la disco me parviennent entre le décollage de deux Mirage français.

Au même tableau d'affichage, un autre imprimé a retenu mon attention. L'affaire paraît importante (le message est plastifié) : « ALERTE À L'ASSAUT SEXUEL », puis-je lire en caractères gras. « Le soir, ne te promène pas seul(e) ! Prends toujours avec toi un copain en qui t'as confiance ! Fais toujours attention à là où tu passes ! Évite les raccourcis par des lieux déserts ou mal éclairés ! Si quelqu'un t'approche et que tu te sens menacé(e), crie pour demander de l'aide ! Et, surtout, rapporte immédiatement l'incident à la police militaire au 911 ! Voici tes options : rapport restreint : pas d'enquête

– rapport élaboré : enquête. Ne souffre pas en silence ! Veillons les uns sur les autres ! » À côté, un autre message relatif au « stress de combat » offre des cours « pour s'en sortir ». Une autre affiche déclare « ouverte la saison de basket à KAF », et, *last but not least,* à peine visible dans un coin inférieur, mais dûment estampillée par l'administration militaire, une invitation de l'Armée de l'air française à un concours de pétanque – non non, vous n'avez pas rêvé, de la pétanque à KAF ! – au prix de 15 dollars US l'inscription individuelle pour des équipes de deux personnes...

À quelques mètres du TGI's Friday, deux « créatures » accompagnées d'un jeune homme sont assises sur un banc. À leur droite, le poteau sur lequel les troupes ont cloué une flèche indiquant le nombre de kilomètres les séparant de leur pays ou ville d'origine : ainsi j'apprends que nous nous trouvons à 5 588 km de Paris, à 10 460 d'Ottawa et seulement à 3 813 de Bucarest, la capitale roumaine. À en juger par leur tenue, les deux femmes sont des civiles. Le T-shirt de l'une d'elles est si court que tout le bas de son dos est visible, caressé par sa crinière brune. Alors qu'elles sont déjà la cible de tous les regards, les deux filles font tout pour se faire remarquer, esquissant même quelques pas de danse au rythme de la salsa hebdomadaire qui se fait entendre à plein régime.

Je m'éloigne en direction des quartiers américains. Là aussi la musique recouvre tout : aux sons des basses d'un rap hurlant, des soldats jouent au basket dans la touffeur de la nuit tombante. N'était l'absence de gratte-ciel, on se croirait dans Harlem. « C'est une zone de guerre, il faut bien qu'ils se relaxent ! » s'amuse mon accompagnateur qui collectionne posters et autres tracts distribués à l'intérieur du camp. C'est pour essayer d'en dénicher de nouveaux que l'ancien journaliste, « vétéran » de cette guerre, devenu salarié d'une entreprise de logistique aux armées, m'emmène avec lui dans ce « grand tour ».

Nous pénétrons dans le « centre de récréation » américain, un hall aux coins *cosy*, comme cette bibliothèque très fournie en ouvrages, dons de citoyens américains, une oasis de calme dans la fureur ambiante. Passé le panneau où l'on peut admirer les photos des « meilleurs employés du mois » servant les militaires, c'est l'espace jeux vidéo qui domine. Ici, on peut se lâcher et réaliser virtuellement ce qu'il est interdit de pratiquer dans cette guerre à cause des sacro-saintes « règles d'engagement »: tirer dans le tas, massacrer impunément l'ennemi. Pour le bien-être psychique des soldats, chaque quartier abrite une telle zone, en général ouverte toute la nuit. Les jeux de guerre sont choisis sur un épais catalogue. Arc-boutés sur leurs *joysticks*, l'œil rivé à l'écran, les traits déformés par des rictus de concentration, plus rien d'autre ne compte pour les gars qui entourent à quatre ou cinq la machine, encerclant le joueur comme pour le protéger : ils évoluent dans les univers virtuels d'*Order of War, Call of Duty, Army Men* et *Armored Core 4* où le joueur incarne un mercenaire. Mais sur KAF, c'est bien *Army of Two* – jeu centré sur des missions, des stratégies et des tactiques, qui a pour thème les *private military corporations* ou PMC (entreprises privées sous contrat à des fins militaires) – qui a la préférence. À ces jeux, le plus souvent, ce sont les pilotes qui se révèlent les meilleurs et gagnent contre la machine.

Jamais le fossé entre l'arrière et les lignes les plus avancées de cette guerre pourtant sans front, d'une part, et, d'autre part, l'immense ville conservatrice afghane qui respire non loin ne m'a paru aussi grand, presque indécent. Si le monde afghan est à des années-lumière du nôtre, celui de KAF l'est au moins autant de l'austérité de la vie des troupes qui, tous les jours et toutes les nuits, se tiennent aux aguets face à un ennemi qui ne se laisse ni voir ni faire.

Les Afghans autorisés à faire commerce sur le *board* ont montré patte blanche (ça en vaut financièrement la peine, vu les prix décuplés par rapport au produit équivalent en ville). Les vendeurs de souvenirs font un tabac : vases en lapislazuli, échiquiers décorés, pipes à eau sont souvent en rupture de stock. Les reproductions miniatures d'animaux tels les dromadaires, les grosses mygales coulées dans un cube transparent, ou encore les répliques de camions pakistanais peintes en fer-blanc sont également prisées. Un encadreur spécialisé dans les blasons, certificats et photos militaires jouxte une librairie dont les livres, au fil du temps et de la demande, ont été remplacés par des coffrets DVD. On y trouve néanmoins des exemplaires mal brochés du classique de Sir Olaf Caroe *The Pathans*, cher et quasiment introuvable en Occident, *Afghanistan* de Louis Dupree, *Taliban* d'Ahmed Rashid, *The Kite Runner* de Khalid Hosseini, mais aussi *Femmes d'Afghanistan*, le merveilleux livre de la Française Isabelle Delloye traduit en anglais, ainsi qu'un ouvrage traitant de la tactique guerrière sous les Soviétiques. Les DVD de *X-Men*, *Star Wars*, *Robin Hood*, *The Simpsons* (particulièrement cher, celui-ci : 130 USD) sont empilés à même le sol. En apparence, aucun film pornographique, mais le marché parallèle est en pleine expansion : si, officiellement, un soldat n'a pas le droit d'avoir ce genre de films sur son ordinateur de travail, les soldats ont quasiment tous un ordinateur portable grâce auquel ils surfent sur Internet durant leur temps libre, répondent à leurs *mails* personnels et chattent avec leur famille. Rien de plus facile alors que de s'échanger des clés USB où les pornos ont été récupérés sur Internet. Sur certaines FOB, les collections atteignent jusqu'à deux à trois mille unités !

Suivent trois vendeurs de tapis, une bijouterie spécialisée dans l'or, les rubis, saphirs et autres pierres semi-précieuses (bagues et colliers sont populaires auprès des soldats pour leurs femmes ou petites amies). Deux barbiers estampillés AAFES, le bras commercial du ministère de la Défense américain qui proclame haut et fort « *We go where you go* » (« Nous allons là où vous allez »), proposent, en sus de la barbe et de la coupe de cheveux, soins de manucure et pédicure prodigués par des employées ressortissantes du Kirghizistan. Un matin, alors que toutes les quatre arrivent en jean serré, très maquillées, lunettes à grosse monture sur le nez, et ouvrent nerveusement leur sac à main pour en extraire des paquets de cigarettes et se mettre à fumer frénétiquement, je me présente en russe. Tatiana, la « doyenne » (30 ans), travaille à KAF depuis cinq ans. Toutes sont russes : elles ont été recrutées à Manas, la base américaine non loin de Bichkek, capitale du Kirghizistan, et considèrent leur emploi comme une véritable aubaine.

AJ Supplies fournit le camp en produits informatiques et de téléphonie. On y trouve cartes SIM locales, iPod et baladeurs MP3. Bien qu'afghane, cette enseigne a tiré les leçons du marketing à l'américaine et s'est affublée d'un slogan en anglais qui doit plaire aux soldats : « *We follow the road to destiny !* » (« Nous suivons la route qui mène au destin ! »). Enfin, c'est une quincaillerie bien équipée en machines à café, ventilateurs, lunettes de soleil et services à thé.

Tiens, un nouvel arrivant : Nathan's World Famous Hot Dogs (ouvert vingt-quatre heures sur vingt-quatre) vante ses « produits tous importés des USA » ; un restaurant de plats libanais à emporter devant lequel un jeune homme en uniforme et casquette tend des brochettes aux passants pour les inciter à entrer ; enfin le container de Cold Mountain Ice Cream aux milkshakes et *super-smoothies* particulièrement appréciés par les soldats en goguette. Dans un dernier recoin, un espace vide : « *Coming soon : Kabul Bank* » (« Bientôt ici, la Kabul Bank ») – pas étonnant, vu le scandale récent[1].

Le cybercafé Network Innovations, coincé entre kebabs et bijoux, appartient à un Afghano-Canadien ; il est géré par une Daguestanaise originaire de Makhatchkala, qui passe sa journée à recevoir les soldats désireux de vidéo-chatter en ligne avec leurs *loved ones* restées au pays. Nous conversons en russe. Casquette vissée sur sa blonde

---

1. En août 2010, la première banque privée d'Afghanistan a dû passer sous le contrôle de la Banque centrale. Plus d'un tiers de ses avoirs – aux origines douteuses – se sont évaporés.

chevelure, Aliyana me confirme que ce travail déniché par l'entremise d'une amie en poste à Bagram est beaucoup mieux rémunéré qu'au pays. Nous sommes constamment interrompus par des *boys* qui entrent et sortent dans l'officine, tous des habitués qui la connaissent bien. Mais, après quatre années « où l'on met sa vie entre parenthèses », Aliyana s'apprête à passer la main, parce qu'elle veut « voir grandir » son fils unique âgé de 13 ans. Son rêve serait de trouver un poste à Moscou où, étrangement, on considère qu'elle n'a pas vraiment d'expérience, n'ayant jamais exercé en Russie même. Amoureuse, elle retrouve tous les deux soirs, dans son container son *boyfriend*, un civil américain d'origine hispanique qui travaille pour les connexions Internet de la base, malgré l'inter-diction de « fraternisation » sur zone. Parce que je suis journaliste et qu'elle pense que je connais la vérité, quatre jours après l'assassinat par les forces spéciales américaines d'Oussama Ben Laden au Pakistan voisin, Aliyana ose me poser une drôle de question, sans vraiment se rendre compte de son erreur : « Dis-moi, c'est vrai qu'ils ont tué Saddam Hussein ? »

Pour faire ses emplettes en vêtements et autres futilités, on a le choix entre la PX (pour *post exchange*) américaine, de l'avis de tous la mieux fournie, la PX hollandaise, la PX danoise, allemande ou encore française, au premier étage de la « pâtisserie française » tenue par des Indiens et des Philippins. On y trouve shorts, T-shirts, pantalons, strings et autres dessous en dentelles, polaires en hiver, mais aussi mini-lampes de poche, des tonnes de marques de chips, du déodorant, du dentifrice et des préservatifs, des rallonges électriques, du talc (pour les pieds soumis à rude épreuve), des draps, des housses de coussin, des holsters et autres munitions, ainsi que des fauteuils pliants pour se délasser le soir devant sa tente, des barbecues, des téléviseurs portables, des revues et magazines (*Health & Fitness*, *Maxim*, *Men's Health*, *Sports Illustrated*, *Hand Guns Magazine* plutôt que *Time* ou *Newsweek*), et même *Les Échecs de la terreur*, mettant en scène une équipe de soldats américains opposés à des djihadistes taliban sur une carte de l'Afghanistan, avec la « reine américaine » en statue de la Liberté, George Bush (maintenant remplacé par Barack Obama) en roi, Oussama Ben Laden et une femme en burqa en pions « taliban ».

Ici on paie en billets verts, seule monnaie en circulation sur cette base où les pièces n'existent pas. En guise de menue monnaie, vous recevez des jetons en carton imitation casino, « valides seulement sur KAF ».

Tous les samedis soir, la salsa résonne sur le *boardwalk*. C'est un spectacle plutôt surprenant que de voir les soldats américains, hommes et femmes, se déhancher sur ces rythmes effrénés, l'arme en bandoulière, à l'épaule ou plaquée sur la cuisse, toute déambulation désarmée étant interdite. Les Français, non armés parce que chargés de la maintenance et de la logistique des pilotes, sont d'ailleurs l'objet de moqueries incessantes (« Que feraient-ils en cas d'attaque ? »). Du fait de cette règle, à la cantine par exemple, le sol est jonché de fusils mitrailleurs M-16, le temps que leurs propriétaires s'empiffrent de hamburgers ou de boules de glace.

En général, les militaires ne se mélangent pas : Hollandais, Américains, Britanniques, Canadiens, Français restent entre eux dans leurs moments de détente, sauf quand le lourd appareil administratif de l'Isaf les obligent à se mêler pour des missions de liaison, par exemple. Fraîchement admis au sein des structures internationales occidentales et participant pour la première fois à une opération militaire de cette envergure, Bulgares, Slovaques, Polonais et autres Roumains (serait-ce la barrière de la langue ?) font nettement bande à part. Je le constate, ce matin de week-end, en observant les groupes qui se sont formés aux terrasses du Café français ou du Green Bean Cafe – la première entreprise américaine à avoir suivi ses troupes en Afghanistan dès 2001 (fidèle aux excellents slogans du marketing à l'américaine, il affirme : « L'honneur d'abord, le café en second ! ») –, voire les équipes jouant au volley sur le sable, comme si on était sur une plage de Californie. La cohabitation forcée sur une telle base internationale induit des comparaisons sans fin : ainsi les Canadiens n'aiment pas leur couvre-chef, jugé pas assez « viril » ; celui des Français est unanimement jugé ridicule et tous préfèrent la simple casquette américaine, le nom du soldat cousu en lettres capitales sur la nuque. Les Américains envient la « bonne bouffe » des Canadiens sur leurs FOB, ainsi que leur solde plus élevée. Tout le monde jalouse enfin les règles militaires hollandaises qui autorisent leurs troupes à regarder du porno et les douches mixtes...

Les cohortes de civils qui servent les militaires restent aussi entre elles. Ainsi des Indiens de Supreme Food Service ou de Global Service Solutions trustant « DéliFrance ».

J'ai la confuse impression que les individus de ce camp, certes coupés de leurs familles et loins de leurs pays (ils l'ont choisi), ne sont pas vraiment ici pour « apporter la démocratie » au peuple afghan, ou toute autre sornette médiatico-politique que la propagande nous sert depuis le début du conflit. Jeunes pour la plupart (40 ans maximum), non seulement leur connaissance de la société afghane, qu'ils sont censés aider à promouvoir une « meilleure gouvernance » et protéger des *bad guys*, est à peu près nulle, mais, surtout, elle ne les intéresse pas. Car la quasi-totalité des militaires et civils formant la population de KAF n'auront jamais besoin, pendant tout le temps de leur séjour, de *get out of the wire* (sortir de l'enceinte de barbelés), comme il est coutume de dire, et ne pourront se rendre compte de ce qui les sépare, dix-neuf petits kilomètres seulement, de la vraie vie dans Kandahar, une des villes les plus conservatrices au monde, où il ne serait pas concevable de voir la moindre femme étrangère – *a fortiori* une autochtone ! – se promener en short et en T-shirt.

Cette nuit, par trois fois, une voix féminine aux accents métalliques nous a avertis d'une *rocket attack*, me plongeant dans un dilemme à répétition : que faire ? M'extraire de mon douillet sac de couchage pour rejoindre le bunker, à deux pas de ma tente, dans le respect des consignes de sécurité maintes fois rabâchées par les officiers de presse canadiens, et attendre sous cet arc de béton la fin de l'attaque ? Ou rester dans mon lit à chasser l'angoisse que cette rocket éventuelle me tombe dessus ? Le poids du sommeil a décidé à ma place.

Il faut dire qu'en ce printemps labellisé « arabe », au summum d'hystérie médiatique atteint au lendemain de l'assassinat de Ben Laden, icône déchue du djihadisme, la ville de Kandahar ne demeure pas en reste : une fois de plus, j'ai bien choisi les dates de mon séjour ! Peu après une troisième et massive évasion de la prison locale, le centre-ville a essuyé pendant une douzaine d'heures les attaques fournies de commandos taliban ayant pris pour cible le palais du gouverneur de région, sous le regard passif des pilotes d'hélicoptères de combat Apache américains − avaient-ils reçu l'ordre de ne pas s'impliquer afin de « tester » la capacité à répliquer et se défendre des forces de l'armée et de la police afghanes ?

Plus que jamais bunkerisée derrière ses hauts murs de béton et ses différents niveaux de sécurité, le camp de KAF se recroqueville sur lui-même, et se donne des allures de camp scout pour faire bonne figure : ce dimanche, dès l'aube, des soldats motivés se font concurrence dans un concours de pompes à la barre fixe, tandis que d'autres, *milk shakes* à la main, contemplent ces « héros ».

En décembre, l'état-major canadien m'avait invitée à une conférence de presse du lieutenant-colonel Saint-Louis, 40 ans, fraîchement arrivé de Valcartier, parfaitement bilingue anglais-français, de retour de sa première tournée d'inspection sur le champ de bataille. Les quatre journalistes canadiens présents, tous anglophones, étaient des habitués, puisqu'ils couvraient la présence canadienne en Afghanistan depuis ses débuts, fin 2001, pour certains même de façon continue. Saint-Louis fit le point de la situation pour chaque compagnie et se montra confiant sur la capacité, pour cette dernière rotation québecoise, de se « connecter avec la population » tout en avançant massivement jusqu'au bout de la « corne de Panjway » où les Canadiens ne s'étaient jamais aventurés auparavant, faute d'effectifs, après avoir essuyé de lourdes pertes en 2006, lors de l'opération « Méduse ». Il avait évoqué la construction « en dur » de positions conjointes avec l'ANA et l'Ancop[1], mais, surtout, le chantier de la fameuse route ouvert le 28 novembre 2010. Les journalistes lui ayant rappelé la « faiblesse » de la position canadienne après l'annonce officielle du retrait prévu pour juillet 2011, l'officier a alors exprimé l'espoir que « ce que nous aurons construit restera, même si nous devons partir ».

Même endroit, cinq mois plus tard. En ce début mai, nous sommes à moins de deux mois du départ des troupes canadiennes du théâtre afghan. J'ai souhaité revenir chez ces militaires pour tenter de me rendre compte de leur état d'esprit en fin de mission. Sont-ils satisfaits ? Quelle est l'image qu'ils souhaitent donner à leur opinion publique

---

1. Afghan National Civil Order Police, dont la formation est théoriquement supérieure à celle de l'ANP.

toujours peu favorable à cette guerre ? La COIN
– mise en œuvre par le général Jon Vance à partir
du printemps 2009 dans cette région sous commandement canadien (c'est-à-dire dans les trois
districts du sud de la région de Kandahar) – a-t-
elle porté ses fruits ?

Ce dimanche 8 mai, le lieutenant-général Peter
Devlin, chef d'état-major de l'armée de terre canadienne, vient d'arriver d'Ottawa, accompagné de
deux journalistes montréalais à qui il s'agit de
montrer en moins de vingt-quatre heures l'œuvre
des Canadiens en Afghanistan, en prévision de la
couverture médiatique de fin de mission.

Première halte : le quartier général de Task
Force Kandahar où le brigadier général Dean
Milner, commandant de la Force opérationnelle
interarmées, Power Point à l'appui, livre un
aperçu particulièrement optimiste de la situation.
À écouter ce fils de général, la situation s'est
constamment améliorée grâce à l'apport de troupes
américaines dans la région, davantage d'attaques
ont été contrées, de nombreuses écoles ont été
ouvertes et la « gouvernance » n'a jamais été aussi
bonne. Sur chaque aspect, Milner, baptisé par certains représentants des médias « John Wayne canadien » à cause de sa haute stature et de son
physique, n'énonce que le positif dans un anglais
aux expressions on ne peut plus américaines : « Les
taliban dominaient la Corne. Mais nous avons

construit Hyena Road, un axe névralgique ; maintenant, les villageois peuvent transporter leurs légumes et leurs grenades en ville pour les vendre », se félicite-t-il après avoir montré un clip de quelques minutes, filmé par l'acteur et producteur de cinéma canadien Paul Gross, venu quelques semaines auparavant pour tourner un film. Couchers de soleil et belles images de troupes en action évoqueraient presque une publicité pour s'engager dans l'armée, ce qui n'échappe pas à Milner qui fait rire l'assemblée à l'évocation de la possibilité d'utiliser ces images comme outil de communication.

À propos de l'évolution de l'armée (ANA) et de la police (ANP) nationales afghanes, deux structures clés de la stratégie de sortie des Canadiens et de la Coalition en général, Milner nous abreuve de chiffres bruts à seule fin de souligner un certain succès quantitatif. Effectivement, le nombre d'individus ayant reçu une formation a crû au cours de ces dernières années, ce qui ne veut pas dire que cette formation soit qualitativement satisfaisante ou que le policier afghan l'ait intégrée de la façon escomptée par ses homologues occidentaux. Le manque de professionnalisme et le niveau de corruption des policiers afghans restent des problèmes face auxquels la présence militaire occidentale est impuissante.

Retour à l'hiver 2010 : à 15 h 30, ce dimanche de décembre, je pénètre dans la chapelle du camp, un bâtiment en contre-plaqué au sol couvert de lino, entouré d'un jardinet. Une vingtaine de personnes, dont la moitié seulement en uniforme, assiste au service, le sixième de la journée. La longue liste des différentes églises est affichée dans le hall. Un militaire américain en tenue de camouflage, le crâne rasé, se tient devant l'assemblée et tente de répondre à cette question : « Doit-on célébrer Noël ? » L'assemblée se lève comme un seul homme pour reprendre en chœur les cantiques entonnés par un civil au premier rang qui fait face au public. Pour ce qui est de la communion, le corps du Christ est distribué dans des mini-verres de plastique blanc.

Tenaillée par la faim et l'envie de savourer un bon plat de pâtes, je pénètre dans le restaurant Mamma Mia, seul bâtiment en dur fraîchement peint en orange sur le *boarding walk*. La salle est vaste, les nappes à carreaux rouges et blancs rappellent une *trattoria* italienne ; les serveuses sont toutes philippines. Je m'approche de la caisse pour avoir accès au menu quand mon œil est attiré par une affichette en français : elle porte la devise de la Légion étrangère, « *Legio patria nostra* », sur fond vert et rouge, et cette information en gros caractères : « ICI LA LÉGION NE PAIE PAS. »

Intriguée, je demande à une des Philippines de m'indiquer qui est le patron. C'est l'homme assis au fond du bar, devant un écran de portable. Est-ce un ex-légionnaire ? Comment serait-ce possible ? Je me présente en anglais, Max me répond en français. Mi-italien, mi-israélien, cet homme de 37 ans à la voix cassée, aux avant-bras tatoués, aux manières affables derrière une carapace de tueur, n'a pas connu un destin banal. Après dix années de bons et loyaux services à la Légion, il lui a fallu se reconvertir. Engagé comme carabinier parachutiste dans l'armée italienne à 17 ans, Max Abderrahmane a servi l'Italie sept années avant de céder à la tentation d'aller vivre en Israël où sa sœur travaillait dans un kibboutz. Repéré par un agent recruteur de l'armée israélienne, il s'est retrouvé dans les forces spéciales. Ces sombres années de service, le plus souvent sous couverture, l'auront mené en Somalie, à Khartoum, au Soudan, à Falloujah, en Irak, où il a opéré aux côtés de soldats américains. En 2002, il débarque pour la première fois en Afghanistan, peu après l'intervention américaine, en tant que conseiller militaire auprès de la 1re division d'infanterie. Israël n'est jamais entrée officiellement ni en Irak ni en Afghanistan, mais, comme toujours, y a envoyé des hommes de ses forces spéciales en tant qu'« observateurs militaires » ou « conseillers ». Pour Max, cela revenait à dire « Nous n'étions pas là » ou « Nous n'avons fait que regarder ». Le légionnaire affirme même avoir été jusqu'en Tchétchénie, ce qui aiguise ma curiosité. Il s'y est rendu la première fois en octobre 2000, sous couvert d'expert conseiller pour l'ambassade d'Israël. Il est resté six mois. La seconde fois, ce fut en février 2005, quelques semaines avant l'assassinat par les forces spéciales russes d'Aslan Maskhadov, le « leader séparatiste » tchétchène et président indépendantiste, élu en janvier 1997. « Israël pense que pour éviter la propagation du terrorisme, il faut éliminer les principaux terroristes avant qu'ils ne parviennent jusque sur son sol. » L'État hébreu a donc envoyé Max et des hommes de son acabit exécuter certaines personnes « sur place ». Dit comme cela, ça paraît simple. Mais Max a du mal à se réadapter : « Comment se fait-il, par exemple, que je me souvienne des noms de copains perdus en opération pour le compte d'Israël, alors que leurs visages restent flous, mais que chaque nuit ou presque les traits précis de ceux que j'ai tués viennent me revisiter alors même que je ne connais pas leurs noms ? » « Comment réagir quand, après avoir vacciné la population d'un village afghan, tu repasses dans ce même village quelques jours plus tard et que les bras des gens vaccinés ont été coupés, quand ce ne sont pas les mains de ceux qui sont allés voter ? » En 2008, lui et les hommes de sa compagnie de légionnaires du

2ᵉ régiment de génie étranger, spécialistes des mines et des explosifs, ont « nettoyé » le secteur qui leur avait été alloué. Aujourd'hui, Max voit bien que tout est à refaire. Mais ce n'est plus son métier !

Entre deux missions, le refuge du légionnaire, ce sont les montagnes entourant Vincenza, la plus grande base militaire américaine en Italie, dans le Veneto, en compagnie de son chien, confié la plupart du temps à des amis. Baroudeur invétéré, Max a du mal à rester dans le même pays plus de deux mois d'affilée : son quotidien, c'est la route, les armes, la violence. Pas beaucoup d'autres perspectives que de continuer à s'engager auprès des militaires. Justement, il traîne à KAF depuis deux mois pile, parce qu'un copain, ex-militaire italien, lui a proposé ce job de gérant du restaurant, mais il cherche autre chose « dans la sécurité » : « Ici, il y a de quoi faire, mais mieux vaut être pistonné. » Dur, dur, quand on n'a pas ses entrées dans les boîtes de mercenaires américains !

Max m'invite à dîner chez Mamma Mia, en compagnie d'un compatriote napolitain, propriétaire de restaurants sur la côte amalfitaine, « en affaires » depuis six ans en Afghanistan dans la livraison de pétrole aux militaires. J'imagine…

Lors de mon retour en mai, Max et son compatriote ne se parlent plus à cause de sombres histoires d'argent dont je ne veux rien connaître. Max est en charge de la sécurité de Camp Bastion, une base américaine dans le Helmand, vouée à devenir un camp fortifié de l'ANA, l'Armée nationale afghane. Il y est employé d'Afghan Pride Security Service, une agence de sécurité afghane auprès de laquelle il a décroché un contrat à l'année[1].

En ressortant de chez Mamma Mia, les intonations d'une langue familière me parviennent aux oreilles : devant moi, un groupe de jeunes hommes à la figure épatée, aux yeux bridés, accompagnés d'un Blanc aux pommettes saillantes. Tous les six parlent russe. Ils viennent de Bichkek, capitale du Kirghizistan, en Asie centrale, où je me trouvais encore deux mois auparavant. Ce sont des civils employés par AAFES qui gèrent la PX américaine. Embauché à Bichkek, ce personnel peu regardant sur la paie a été transféré dans le Sud où des places étaient à prendre. Ici, ils s'échinent comme livreurs, manutentionnaires, déchargent des containers du matin au soir et mettent en place les marchandises sur les rayonnages de la supérette la plus riche en produits variés, laquelle donne l'impression de se retrouver dans un centre commercial de banlieue d'une ville moyenne des États-Unis, un samedi après-midi : y manquent seulement

---

1. Trois mois plus tard, il est de retour en Italie, après avoir été blessé par balles lors d'un incident à l'intérieur même de Camp Bastion.

les enfants. Aujourd'hui c'est leur jour de congé : aussi les Kirghizes déambulent-ils parmi les militaires ; ils tuent le temps mais s'ennuient ferme, car qu'y a-t-il à faire dans ce camp retranché en terrain hostile, dégoulinant de kitsch et de culture de masse américaine ? Rouslan, 30 ans, le Russe, leader de la bande, n'a pas peur de me rapporter ce qu'il considère comme des humiliations au quotidien subies dans cette entreprise : du matin au soir, le management, souvent plus jeune et moins diplômé que lui, mais surtout, souligne-t-il, sans expérience, passe ses nerfs sur les employés au plus bas de l'échelle, c'est-à-dire tous les non-Américains, ressortissants des nouveaux pays où les États-Unis viennent de s'établir militairement, en leur hurlant dessus. Le salaire mensuel de cette main-d'œuvre est de 1 000 dollars payés en liquide une fois tous les trois mois, car « ils se méfient de nous, veulent conserver la possibilité de nous ponctionner de l'argent, par exemple si on est en retard ou si on a mal fait quelque chose, mais, surtout, ils redoutent qu'on les vole ». Les Kirghizes tolèrent néanmoins ces comportements sans mot dire, car c'est toujours mieux que les 200 ou 300 dollars qu'ils pourraient gagner au maximum dans leur pays. Fin observateur, Rouslan, en Afghanistan depuis quatre ans, s'amuse à constater que les soldats américains, d'après lui, ne coûtent pas un sou à leur propre pays. Pourquoi ? « Je les vois dépenser ici en conneries pratiquement toute leur solde, ironise-t-il. C'est bien que l'argent tourne : il revient ainsi dans les structures commerciales des profiteurs de guerre… »

« Vous voulez voir comment ils nous logent ? On n'a pas honte de vous montrer ! » reprend le Russe. Curieuse, je leur emboîte le pas. Le *boardwalk* traversé, il faut encore marcher près de dix minutes avant d'aboutir, loin derrière les lignes canadiennes marquant les limites de « mon » territoire sur KAF, à une immense tente commune, grise et défraîchie. Furtivement, ils m'entrouvrent la porte, le temps d'apercevoir un dortoir puant et surchauffé aux lits de fer superposés ; seul le méchant matelas est gratuit : pour le reste, les employés doivent tout acheter eux-mêmes, y compris la literie. Des rats se coursent dans les travées. Les Kirghizes se plaignent que les affaires personnelles soient volées : rien d'étonnant, il n'y a aucune armoire individuelle. Leurs voisins de tente sont bangladais, népalais, kosovars, ougandais ou sud-africains, et occupent tous les postes subalternes de la base, comme par exemple le nettoyage des toilettes chimiques, un sale boulot.

En ressortant, je perçois entre deux décollages d'avions une chansonnette à la mélodie entraînante et répétitive comme une berceuse. D'où provient-elle ? Aucune source musicale n'est censée se trouver dans cette partie excentrée de la base. L'instant suivant, le camion à glaces ConeKAF, à la plaque minéralogique façon britannique et couvert d'une peinture de camouflage beige cassé, me passe lentement sous le nez au rythme de *Whistle While You Work*. À notre vue, il s'arrête et le charmant minois d'une jeune Philippine apparaît à la portière : « C'est deux dollars le cornet, profitez-en ! lance-t-elle. Avant, je travaillais au TGI's Friday, le restaurant sur le *boardwalk*, le seul en zone d'opérations, j'étais déjà fière, mais là c'est encore mieux, on se promène toute la journée et on est toujours bien reçu ! » explique-t-elle, ravie de son emploi. En guise d'escorte, un 4 × 4 suit le van ; y sont assis les trois ex-soldats britanniques à l'origine de cette idée : employés à la sécurité à KAF, elle leur est venue à cause de la chaleur suffocante. Les trois acolytes ont acheté le camion à glace qui date de 1993 sur eBay, l'ont peint eux-mêmes (en ajoutant le logo *« Mind the troops »*), et se sont cotisés pour l'acheminer par container, *via* Dubaï, jusqu'en zone de guerre.

Mais quelle zone de guerre ?

## 11

### Retour du côté de chez Pruneau

*été 2011*

*Pas de baisse de moral — La shoura de sécurité — Une patrouille à pied dans Bazar — La route de tous les dangers — Cap'taine Tranchée — La COIN, c'est pas sexy ! — Des soldats qui n'ont personne dans leur viseur.*

Je suis accueillie à la FOB de Masum Ghar par le capitaine Philippe Masse, adjoint au commandant de la compagnie para, resté aux commandes alors que Frédéric Pruneau, le major, se trouve en opérations depuis le petit matin. Pas grand-chose ne semble avoir changé depuis mon départ, en décembre dernier. Pourtant, à y regarder de plus près, le *balloon* — le ballon dirigeable bardé de caméras, les « yeux » des militaires qui leur permettent d'observer les moindres recoins de l'espace de bataille, même la nuit — a disparu. Démantibulé, m'explique Masse, par jour de grand vent. Le temps restant à couvrir par la mission est trop court pour que les Canadiens en commandent un nouveau. « Les Américains s'en chargeront », ajoute le capitaine qui, comme la plupart ici, est avant tout préoccupé par le RIP, c'est-à-dire la dernière « passation des pouvoirs » entre Canadiens et Américains. D'ailleurs, même s'ils ne sont pas encore physiquement là, les Américains sont déjà arrivés : au beau milieu de la FOB, les alignements de tentes ont dû laisser place à un énorme chantier : une équipe d'ingénieurs construisent trois imposants bâtiments en panneaux d'aggloméré, au toit de tôle (il en manque encore un quatrième dont n'apparaissent que les fondations). On aperçoit déjà les rangées de climatiseurs qui seront branchés tous les trois mètres. C'est le futur poste de commandement, bien plus imposant que celui des Canadiens, alors que les effectifs sur la FOB sont revus à la baisse. Certains éléments blindés du PC canadien devraient être démantelés et retourner au pays, mais tout ce qui peut être récupéré par les Américains et éviter d'être acheminé doit faire l'objet de tractations financières entre les deux armées. Sur la porte du mess – « le meilleur du désert » – une affichette prévient les soldats américains qu'ils doivent signer avant de manger afin que l'état-major canadien sache combien d'Américains il sustente. Pamplemousses frais, fraises à la crème, myrtilles, grappes de raisin, tranches d'ananas, yoghourts, *bagels*, café, thé, toasts grillés : ici on nourrit bien son homme. En ce mois de mai 2011, les écrans télé de la cantine ne déversent plus les habituelles images du championnat

de hockey (le Québec a perdu), mais les nouvelles du pays sur RDI, la chaîne d'infos en
continu. En revanche, souligne Masse, « on ne
sait pas ce qui va se passer avec les Afghans (de
l'ANA) qui avaient leur bureau à l'intérieur de
notre PC[1]. Les Américains n'ont pas tout à fait
la même conception du mentorat que nous... »
Depuis un décret de Karzai, les militaires étrangers ne peuvent plus effectuer de patrouilles sans
être accompagnés d'Afghans (« il faut une face
afghane »), mais il suffit que le partenariat soit
mal conçu pour que la mesure devienne **artifi-
cielle**.

L'interlocuteur principal des militaires dans ce
district a changé : fin décembre, Haji Baran,
homme maussade et peu populaire, a été remplacé
par Haji Faizluddin Agha, proche d'Ahmed Wali
Karzai, demi-frère du président afghan et homme
fort de la région de Kandahar. Plus consensuel,
plus influent de par sa proximité avec les puissants
de Kandahar, Faizluddin Agha a l'air de satisfaire
tout le monde – en tout cas les militaires qui, de
toute façon, n'ont pas leur mot à dire sur la nomination de tel ou tel. Ils n'ont que le droit de s'en
accommoder.

---

1. Le poste de commandement canadien est un *combined tactical
operational center* ou C-TOC en jargon militaire (centre opérationnel tactique combiné), c'est-à-dire qu'il est mixte avec des
Afghans.

Philippe Masse, homme consciencieux et posé, me montre le brouillon d'un article sur la mission des *Van Doo*[1] qu'on lui demande de rédiger pour une revue d'anciens gradés. « La COIN n'est pas aussi facile qu'elle en a l'air, car elle ne met pas l'accent sur ce qui est d'ordinaire le travail numéro un de l'infanterie : chercher le contact avec l'ennemi et le détruire. » Au risque de déplaire, ose déclarer l'officier, « détruire l'ennemi n'est plus ce qui peut nous permettre de l'emporter. Il faut procéder autrement, et cette retenue donne des résultats. » Dominer l'espace de bataille, voilà ce qu'on apprend aux officiers d'infanterie, par le biais de cordons de fouilles et d'opérations de nettoyage, mais, souligne-t-il, il faut aussi savoir œuvrer à une meilleure gouvernance et au développement local. Le texte a tellement plu au lieutenant-colonel Saint-Louis qu'il a demandé à Masse de l'étoffer en vue d'une publication dans une revue militaire.

À 15 heures, nous nous rendons à l'OCCD-P[2], le centre administratif du district qui est aussi la résidence privée du gouverneur local, véritable camp retranché à flanc de rocher, tapi derrière des barricades de sacs Hesco et surveillé par des mira-

---

1. C'est la façon d'écrire et de désigner en anglais le régiment des « Vingt-Deux ».

2. *Operational Coordination Center-Panjway.* « Nous ne nous servons pas de traduction française », me précise le major Pruneau.

dors. C'est l'heure de la *shoura* hebdomadaire dite « de sécurité ». Des chaises en plastique blanc et bleu ont été disposées sur les tapis dans le vaste bureau de Faizluddin Agha, qui trône au centre. À sa droite les étrangers, à sa gauche les Afghans, qui, tous, prendront la parole après lui. Du côté coalisé, il y a du beau monde, puisque le lieutenant-colonel Saint-Louis est flanqué d'un colonel américain, Payne, sur place depuis une quinzaine de jours (et qui le remplacera). Du côté afghan, il s'agit du lieutenant-colonel Baariz, un Pachtoune commandant le 2e kandak (bataillon), et du lieutenant-colonel Dastageeri, à la tête du 6e kandak. À grade égal, la différence d'âge entre les Afghans, plus âgés, et les étrangers est frappante.

Faizluddin Agha : « Je suis ravi que nous soyons réunis ici pour parler de l'avenir, et je remercie particulièrement le commandant des forces spéciales américaines de sa présence [au fond de la salle, un jeune homme barbu au teint basané opine du chef et esquisse un sourire]. Tout allait bien jusqu'à il y a quelques jours, mais l'attaque de Kandahar[1] nous a tous pris de court, et... »

La porte s'ouvre. Un homme de haute taille, bedonnant, au physique imposant, tente de se frayer discrètement un passage ; sa veste d'uniforme a été

---

1. Le samedi 30 avril et le dimanche 1er mai, des combats ont éclaté dans le centre de Kandahar et ont duré quarante-huit heures.

négligemment passée sur un T-shirt gris frappé de la feuille d'érable bleu roi des Toronto Maple Leafs[1] – sans doute un cadeau des Canadiens. C'est le chef de la police du district. Il rejoint sa chaise, pieds nus dans des claquettes en plastique.

« Ouais, vraiment, ç'a été dur, reprend à voix lente le gouverneur, bien calé au fond de son fauteuil, les deux mains sur les accoudoirs, un long pan de son turban noir rayé de blanc retombant savamment côté cœur. J'espère que la prochaine fois, si ça se reproduit, on pourra avoir une riposte plus rapide, voire immédiate, en sorte qu'ils n'aient pas le temps d'aller se planquer dans une mosquée ou ailleurs. Nous devons montrer à la population ce dont nous sommes capables ! »

Barbe soignée, nez aquilin, regard acéré, l'homme poursuit son monologue, traduit en simultané par l'interprète du lieutenant-colonel Saint-Louis, un jeune Afghano-Canadien recruté au Québec. À la droite de l'officier américain se tient son propre truchement, un Afghano-Américain. Tous deux ont été strictement sélectionnés pour que leur loyauté ne soit pas prise en défaut.

« D'ailleurs, reprend Agha, je demande au NDS[2] de se montrer un peu plus efficace et de

---

1. Une des équipes de hockey sur glace professionnelles parmi les plus connues du Canada.
2. *National Directorate of Security* (Direction de la sécurité nationale). Ce sont les services de renseignement afghans.

partager ses informations avec l'ANA, l'ANP et les autres ! Le NDS doit être plus actif, même si on n'y dispose pas d'un budget suffisant ! On fera remonter l'information, comptez sur moi ! Bon, par contre, j'ai entendu des rumeurs sur le niveau de corruption au sein de la police. Je crois qu'il serait sain d'ouvrir une enquête à ce propos, car je ne voudrais pas que mes hommes et moi soyons accusés de piquer dans la caisse ! Non, vraiment, nous, on n'est pas dans le coup ! »

Suivent deux « rapports » des commandants afghans, puis c'est au tour du D-COP[1] de s'exprimer :

« Ces histoires de corruption, voici comment ça se passe... Par exemple à propos de l'éradication de l'opium : si je détruis tel champ de pavot et que je ne détruis pas tel autre, on m'accuse de toucher de l'argent de l'autre côté... Alors nous, on ne sait plus comment faire ! Et puis, on n'a pas assez de moyens pour éradiquer, il nous faudrait de l'aide. Pour le moment, on arrache tout avec nos mains : un travail de dingue ! Mais si quelqu'un m'apporte des preuves de la corruption de mes hommes, je suis prêt à les recevoir et à les faire remonter ! »

Il se rassied, main sur le cœur, réitérant sa pleine disponibilité et son ardeur sans faille au travail.

---

1. *District Chief of Police* (chef de la police de district).

Après un bref commentaire du directeur du NDS, lui aussi en tongs, c'est au tour du colonel Saint-Louis de se lever pour parler.

« Un certain nombre de *dushmen*[1] ont été arrêtés en cours d'opérations, cette semaine, et je puis vous dire qu'on va continuer à leur mettre la pression, c'est sûr ! Au moment où je vous parle, on a plus de dix opérations en cours dans votre district, et on va spécifiquement là où on sait que les *dushmen* intimident la population. On crée de plus en plus de *checkpoints* et on épaulera les *kandaks*, on les accompagnera en renfort là où ils veulent aller ! »

Quoique sans grand naturel, cette réunion révèle tout de même un certain changement dans l'attitude et le mode de fonctionnement des forces de sécurité afghanes : traditionnellement, ces militaires n'éprouvaient nul besoin de parler lors de ces réunions hebdomadaires conjointes ayant pour objectif de se coordonner et de s'informer mutuellement. Tous restaient cois. Aujourd'hui, même si leur prise de parole est succincte, ils s'expriment normalement et plus longuement que leurs « homologues » occidentaux. La semaine précédente, me dit-on, Saint-Louis n'avait pas même soufflé mot. Quant aux titulaires des postes plus « politiques », comme le gouverneur de district et le chef de la

---

1. « Ennemis » en langue perse.

police locale, sous l'influence active des militaires canadiens ils seraient devenus bavards et n'hésiteraient plus à aborder des sujets longtemps considérés comme tabous (la corruption interne, par exemple). La discrétion et l'humilité des Canadiens, qui, tout en ne cédant sur rien, s'effacent devant leurs « élèves », est impressionnante.

De retour sur la FOB, avec l'aval de Pruneau j'assiste, comme chaque jour, à la réunion de coordination quotidienne de son unité. Assise en retrait sur un banc alors que les protagonistes sont regroupés autour d'une large table, je réussis presque à faire oublier ma présence. Les professionnels parlent entre eux comme si je n'étais pas là, et c'est justement ce qui m'importe. À moi de comprendre ce qui se passe.

« 49 » (lire « Quatre-neuf[1] ») préside (major Pruneau). « 49 Bravo » (capitaine Michael Faber), responsable des opérations (« capitaine de bataille »), a préparé le *power-point* et commente chaque diapo. C'est « 49 » qui ordonne de passer de l'une à l'autre par un *next* aussi prompt que pratique. La seule femme présente autour de la table est le sergent Sylvie Vachon, du service médical.

---

1. À l'époque où le cryptage des communications n'existait pas, les militaires portaient des noms de code qui sont restés en usage parce que plus pratiques. Ainsi le major est 49, et le lieutenant-colonel Saint-Louis 9. Le général Milner, lui, sera 99.

Chaque capitaine prend à son tour la parole :
« 41 » (Joshua Robbins) a passé tout son temps sur
la route, « 42 » (Jean-François Legault) est en
charge du COP Nejat (il n'est pas présent physiquement), « 43 » (Stéphane Guillemette) s'est
occupé « du Bazar », c'est-à-dire de la bourgade
de Bazar-e-Panjway, non loin. Le major Pruneau,
qui entretient d'excellents rapports avec chacun
d'eux, les appellent plutôt par leurs prénoms et
les tutoient. Malgré la proximité, voire les rapports d'amitié avec leur supérieur, ces derniers le
vouvoient et lui répondent « major ». Seule sa
« garde rapprochée » lui donne du « Fred » en
s'adressant à lui. Même Gaétan Larochelle, son
adjudant-maître et son aîné de plus de dix ans, le
vouvoie.

En résumé, ce soir, grâce à la récolte de l'opium
qui tient tout le monde occupé dans les champs,
« c'est plutôt calme », s'accordent à dire tous les
intervenants. « 49 » informe ses subordonnés de la
nécessité d'une *quick reaction force*[1] pour le lendemain, une force d'appoint qui peut être appelée
en renfort à tout moment ; ici, il s'agit plutôt

---

1. Un des principes de la guerre est de toujours disposer d'une
réserve. La QRF est une force disponible pour réagir à un imprévu.
Ici, c'est plus fréquemment une escorte pour les équipes de contre-
IED, mais ce peut également être pour toute autre tâche, comme
un véhicule accidenté nécessitant un remorquage, un affrontement
qui requiert davantage de forces, etc.

d'une escorte pour les équipes de déminage sur le bout de Summerside, la grande voie de communication est-ouest du district. Car si, sur la nouvelle route Hyena, les postes de contrôle sont nombreux, ce n'est pas le cas sur cette artère principale qui offre encore une marge de manœuvre à des déplacements éventuels d'insurgés vers l'ouest.

« En tout cas, suite à l'opération de nuit des forces spéciales américaines, trois individus ont été arrêtés et on n'a entendu personne chialer ! constate Pruneau non sans satisfaction. D'habitude, au lendemain d'une arrestation, nombreux sont les individus qui viennent frapper à la porte de la FOB et plaider la cause de tel ou tel membre de leur famille, clamant son innocence. *A priori*, cette fois, les noms figurant sur les listes de suspects étaient les bons ! »

Après dîner (il n'est que 19 heures), en remontant vers mon container (qui est aussi celui de l'adjudant-maître et du major), je passe devant « la Cabane », le quartier-maître sur le perron duquel sont assis trois soldats qui profitent de l'air un peu plus respirable avant la nuit. Pour le plus grand plaisir des deux autres, l'un des trois gratte avec virtuosité une guitare. C'est le caporal Jean-Sébastien Bergeron qui improvise des couplets grivois en brodant sur le patronyme de chacun de ses copains. Ce soir, les paroles de ses chansons ont pour cadre Haïti où ils étaient tous en mission avant de venir ici. Pourquoi ne pas chanter sur l'Afghanistan ? « C'est trop tôt ; ça me viendra quand on sera loin ! »

Plus tard, passant devant les tentes pour gagner la douche que l'on me destine (un soldat a été affecté à la porte, il y a même collé une affichette : « Douche pour dame », je suis gâtée !), une voix m'interpelle dans la pénombre :

« Hé, c'est vous, la journaliste ?

— Euh, oui…

— Je peux vous poser une question un peu gênante ? Si ça vous embête, vous répondez pas, hein ?

— Non, allez-y, pas de problème !

— Ça vous est jamais arrivé, dans vos reportages — parce qu'y paraît que vous êtes toujours fourrée chez les Afghans, dans leurs familles, hein, j'me trompe pas ? —, qu'on vous demande en mariage ? Parce que j'm'explique : chez nous, quand une fille nouvelle arrivait dans une classe, par exemple, tout le monde s'y intéressait, chacun voulait l'approcher, faire son intéressant auprès d'elle. Vous comprenez ce que je veux dire ? » (Ricanements de ses collègues.)

Aux deux points incandescents qui brillent à ses côtés, je réalise qu'ils sont trois à fumer tranquillement sur leur banc.

« Vous avez raison, c'est une très bonne question : en fait, figurez-vous que... oui, ça m'est arrivé !

– Ah, tu vois, j'en étais sûr ! jubile le caporal-chef à qui je m'adresse.

– C'était en Tchétchénie... »

Je leur raconte la sortie de Grozny envahie par les Russes, mon entrevue avec Letcha Doudaïev, maire de la capitale, neveu de Djokhar Doudaïev, mythique premier président de la Tchétchénie indépendante. Mi-sérieux, mi-rigolard, Letcha m'avait demandée en mariage avant d'utiliser mon téléphone satellitaire depuis sa mairie assiégée. Le surlendemain, ayant traversé un champ de mines avec des milliers de rebelles, il était mort.

« Bon, il y a eu aussi d'autres cas... Dans chaque pays que j'ai couvert, en fait, mais je ne peux pas tout vous raconter ! Quoi qu'il en soit, à chaque fois j'ai pris cette "proposition" avant tout pour un compliment, la preuve que je m'étais bien intégrée. »

Finalement, sans surprise, la discussion dérive sur les femmes afghanes, la grande énigme de leur séjour. Je leur demande s'ils en ont vu. Non, pas une seule !

« Si, si, une fois, même pas une seconde, se souvient l'un d'eux. On n'a pas réalisé, d'ailleurs. Par inadvertance, dans une cour, on en a surpris une sans sa face cachée. Mais elle a vite laissé retomber sa burqa sur elle.

— On n'a vu que des femmes âgées... ou bien très jeunes.

— Dites-nous, vous qui les avez vues, est-ce qu'elles sont belles ? »

Je leur réponds que oui. On rit.

De retour dans mon container, je me demande si la bonne ambiance et le moral au beau fixe que je perçois dans cette compagnie sont typiques, ou si j'ai affaire à un cas spécifique. N'ayant pas été embarquée ailleurs que dans cette unité de paras canadiens, je ne saurais le dire, mais tous les collègues journalistes à qui j'en ai parlé pensent que j'ai eu beaucoup de chance. Américains et Français auraient sans doute été moins accueillants à mon endroit, ne serait-ce que parce que le programme canadien d'intégration de journalistes aux forces armées est unique en son genre, ce qui a d'ailleurs suscité des frictions permanentes entre l'armée et le gouvernement canadiens, tel ou tel camp désirant le voir supprimé ou restreint.

Je pose la question à Gaétan Larochelle, adjudant-maître du major Pruneau. Même si la fatigue se fait sentir, m'assure-t-il, le moral est toujours aussi bon. « Mon attitude déteint forcément sur eux ; je suis toujours le premier levé et j'ai toujours le sourire. » C'est là sûrement une bonne explication.

Il faut dire que le tandem Pruneau-Larochelle fonctionne. Ces deux-là se respectent et cette entente mutuelle rejaillit sur l'ensemble de la compagnie. Sur la durée de la rotation, les « coups durs » ont été relativement rares : trois décès, quelques hommes secoués par des nouvelles d'ordre privé, comme la rupture avec leur femme – classique ! Cas moins fréquents : l'un d'entre eux a de lui-même mis fin à son mariage pendant son séjour afghan, et deux soldats ont été renvoyés pour mauvaise conduite.

Nous voici partis à pied en patrouille dans Bazar comme il y a cinq mois. Nous sommes une douzaine. Le maître-chien et sa bête sont bulgares. En 2007 et 2008, la plupart des patrouilles s'effectuaient encore à bord de véhicules : seuls les ingénieurs possédaient le matériel et le savoir-faire *ad hoc* face aux mines potentielles. Or, depuis l'instauration de la COIN, c'est à pied que les soldats se montrent, et la présence du chien chargé de « confirmer » le danger les rassure. La majorité des maîtres-chiens sont originaires de Bosnie, le premier grand conflit international où on a fait appel à ces animaux. Depuis, ils ont suivi l'élan de la guerre vers l'Irak et l'Afghanistan.

L'activité du bazar est telle que nous passons presque inaperçus. Aucune tension n'est palpable : des femmes en *châdri* continuent à marcher à notre rencontre ou sur les bas-côtés sans que notre présence semble le moins du monde les indisposer. Des enfants courent en sortant de l'école, à peine contenus par les instituteurs qui ouvrent grand les bras pour les empêcher de filer. Seule ma présence en tant que femme, et non celle de militaires, semble intéresser peu ou prou les passants.

Juste avant mon arrivée, les hommes de Pruneau ont procédé du 2 au 6 mai à un « nettoyage » du bazar. Ils sont passés méthodiquement partout, ont fouillé, cherché des caches d'armes, arrêté quelques personnes. À la *shoura* de fin d'opération, aucune plainte n'est remontée. Le capitaine Stéphane Guillemette, 34 ans, ancien professeur d'anglais, en charge du bazar, estime : « La plupart des locaux sont maintenant habitués à notre présence constante ; ils savent également que nous les respectons et sommes là pour assurer leur sécurité. Beaucoup de rues sont maintenant asphaltées, les propriétaires d'échoppes ont de beaux devants de boutique en ciment rouge et bleu, ainsi qu'un fossé permettant à l'eau de la saison des pluies de s'écouler plus facilement. Mes gars se sont comportés en professionnels, et je crois fermement que les gens ont pu constater la différence. Notre plus grand sujet de satisfaction ici est la confiance et l'acceptation de la majorité des autochtones. Même si la menace insurgée est omniprésente, les gens se sont ouverts à notre présence. Ce que je trouve frustrant dans cette histoire, c'est de ne pas pouvoir communiquer directement avec eux. Si je pouvais, je prendrais des cours intensifs de pachtou pour être en mesure de mieux faire passer le message et les sentiments. Pour faire vraiment la différence, nous aurions besoin de demeurer dans le bazar pour une période d'au moins dix ans. Non pour implanter notre culture, mais pour mieux comprendre celle de ces gens, améliorer chez eux la santé, l'éducation, l'exercice des métiers, etc. »

La grande fierté de Pruneau, c'est qu'il peut aujourd'hui s'effacer. Il estime avoir fait passer son message assez clairement. Il le résume ainsi : « Regardez, l'ANA et l'ANP sont des "pros", ils sont capables de vous sécuriser en procédant seuls à des patrouilles, sans les Canadiens, alors qu'en décembre encore ils se refusaient à le faire. » Manière indirecte de leur annoncer : « Vous n'avez plus besoin des Canadiens ici ! » Pruneau aimerait finir en beauté en organisant un match de foot en plein bazar entre les jeunes du coin et les militaires. Le terrain, plat et caillouteux, a été identifié, et les ballons déjà distribués. Mais il faudrait que les militaires soient désarmés et en tenue de sport. Pour l'heure, il attend le feu vert de Saint-Louis. Si ce dernier exige le gilet pare-balles, Pruneau renoncera non sans regret. Pour donner une image forte, l'objectif serait de jouer en T-shirt !

Arrivés au poste ACP 6[1], on fait halte. Pruneau en profite pour sortir de son sac à dos quelques coloriages et jouets choisis par Alex et Isaac, ses deux garçons[2], lors de son passage à la maison au cours des vacances de février, mais aussi deux paires de sandales fermées qu'il souhaite offrir à des gamins du coin. Ceux qui nous tournent autour feront l'affaire. Le lieutenant de garde afghan, drapeau américain fixé à l'épaule, assorti du blason « Toujours prêt ! » (souvenirs échangés avec un soldat d'un bataillon américain de Louisiane[3]), fait enfiler les sandales à un gamin. « C'est pas important de savoir qui sera là pour continuer le travail des Canadiens, commente-t-il d'une voix étrangement douce. L'important, c'est qu'il y ait une protection et que la population s'en aperçoive. »

L'interprète qui nous accompagne ne dissimule plus son visage en patrouille : il a rempli sa demande d'émigration au Canada et reçu une réponse positive. Marié depuis trois mois, c'est un Tadjik de Kaboul, prêt à entamer une nouvelle vie sur un nouveau continent. Tous les jeunes traducteurs des militaires canadiens que j'ai rencontrés savent que leur expérience de cette guerre leur

---

1. *Access control point*, point d'accès et de contrôle numéro 6.
2. Frédéric Pruneau a deux fils âgés de 10 et 8 ans.
3. D'où le slogan en français.

ouvre potentiellement les portes d'une autre vie. Pour la plupart encore célibataires, ils sont libres comme l'air, donc tentés par ce qui leur apparaît comme un eldorado. Pourtant, un soir, les quatre rattachés à cette FOB m'invitent à boire le thé devant leur tente : ils ont besoin de l'avis d'une tierce personne sur ce départ éventuel. En confiance, parce qu'ils savent que j'ai partagé la vie de familles qui leur ressemblent, ils me bombardent de questions sur la vie au Canada. Je les sens désarmés, hésitants, ne sachant trop à quoi s'attendre là-bas : leur donnera-t-on un emploi, un appartement, une maison, sans même qu'ils aient à chercher ? C'est ce qu'ils aimeraient bien croire, malgré les dénégations de leurs devanciers, avec qui ils échangent sur Internet et qui leur content les écueils, la solitude, l'absence de solidarité. Recevront-ils une aide sociale ? Pendant combien de temps ? Tous quatre ont l'impression de connaître le Canada parce qu'ils ont vécu ici quelques mois avec des Canadiens. Je leur rappelle que la vie ici est militaire ; là-bas, ils devront s'adapter à une vie civile où leur connaissance – souvent très imparfaite – de l'anglais ne sera pas une clé suffisante pour obtenir un emploi, où ils seront « en concurrence » avec des millions d'autres jeunes autochtones du même âge qu'eux, éduqués et plus au fait des règles du jeu économique et social. Ils soupirent. Mais nous tombons d'accord sur un point : « Au Canada, ce sera aussi dur qu'ici pour s'en sortir ; mais la différence, c'est qu'on sera en sécurité. » Réalistes, ils réfléchissent à ce départ.

Ce matin, il est prévu que le major Éric Landry, commandant de l'escadron de chars du 12ᵉ régiment blindé, qui, au sein du groupement tactique, a été en charge d'un projet canadien majeur, la construction de la route Hyena, me serve de « guide » pour m'en expliquer tout du long les étapes. On part à trois véhicules LAV III[1]. Je me tiens debout, la tête passée par l'écoutille, au poste de sentinelle arrière. Sur le premier kilomètre et demi, la ligne blanche a déjà été tracée. À peu près tous les kilomètres, on dépasse un *check point* de l'ANA. Si le revêtement à l'asphalte n'est pas encore achevé[2], du gravier a été versé sur les dix-huit kilomètres de cette nouvelle voie de communication entièrement financée par l'armée canadienne à hauteur de 18 millions de dollars[3], dessinée, supervisée, protégée pendant sa construction par l'infanterie, les tireurs d'élite, les spécialistes de la reconnaissance et les blindés du groupe de bataille du 22ᵉ régiment.

---

1. *Light Armoured Vehicle* (véhicule blindé léger).
2. Mi-juin, on en est à neuf kilomètres asphaltés.
3. À peu près 12 500 000 euros. La route a été inaugurée le 27 mai 2011 en présence du lieutenant-colonel Saint-Louis.

On m'a coiffée d'un casque radio afin que je puisse écouter les commentaires de Landry et l'interrompre quand bon me semble. J'essaie de ne pas me tromper de bouton – en appuyant sur le mauvais, je rendrais audibles mes commentaires à l'ensemble de la patrouille, or il n'est pas question de gêner les militaires. La fierté du major, titulaire d'un MBA en gestion de projets d'ingéniérie à HEC Montréal, est palpable : ici, il m'indique les restes du premier camp provisoire où ses hommes ont couché pendant quelques semaines ; là, à main droite, le village abandonné de Haji Sultan Mohammad Khan[1] qui lui a fait perdre une quinzaine de jours car, avant de le traverser, il a fallu le fouiller complètement (de nombreuses caches d'armes et de composants IED y furent trouvées) ; à main gauche, le village de Garaj que Landry avait décidé de contourner pour ne pas se retrouver dans la même situation, etc.

À partir du kilomètre 8, le dégagement initial de quelques mètres de part et d'autre de la voie laisse place à un ruban de huit mètres de large avec voie d'accès dans le cas où aucune bâtisse ne borde la route, ce qui est rare. Ce compromis final n'a pas été facile à obtenir : « Mon combat de tous les instants a été de ramener mes interlocuteurs de

---

1. La plupart des villages afghans sont nommés en l'honneur d'un *mullah* ou d'un *malek*.

KAF à la réalité, raconte Landry. Leurs impératifs de sécurité faisaient peut-être sens au niveau théorique, mais moi j'étais dans le concret. Tout a changé quand j'ai fait venir le général sur la route[1]. On a d'abord ramené le dégagement de vingt-cinq à dix mètres, puis à plus rien cinq kilomètres plus loin ! » D'autant que le lieutenant-colonel Saint-Louis, qui a visité le chantier à de nombreuses reprises, a pu constater, fin janvier 2011, qu'il ne servirait à rien de démolir des constructions rebâties sitôt après le départ des forces armées.

Ici, c'est le lieu du « quadruple assassinat ». Je demande des explications. Visiblement, l'épisode a choqué Landry et ses hommes qui en ont pourtant vu d'autres. Le 20 février 2011, deux voitures de contracteurs chargés de vidanger les toilettes chimiques des Canadiens ont été arrêtées par des gens qui demandaient de l'aide. C'était une embuscade. Des hommes ont jailli de derrière un mur et ont « poivré » les deux véhicules[2]. Le 10 mars, presque au même endroit, un conducteur de camion de gravier se fait tirer dessus, perd le contrôle de son véhicule et verse dans le fossé. Les taliban s'approchent du camion et le tuent à bout portant. « Ces types essayaient de gagner leur vie honnête-

---

1. Le 15 décembre 2010, le général Dean Milner s'est rendu sur le chantier de la route Hyena.
2. Un mort et deux blessés furent évacués vers l'accès à la route.

ment en travaillant pour nous et pour le bien de tous les habitants de la Corne[1] qui, grâce à cette route, vont voir leur vie changer – et ils sont morts ! Après cette histoire, plus personne ne voulait travailler avec nous, j'ai dû escorter les volontaires avec mes chars. Là, les villageois ont compris qu'on s'occupait vraiment d'eux, qu'on les estimait. »

Ces meurtres ont fait prendre conscience au major Landry à quel point les insurgés étaient prêts à commettre le pire pour leur cause. Le Canadien s'étonne : « Les taliban sont censés poursuivre le même but que nous : obtenir l'aval de la population. Comment pensent-ils gagner les esprits et les cœurs des habitants en les massacrant ? »

Et si, justement, le but n'était pas du tout le même, côté coalisés et côté Afghans ? Les taliban n'estiment pas avoir à convaincre : ils sont une émanation de la population, pas un élément extérieur !

L'hiver dernier, pendant les premiers mois du chantier routier, des fermiers protestèrent : ils avaient perdu du terrain ou n'étaient pas satisfaits que leurs champs aient été esquintés par les militaires. Dans tous les cas ils ont été dédommagés et le major Landry s'est peu à peu davantage appuyé sur l'Armée nationale afghane. Pour expliquer les

---

1. Corne de Panjway, délimitée par le lit de la rivière Arghandab.

choix difficiles, l'officier canadien s'est reposé sur un commandant adjoint pachtoune. Au fil des *shouras*, il a constaté que les fermiers préféraient qu'on détruise leur maison plutôt que leur champ. Le résultat varie selon le village : à Mushan, par exemple, au cœur de la Corne, pour prouver aux militaires qu'ils acceptaient le tracé de la route, les commerçants du bazar ont eux-même détruit leurs boutiques. En revanche, si la construction de la route a causé du grabuge sur un terrain privé mais qu'un IED a été découvert en cours de travaux, il est exclu de dédommager le propriétaire. Cette façon de procéder a été exposée dès le départ lors de *shouras* d'explication par Landry flanqué de l'avocate canadienne et du partenaire afghan.

« Convaincre ! Combattre ! Construire ! Avec mon job, la devise du groupement tactique a pris toute son ampleur », commente Landry à propos de sa mission. Même si les Afghans ne disent jamais merci, c'est dans la poussière de la route qu'il s'est rendu compte combien il était facile d'énoncer de beaux principes quand on vit soi-même correctement : « Nous, on s'installe ici pour quelques mois, on brusque gentiment la population locale, mais eux, ils ont tout le temps, et c'est normal qu'ils ne sachent pas d'emblée sur quel camp s'aligner. Qu'est-ce qu'on ferait à leur place ? Après avoir rencontré tant de chefs de famille qui cultivent le pavot, tu vois les choses autrement... »

Au fur et à mesure de l'avancement de la route construite d'est en ouest, pour « repousser l'ennemi » au fond de la Corne de Panjway, le major Landry peut compter sur ses impressionnants chars d'assaut Leopard 2, « de belles bécanes allemandes et hollandaises ». On arrive sur la dernière portion, réalisée par des ingénieurs réservistes de Porto Rico[1], « de moins bonne qualité, car les gars avaient moins d'expérience » – puis plus rien ! La route s'arrête net : à gauche, une ancienne école délabrée ; à droite, l'ACP 22 de l'Ancop. Quand l'arrière du véhicule me relâche et que je pose un pied à terre, je m'enfonce de dix centimètres dans la poussière. Comme le premier homme qui a marché sur la Lune...

À trois cents mètres en face de nous, Doab, le dernier village avant la fin de la Corne. Dans les champs de pavot qui nous séparent des premières maisons de pisé, on distingue une quinzaine de têtes enturbannées au travail. Amis ? Ennemis ? Nul ne saurait le dire, mais aucun des militaires qui m'entourent ne prendrait le risque de s'aventurer dans le sentier qui serpente le long de la ligne d'irrigation jusqu'au village. « On nous tirerait dessus, c'est sûr et certain ! », prévient Landry. Quatre ou cinq enfants s'aventurent vers nous ; on échange quelques sourires. Le capitaine Joshua

---

1. L'ensemble de la route a été réalisé par des ingénieurs militaires américains sous commandement canadien ainsi que par des ouvriers afghans.

Robbins connaît par cœur ce petit jeu de la marmaille qui vient se coller aux nouveaux venus avant de détaler. « Ils vont raconter combien nous sommes et avec quel genre d'équipement... », explique-t-il dans un français au charmant accent américain. Mais Robbins sait aussi comment les contrer, par exemple en morcelant les patrouilles.

C'est aux cris maladroits de « Taliban, rendez-vous ! » que, quelques jours plus tôt, des équipes de « psy-ops[1] » armées de porte-voix avaient pénétré dans Doab, amenées jusque-là par les six blindés de Landry déployés en ligne pour une opération-surprise le long du lit de la rivière à sec. « Près de deux cents personnes ont littéralement détalé comme des lapins à notre vue, raconte, amusé, le major. Quant aux villageois, ils nous ont tous dit : "Votre route, on n'en veut pas" — ce que je n'avais jamais entendu auparavant — et : "On n'a jamais vu de taliban !" — ce qui nous a bien fait rire... »

Dans son journal de guerre, Pascal Croteau[2], 38 ans, capitaine de l'escadron de chars, précise : « La région de Doab est à l'image de ce qu'était

---

1. Éléments d'opérations psychologiques.

2. Pascal Croteau s'est engagé comme réserviste (à temps partiel) en 1991 en tant que simple soldat dans les blindés. En parallèle, il a poursuivi des études de science politique et d'administration publique. Après avoir passé presque cinq ans à former les populations inuites dans le Grand Nord canadien, il a obtenu son brevet d'officier et a rejoint en 2003 l'armée régulière comme officier de blindés. Pour une meilleure compréhension, nous avons revu çà et là le style de son journal.

la région de Panjway en 2007 lors de mon premier séjour. Peu de présence des forces de la coalition, et beaucoup de liberté d'action pour les insurgés. Les forces spéciales américaines dans ce secteur tentent de frapper les têtes dirigeantes de la rébellion. Souvent elles tombent dans des embuscades et nous appellent en renfort afin de repousser les assaillants ou de les aider, elles, à se replier... Les taliban sont d'excellents guerriers qui savent risquer beaucoup pour trouver nos points faibles. Habituellement, ils effectuent les mêmes manœuvres à quatre ou cinq reprises, et si ça marche, ils poussent plus avant et tentent de percer notre plan de défense. Ce soir-là, ils ont compris que le duo Coyote et Leopard 2 ne se laissait pas trop impressionner par leurs attaques. [...] Les taliban planquent leurs armes à proximité de l'endroit de leurs embuscades, évitant ainsi de marcher armés à découvert. Ils se déplacent, l'air de rien, avec une pelle, et une fois sur la position, ils sortent leurs armes et attaquent, puis ils recachent leurs armes et s'en retournent comme si de rien n'était. En trouvant leurs caches, on leur complique la vie.

« Pour éviter une approche par le sentier qui longe le canal, trop prévisible, Robbins, le capitaine de paras, décide de couper en deux sa patrouille. Une section s'approchera du site par le nord, tandis que l'autre section et le PC se déplaceront en contournant le sentier par le sud. Ils feront un large détour afin de ne pas alerter les *spotters*[1] ennemis. Les deux groupes partent donc très tôt, chacun de son côté, puisque la patrouille doit être terminée avant les grosses chaleurs de l'après-midi.

« Après une bonne heure, 41C, qui est au nord, entre en contact et débute un échange de tirs. Le PC 41 est à 300 mètres au sud de la position ennemie et tente de se rapprocher pour obtenir une meilleure observation et entrer à son tour en contact. En avançant vers le nord à travers les *compounds* (vastes propriétés) et les murs, ils tombent sur un individu qui se tient de dos, juché sur le toit d'une maison, et qui regarde vers le nord. Surpris par nos fantassins qui sont à 60 mètres, il s'empare d'une arme et tire une rafale d'AK-47 sur la patrouille. Heureusement, il rate son tir. Par réflexe, toutes les armes personnelles se pointent sur l'insurgé ; la réplique est intense. L'escadron dépêche sur la route 31B qui se met en position de tir. 41C lui désigne la cible avec un fumigène, et 31B tire sur la cabane où l'on fait sécher des raisins... Pendant ce temps, PC 41 tente de manœuvrer vers le *spotter* ennemi, et lorsqu'il arrive sur les lieux, il ne voit qu'une famille terrifiée cachée à l'intérieur de la maison. Les insurgés utilisent comme boucliers humains les maisons

1. EWS : *Early Warning System.*

remplies de femmes et d'enfants, ils savent que cela va nous empêcher de tirer, ou du moins limiter nos actions. Le taleb a disparu, on ne trouve sur place que des douilles et un peu de sang. Au moins il aura été touché. On discute avec les locaux pour tenter d'obtenir de l'information, mais les gens ne sont pas bavards. »

Le 1er mai est la date d'une opération d'envergure sur la route. Voici ce que Pascal Croteau en révèle dans son journal : « Lors d'une des opérations les plus importantes par les effectifs et le nombre de véhicules engagés depuis le début de notre mission, nous avions pour objectif de nettoyer plusieurs séries de *compounds*, à l'ouest de la route. Nous avions mis en place un cordon de reconnaissance qui a veillé pendant plus de vingt-quatre heures à relever les allées et venues de la population, et à tenter de détecter toute activité suspecte. Souvent les insurgés installent leurs bombes artisanales à la sauvette en utilisant des motos ou en se faisant passer pour des fermiers. La saison de la récolte du pavot battant son plein, il y avait énormément de gens dans les champs et beaucoup d'activité à partir de l'heure du souper. Le jour, il fait dans les 40-45 degrés Celsius, il ne règne pas grande activité durant les heures les plus chaudes. La reconnaissance étant en place, le major Landry m'a donné l'ordre d'aller prendre ma position de tir dans le lit de la rivière, au nord des objectifs. J'y vais avec le char de 32A, un VBL de 41B [infanterie], et le VBL du OOA [contrôleur du tir d'artillerie, officier d'observation avancée]. Lors de notre déplacement, le cordon fait état d'un certain mouvement sur l'un des objectifs : un individu fonce à toute allure sur une moto. Souvent les taliban, qui ont des *spotters* [guetteurs] un peu partout, s'appellent et tentent d'anticiper nos actions. À chaque fois que les chars bougent, ils réagissent. Ce matin-là, la reconnaissance repère donc une moto suffisamment suspecte pour qu'elle reçoive des coups de semonce. La moto s'enfuit vers l'ouest. J'arrive sur ma position avec mon équipe et met en place mes éléments.

« Satisfait, T39 donne l'ordre d'aller vers Taliban Bazaar avec la police afghane, l'armée afghane, des chars, des sapeurs et de l'infanterie. Tout ce beau monde avance posément afin de détecter les bombes qui pourraient être enfouies. Un seul faux pas, une mauvaise manœuvre, et c'est l'explosion. Leur avance est perpendiculaire à notre position, ce qui maximise ainsi la couverture par nos chars. Alors que la force d'assaut du major Landry progresse, un de mes chars repère un individu, à 700 mètres plus à l'ouest, qui nous observe. Je pointe le canon de mon char sur cette personne dont le comportement est définitivement, bizarre. On l'observe qui nous regarde. Elle se tourne et parle à une autre personne planquée derrière un mur. Les deux individus se trouvent à environ 200 mètres de l'endroit où la reconnaissance a perdu de vue la moto. L'individu continue à faire des signes, ce qui me confirme de plus en plus qu'il est un *spotter* insurgé qui décrit nos manœuvres et donne des indications à au moins un autre taleb, lequel, lui, doit communiquer par Motorola avec son chef. Nos règles d'engagement nous permettent de circonvenir ce type et c'est pourquoi, certain qu'il n'agit pas en tant que simple curieux, je donne mon ordre radio pour l'engagement. Je couche en joue l'insurgé tandis que 32A vise à 2 mètres à côté de lui pour frapper l'autre taleb. Je donne l'ordre de tir à 32A et à mon propre tireur par radio, puis c'est la déflagration. Une fois la poussière retombée, on ne voit plus que deux trous dans le mur.

« La journée a été extrêmement chaude pour les équipages dont les systèmes de refroidissement ne fonctionnent quasiment plus. Pendant plus de quatorze heures, l'équipe de combat a nettoyé le secteur et trouvé plus de sept IEDs, ainsi que quatre caches d'armes et de composants pour fabriquer des bombes. Un de nos véhicules a fait détoner un IED, ce qui n'a causé que des dommages matériel. Un gros job pour nos sapeurs qui ont déminé plus de 2 kilomètres et sont restés plus de quatorze heures sur la route dans une horrible fournaise. »

La route des Canadiens finira-t-elle par entrer dans Doab ? « Moi, je crois qu'il faudrait d'abord marquer une pause, ensuite combattre si on a quelqu'un en face, et puis reprendre le chantier, raisonne le major Landry. On verra bien ce que feront les collègues américains ! » C'est vrai, la route n'est plus un problème canadien.

Au retour, nous nous arrêtons devant des bâtisses en pisé dont on n'a pas l'impression qu'elles puissent être habitées, vu leur état. Pourtant, c'est là, Landry en est sûr, que réside Abdul Zahir, un instituteur de village à la retraite, un des rares civils afghans à qui il a eu loisir de parler. Accompagné de l'interprète, Landry frappe à la porte, Nous attendons quelques minutes sous le soleil cruel de la mi-journée. Un homme mince au visage émacié nous indique d'un ample geste sa *mehmân-khâna*[1] : quatre murs de terre et un toit, un sol de terre battue qu'il n'a pas même recouvert de tapis. « Je n'ai vraiment pas les moyens », s'excuse le villageois, manifestement transi de peur quand le caporal Étienne Leprohon, photographe aux armées, qui nous escorte, commence à prendre des clichés. « Nous avons toujours conversé dans la rue, sur le pas de sa porte, c'est la première fois qu'il m'invite dans ses murs », ajoute Landry, mi-amusé, mi-étonné. Bien sûr, c'est à cause de moi.

---

1. Maison d'hôtes ou chambre d'hôtes séparées de la maisonnée.

L'homme dont l'hospitalité envers les militaires ne peut passer inaperçue (la colonne de chars a stoppé devant chez lui) ne peut, par surcroît, envisager d'être vu en compagnie d'une femme en uniforme. En quelque sorte, il nous « cache » le temps de la conversation.

Il y a environ cinq ans, Abdul Zahir a reçu à plusieurs reprises une lettre déposée de nuit par les taliban le menaçant parce que en l'absence d'école il continuait à éduquer les enfants du voisinage sous son toit. Aujourd'hui, même ses fils aînés travaillent aux champs, car il n'a pas les moyens de les envoyer à l'université. Non, il ne sait pas qui viendra remplacer « les Canadiens, qui sont si bons ». Je lui annonce que ce seront les Américains. « On sait qu'ils ont les moyens de nous sécuriser ; le problème, c'est qu'on ignore s'ils le veulent vraiment... » Non, il ne sait pas où sont les taliban, ni s'il y en a dans le village de Doab où il prétend n'avoir jamais mis les pieds. En présence du major Landry, l'homme me vante les Canadiens tout comme il me vanterait le gouvernement afghan si je me trouvais avec l'un de ses représentants. C'est le comportement typique de celui qui veut continuer à obtenir de petites choses de ses « amis » – une pompe à chaleur, un modeste générateur, etc. – en échange de son attitude ouverte, quasi amicale, et de quelques renseignements dans un environnement particulièrement hostile. Il ne peut en aller différemment : cet homme a peur ; peur des représailles des taliban, peur qu'on lui reprenne ce qu'on lui a donné ou qu'on lui donne moins à l'avenir. Prévoyant, il souhaite garder de bonnes relations avec tout le monde. Ainsi, il se contredit en prétendant craindre les taliban, puis en affirmant ne rien savoir de ce qui se passe dans le village voisin.

Après leur longue journée de travail, une fois dans le confort et la sécurité (relatifs) du poste de commandement de la FOB, les officiers bavardent en ma présence. Ils me font part de leurs doutes sur l'efficacité de l'Afghan Local Police[1] : rien d'autre, à leurs yeux, qu'une nouvelle méthode pour « ajouter du chiffre » aux statistiques de la police nationale en armant des locaux pour défendre leurs village, alors qu'ils n'ont pas suivi la moindre formation. Pour eux, c'est même choquant, puisque cela remet en question les longues années passées justement par les militaires à les « mentorer ». Dubitatif, Pruneau n'a pas poussé ce projet dans son secteur. La crainte de la population locale, le sentiment pro-taliban encore fréquent dans la Corne, les armes pas encore vraiment dis-

---

1. La police locale afghane. À l'été 2010, pour pallier l'absence de policiers, le programme ALP a été validé par le président Hamid Karzai. Ces structures sont placées sous la responsabilité du ministère de l'Intérieur afghan.

ponibles pour être distribuées : autant de freins, de son point de vue, à sa mise en œuvre.

La discussion dérive assez vite sur le rôle des organisations non gouvernementales et leurs cohortes d'« experts » et « spécialistes » en tout genre qui conseillent tel ou tel ministère du gouvernement afghan. Autant d'individus envoyés trop tard, et qui, à l'évidence, se révèlent incompétents, raillent les militaires. Trop facile de critiquer l'armée à tout bout de champ, s'insurgent ces officiers, mécontents de ce que les médias écrivent la plupart du temps sur eux, ainsi de leurs relations avec cette pléiade d'acteurs bien-pensants qui rapportent tout à eux-mêmes. « On nous accuse d'avoir un agenda ! Certes oui, on est des militaires, donc on sécurise par priorité la zone, mais, ensuite, notre but est de rentrer le plus vite possible chez nous, parce que notre déploiement ici coûte cher à notre pays ! » déclare l'un d'eux. À ceux qui affirment que les militaires n'ont rien à faire en Afghanistan (ni sur d'autres terrains), le major Pruneau rétorque, blessé, que ce n'est pas vraiment à cause des seuls militaires que les résultats se font attendre : « Nous, en tout cas, on n'a pas honte de ce qu'on fait, et au moins le travail est fait. »

J'essaie d'avoir une conversation en tête à tête avec le major pour lui demander des précisions sur tout ce que je vis du côté militaire, et mieux percer sa personnalité. C'est un homme bon, perfectionniste, attentif à ses hommes (et reconnu comme tel), mais extrêmement pudique et qui n'affiche pas ses motivations profondes. Pruneau rechigne à parler de lui, mais j'apprendrai que son défunt père, son héros, a trimé toute sa vie sur la mine Jeffrey, le plus grand site mondial d'extraction d'amiante à ciel ouvert, à Asbestos, au Québec. Il travaillait comme mécanicien pour la compagnie Johns-Manville, toujours propriétaire du site. Quant à sa mère, Danièle Lefebvre, elle était couturière. Le major est le dernier d'une famille de quatre enfants. Ses trois sœurs sont restées dans la région : Geneviève est technicienne d'administration à l'université de Sherbrooke, Caroline est agent de bureau à la commission scolaire de la même région et Sonia est enseignante dans le secondaire. Engagé à 17 ans parce qu'il n'aimait guère l'école, le jeune homme a rapidement été aiguillé vers la formation d'officier et est aujourd'hui titulaire d'un baccalauréat en histoire du Collège militaire royal du Canada. Puis il a grimpé les échelons de la hiérarchie. C'est ce second séjour en Afghanistan qui semble avoir le plus fait mûrir le jeune officier : pour commander deux cents hommes, il faut avoir la tête sur les épaules, une certaine souplesse, et des principes.

C'est de ces principes qu'aime à m'entretenir le major : « Avant le déploiement, mes espérances étaient hautes, c'est sûr [il ne dira pas "un peu trop hautes"]. Atteignables ? Oui, sûrement, mais avec un peu de temps... Je voudrais que l'absence de menaces au bazar soit certaine. Tu as vu, aujourd'hui ? » Sans le dire, il reconnaît que c'est dur. « Mon point d'interrogation permanent, c'est la population locale, pour qui elle roule. Demain un IED peut sauter au bazar, et tout est foutu ! Ou un attentat-suicide faire des victimes... C'est ma hantise. Alors que si la population n'a pas peur, ce genre d'attentat est impossible à perpétrer... »

Pour me convaincre des succès remportés dans « son » espace de bataille, Pruneau raconte l'histoire de Haji Obaidullah, un local qui, selon lui, a accepté de se ranger du côté des militaires :

« Lors de notre arrivée à Nejat, les gars ont noué paisiblement des relations avec tout le monde, sur le terrain. Haji Obaidullah était l'un de ceux qui n'hésitaient pas à venir nous voir. Au début, il venait souvent affirmer qu'Untel ou Untel qui avait été fait prisonnier était un bon gars. Au fil du temps, il s'est mis à nous fournir de l'info : rien de bien précis, mais tout de même... Lors d'une fouille, nous avons trouvé énormément de munitions insurgées enterrées dans son champ. Nous ne l'avons plus revu de toute une semaine, jusqu'à ce que j'en parle à Haji Mahmud, *malek* et contracteur important de Bazar. Ce dernier m'a indiqué qu'Obaidullah ne venait pas nous voir par crainte d'être coffré. J'ai donc confié au *malek* que ce n'était pas dans nos intentions, mais qu'il devrait tout de même venir s'expliquer. Deux jours plus tard, il nous a raconté que oui, il avait soutenu les insurgés, l'an passé, mais uniquement pour garder les gens de son village en sécurité. À regret il achetait la paix des taliban par ce biais. Nous lui avons demandé pourquoi nous devrions le croire, maintenant qu'il avait changé son fusil d'épaule. Il nous a livré sa version des faits : pour lui, le gouvernement et l'Isaf sont là pour de bonnes raisons, alors que les taliban n'apportent que du mal. Nous l'avons donc laissé libre en espérant qu'il continue à venir nous voir. Ce qu'il a fait. Un jour, il est venu se plaindre qu'il avait été conduit de force à une *shoura* talibane où on lui avait fait jurer de cesser de nous parler, autrement il serait tué. Désormais, nous échangeons de l'information uniquement quand nous faisons semblant de le fouiller.

« Voilà qui en dit long, souligne le major. Bien que la menace talibane existe encore, le vent tourne peu à peu. Et si la prétendue saison des combats demeure calme pour le moment, imagine ce qu'il sera possible de faire en septembre ! Bon, d'accord, ça ne sera plus nous, mais je souhaite de tout cœur que les Américains se montrent à la hauteur... »

L'Afghanistan fourmille d'individus qui se trouvent dans la situation de Haji Obaidullah. Peut-on pour autant les considérer comme acquis à la cause défendue par les Occidentaux ? Hors de portée de la nuisance talibane ? Je n'en suis pas sûre, et c'est sur ce point que mon avis diverge de celui de Frédéric Pruneau. Je suis bien moins optimiste que lui, peu enclin à voir la situation autrement qu'« avec des lunettes roses ». Les seuls moments où je ne l'ai pas senti à l'aise sont ceux où j'ai essayé de lui faire reconnaître qu'en dehors de « son » district la situation était plus complexe, et la présence de militaires de la Coalition pas forcément efficace ni bienvenue. « Je ne sais rien de plus que ce que les médias en disent… » Pruneau semble en fait peu intéressé de savoir ce que les autres ont réalisé ailleurs – « peut-être parce que je préfère rester dans ma bulle, où ça fonctionne, reconnaît-il. Je suis déçu quand ça tire de l'autre côté… ». Les « succès » des forces canadiennes font ainsi écho aux « insuccès » des autres que le major, et je peux le comprendre, se refuse à critiquer…

Notre conversation s'étire. Je souhaiterais que Frédéric Pruneau me livre son opinion sur les fameuses « règles d'engagement », corpus de lois classées « secret défense » qui régissent les droits des militaires en matière d'ouverture du feu. Ces règles sont modifiées à chaque conflit, voire en fonction du déroulement d'un conflit[1]. Pour ce qui est de l'Afghanistan, la mise en pratique de la COIN les a rendues de plus en plus restrictives dans le but de minimiser les pertes civiles. Pour les officiers, un des défis majeurs des nouvelles guerres est de faire accepter à l'ensemble de leurs subordonnés ces fameuses règles qui débouchent parfois (souvent, même) sur une certaine frustration. Nombreux sont les cas où des *ins'* (insurgés) ont été ratés, « laissés vivants », parce que toutes les conditions n'étaient pas réunies, selon la lettre des règles d'engagement et selon les avocats militaires assis aux côtés des officiers, à KAF, derrière les écrans d'ordinateur, pour le *go* du tir d'artillerie ou aérien. De nombreux militaires qui n'en sont pas à leur premier « tour » comparent avec une rotation précédente, quand il était par exemple encore possible d'« engager » (viser pour tuer) ceux qui venaient récupérer les corps tombés à terre. « C'était possible en 2007-2008, me dit l'un d'eux, mais plus aujourd'hui. J'approuve à 100 %, même si on aimerait parfois les frapper, puisqu'on se dit que ce sont probablement eux aussi des taliban... »

---

1. Pour une définition claire de ces règles, lire William Langewiesche, *La Conduite de la guerre*, Allia, 2008, p. 51 et suiv. L'ensemble du livre, qui traite de la guerre en Irak, est édifiant.

Comme ses collègues officiers d'infanterie, le major Pruneau a tous les droits en matière d'armes à tir direct (quand on voit la cible dans sa mire et qu'on tire) ; en revanche, il n'a pas autorité de dire feu pour ce qui est de l'artillerie et des avions de chasse. Seuls le général, le lieutenant-colonel Saint-Louis ou son adjoint sont habilités à le faire. Mais ce qui préoccupe à juste titre le major, c'est le « passage de témoin » avec les Américains : il voudrait être sûr que ces derniers partagent les mêmes règles qu'eux, ou, à tout le moins, que les différences entre les règles des deux pays soient bien nettes. En effet, sa hantise serait que « dans une patrouille conjointe ANA et américaine un événement fâcheux ne survienne, et que, par suite du flou sur les règles d'engagement, nul ne tire, par crainte de se tromper. Si personne ne tire à cause du flou et que ça entraîne des blessés, alors que ç'aurait été licite, je m'en voudrais longtemps, déclare le major. Ici, pas de place pour l'incertitude ! ». Et même si, après vérification, les règles américaines sont peu ou prou les mêmes que les canadiennes – la suite logique dans l'escalade de la force étant identique –, chaque soldat et commandant peut interpréter une menace de façon différente. Donc les moyens d'engager cette menace restent différents.

Durant cette dernière mission de combat en Afghanistan, les hommes de Pruneau n'ont vécu

« que » quatre TIC[1] (« contacts avec l'ennemi »), dont trois n'étaient pas vraiment, aux dires des militaires, de sérieux engagements, plutôt des *shoot and scoot* (« tu tires et tu te tires ») en jargon militaire. Ils ont découvert environ 40 caches d'armes et 40 IEDs, et fait une vingtaine de prisonniers qui tous ont été transférés par hélicoptère sur KAF. Souvent, l'ennemi tire plus ou moins efficacement et se sauve avant même que les troupes occidentales aient eu le temps de déterminer la provenance des coups de feu. Dans ce cas, les patrouilles ont le droit d'« engager » l'ennemi, mais elles ne le font pas puisqu'elles ne l'ont même pas vu !

Début juin 2011, pourtant, dans la Corne de Panjway, les Canadiens rencontrent enfin des « ennemis qui en veulent ». Voici le déroulé d'une de ces actions tel que relaté par un participant au TIC :

« Des contracteurs locaux se faisaient canarder, il a fallu envoyer une patrouille pour les aider. Les quatre ou cinq insurgés sont demeurés planqués dans les vignes et ont continué à tirer. On a amené une autre section pour les "fixer" [les empêcher de se sauver]. Après une meilleure définition de la disposition de l'ennemi, on a remarqué deux observateurs en deux endroits différents. Le capitaine a donné l'ordre de tirer. Ces derniers sont

---

1. *Troops in Contact.*

tombés, mais il restait toujours les deux-trois ennemis planqués dans le vignoble. Après confirmation
qu'aucun civil n'était présent, toutes leurs coordonnées ont été envoyées au poste de commandement du GT pour une demande d'artillerie.
L'adjoint au commandant a donné le feu vert aux
canons, et la mission de tir a été exécutée. Plus
d'ennemi… La section est allée investiguer le site.
Il ne restait plus que des sandales et une gourde…
Des enfants se sont alors approchés et ont confirmé
que les insurgés, gravement blessés, étaient des
"méchants du Pakistan"… »

En une autre occasion, l'artillerie était prête à
tirer, mais un jeune lieutenant n'en a pas fait la
demande par radio au commandement et personne
n'a autorisé le tir. Bien que cela ait plutôt été une
erreur de commandement du sous-officier et n'ait
rien eu à voir avec les règles d'engagement, les
soldats n'en ont eu pas moins l'impression que
l'artillerie n'avait pu être engagée à cause de règles
trop strictes.

Le major Pruneau carbure à la logique et à
l'explication : il se montre tout aussi attentif et
patient avec ses hommes qu'il l'a été avec moi.
Mettre en œuvre la COIN du mieux possible,
« créer un petit système économique qui tourne
rond, montrer que quand on apporte juste un tout
petit peu plus que les taliban, ça marche » : telles
ont été ses obsessions pendant ces mois afghans.

Pourtant, l'officier est conscient que la « bulle » canadienne n'a pas été la même partout : « En tant que militaire, je suis fier de ce que j'ai fait ici… En tant qu'homme, je suis un peu gêné, parce qu'il n'y a pas eu de vraie volonté de mettre un terme à toute cette misère… » Tout en rechignant à le dire, Pruneau est bien conscient de rentrer au pays sans que rien ne soit réglé. « Alors que c'est réglable… », s'empresse-t-il d'ajouter. C'est tout ce que je réussirai à lui arracher.

Le capitaine Jay Mineault, 26 ans, ingénieur de l'escadron de génie de construction, m'a invitée à l'accompagner au village de Haji Guloun Baba, trois cents habitants, où il a rendez-vous avec le *malek* et le représentant de l'entreprise de construction locale. Sécurité oblige, il ne peut s'y rendre seul. Trois blindés sont du voyage, et nos accompagnateurs, qui ne connaissent pas le terrain aussi bien que Mineault et moi, sont on ne peut plus nerveux. Avant de descendre du véhicule, le chef de patrouille veut savoir combien de temps le capitaine compte rester « dehors », pour aller où, dans quelle direction, et sur combien de mètres. La « médic » me demande mon groupe sanguin « pour être sûre »… C'est que, ce matin, de l'autre côté de la rivière Arghandab, des explosions ont été entendues, ainsi que deux TIC. Par-dessus nos pantalons et chemises à manches longues, nous avons revêtu de lourds gilets pare-balles en céramique, avec collet et épaulières de protection, un casque en kevlar à la mentonnière dûment attachée, et des lunettes antibalistiques. Les militaires ajoutent à ce pesant harnachement leurs armes lourdes, quantités de munitions et des gants antifeu que j'ose ôter pour prendre des notes.

À l'entrée du village situé tout au plus à cinq kilomètres de la FOB de Masum Ghar, cinq hommes en *shalwar kamez*, chemise et pantalon large de fin coton, nous attendent en silence, mains derrière le dos, ménageant leurs mouvements (il fait près de 40 degrés à l'ombre) : il s'agit du *malek* et de son adjoint, de l'entrepreneur, lui aussi accompagné, et d'un villageois.

Très à l'aise, Mineault pose des questions sur la largeur de la tranchée, sa longueur ; il oblige ses interlocuteurs à se mettre d'accord et exige des détails.

« À propos, vous vous êtes parlé tous les deux, pour l'excavatrice ?

– Non, répondent-ils en chœur.

– Bon, alors ça coûterait combien ?

– 10 000 dollars [pour huit heures de travail par jour pendant environ trente jours], répond sans hésiter Khan Mahmad, le *malek*.

– Bon, allez, 12 000 pour vous, mais vous lui en reversez 10 000 ! » fait Mineault en se tournant vers Faiz Mohammed, l'entrepreneur.

Silence. L'entrepreneur se tait, mais il avait obtenu bien moins de Mineault lors d'un précédent projet et pour le même usage[1].

On marche en file indienne le long du canal d'irrigation à retaper. Mineault et moi sommes en quatrième position, derrière les démineurs qui nous ralentissent. L'équipe de locaux évolue à notre hauteur, manifestement agacée par les précautions des militaires. Au fur et à mesure que nous pénétrons dans le village, un nombre croissant d'enfants nous escortent, excités par ce mini-événement qui rompt la torpeur de l'après-midi. Généralement, tant qu'il y a des enfants, il n'y a aucun danger : c'est quand ils s'évaporent qu'ils faut s'attendre au pire.

« Vous pouvez marcher ici et passer par là, il n'y a vraiment rien à craindre ! » lance le *malek* qui a visiblement l'intention de mener rondement l'affaire avant de retourner chez lui faire sa sieste. Mais non, Mineault doit suivre sa patrouille qui lambine. Par inattention, je trébuche et manque de glisser dans l'eau stagnante. Un jeune homme frêle à la barbe longue mais peu fournie me rattrape. À cette occasion, il prononce quelques mots en anglais. Je m'en étonne et lui demande qui il

---

1. Quelques jours plus tard, Mineault s'en rend compte et téléphone au *malek* pour lui dire qu'il préférerait utiliser l'excavatrice du contracteur qui lui coûterait moins cher. Le *malek*, juge Mineault, n'a paru « ni vexé ni en colère », il a obtempéré.

est. « Arif, l'ingénieur du projet. » En présence de son chef, il ne soufflera pas un mot de plus, mais griffonnera à ma demande son numéro de téléphone portable sur mon calepin. Je promets de l'appeler dès que je serai « en ville ».

Mûriers touffus et saules au riche feuillage offrent une ombre bienvenue tout au long du canal. Mais, pour construire deux murs de pierre le long de chaque berge, ainsi que le souhaitent les villageois par la voix de leur *malek*, il faudra en arracher un bon nombre, note Mineault.

« Parfaitement, et vous devrez dédommager ce pauvre homme à qui ils appartiennent, déclare le *malek* en désignant un nouveau venu qui prend un air contrit.

– D'accord, réfléchissez-y et donnez-moi un prix, répond, toujours souriant, le capitaine canadien qui a appris à ne dire jamais non, pour ne froisser personne, mais n'en pense pas moins et consigne tout dans son petit carnet.

– 100 000 afghanis ! » annoncent-ils au terme d'un bref conciliabule, ayant soi-disant tenu compte du manque à gagner de la vente des fruits.

Imperturbable, Mineault continue à noter et demande si, au lieu d'espèces sonnantes et trébuchantes, l'homme accepterait de recevoir des moutons, par exemple. Dans ce cas, combien en voudrait-il ?

« Le maximum possible… »

La réponse venue du fond du cœur a fusé.

Mineault reste stoïque. Il rendra compte à sa chaîne de commandement, et on verra[1].

On continue d'avancer, un caporal se chargeant de l'arpentage. À ma gauche, le canal ; à ma droite, des champs de pavots à perte de vue. En marchant au milieu de ces plantes aux longues et robustes tiges caoutchouteuses – « le poison qui tue l'Europe à petit feu » comme on dit par ici –, je ne peux m'empêcher d'éprouver un vague sentiment d'illégalité.

Notre « promenade » terminée, derniers échanges devant les blindés :

Mineault au *malek* : « Bon, il faudrait que vous me trouviez des ouvriers maintenant ! Combien peux-tu en avoir en plus ?

– Autant que vous voudrez ! cent, deux cents : vous choisissez !

– OK pour cent, mais on commence dans trois jours ! »

Chacun repart de son côté, harassé par la chaleur. Mission accomplie, Mineault est ravi. Aussi important qu'aider la communauté à se développer, un autre objectif est atteint : faire travailler le maximum de locaux, c'est la consigne qu'il a reçue du major Frédéric Pruneau. Selon la COIN, un

---

1. Il s'avère que Mineault n'a rien à payer à cet homme, l'armée ne dédommageant que quand elle est à la source du dommage. Ici, ce sont les villageois qui sont à l'initiative des travaux.

autochtone employé dans un projet local quel qu'il soit aura moins le temps (et la volonté, espère-t-on) de s'adonner à des activités de résistance, voire de terrorisme. Grâce aux efforts de Mineault, précisément émargent 1 320 individus chez les fournisseurs d'emplois canadiens. « Moins les taliban comptent de travailleurs dans leurs champs, plus ça arrange nos affaires, car en influant sur le cycle de l'opium – et c'est ce qu'on fait en leur ôtant de la main-d'œuvre –, on les atteint directement au portefeuille ! » analyse finement le major.

Le nombre de « projets » dans chaque district fournit un indice de stabilité ; ce serait même « une véritable interface entre l'"espace de bataille" et les locaux », affirment les militaires. « C'est un message puissant, mais, avant tout, ça donne quelque chose à protéger aux villageois, et donc, forcément, ça leur enlève l'envie de combattre », escompte le major Barbara Honig, supérieure directe de Jay Mineault, dont je fais la connaissance une fois revenue à KAF. Ce type d'activité aux frontières du militaire et de l'humanitaire est mis en œuvre par le Canada depuis seulement 2008 et pour la première fois sur ce genre de « théâtre », avoue-t-elle. Le devis du projet Mineault s'est élevé à 395 000 dollars canadiens[1], le maximum légal.

---

1. 278 620 euros.

Avant de « remonter » jusqu'au militaire qui joue en quelque sorte le rôle d'« inspecteur » des travaux, une pétition est lancée à l'instigation des Canadiens, mais organisée et signée par les locaux. Ainsi, estime-t-on, prendront-ils l'habitude de se tourner vers leurs autorités locales, faisant advenir une ère nouvelle de « bonne gouvernance ». Mais ne serait-ce pas un peu cher payé pour quelques murs de soutènement et des tranchées ? Les Canadiens n'ignorent pas qu'ils paient trop, « mais on paie toujours moins que les Américains », souligne Barbara Honig. Quant à Jay Mineault, le « Cap'taine Tranchée », comme l'ont baptisé ses potes, qui passe son temps sur le terrain à essayer de faire baisser les prix, il n'est pas dupe non plus : « Dès que c'est le gouvernement qui finance, tout le monde se sert ! Chez nous aussi, d'ailleurs, mais avec une bien moins grosse marge…, note-t-il en haussant les épaules. On surpaie, mais bon : c'est un peu comme le jeu de la concurrence avec les taliban… Nous, on préfère qu'ils bossent pour nous ! Ce qui fait qu'on n'est pas trop regardants… »

Cet après-midi à 14 heures, on part à bord de trois véhicules sur le COP Nejat où j'ai souhaité revenir. Le trajet dure une dizaine de minutes sur la route asphaltée, au lieu de quarante-cinq minutes au moins en décembre dernier.

Je retrouve avec joie le sergent Martin Croteau, dans une ambiance plus décontractée. Le COP offrant à ses locataires un style de vie particulièrement austère (aucun plat chaud pendant six mois, une seule douche pour quatre-vingts personnes, une climatisation plus aléatoire que sur la FOB), par une telle chaleur certains *boys* se permettent de déambuler torse nu, attitude tolérée sur cette base mais formellement prohibée à KAF.

Martin, 35 ans, revient de ses vacances au Canada. Il en a profité pour signer son engagement jusqu'en 2028, mais se donne jusqu'à 45 ans pour savoir s'il a vraiment envie de rester dans l'armée. Pour l'heure, il se demande ce qui va se passer après son départ du COP, prévu pour début juin. « Si j'étais à la place des *ins'*, je **profi**terais du *rip* pour agir. Parce que ce *rip* entre nous et les Américains, c'est toujours un temps mort, un moment de vulnérabilité, quoi… » Sur son ton ferme et saccadé de taiseux, Croteau m'amuse en se mettant constamment à la place des taliban. Il les a tellement attendus, tellement guettés, au cours de ces six mois, qu'il a fait sienne leur façon de penser. Fils de bûcheron, originaire de Trois-Rivières, sur la rive nord du Saint-Laurent, Martin n'aime rien tant que se promener seul dans les bois. En patrouille, alors que je marche à son côté, en troisième ou quatrième position derrière le soldat équipé de l'instrument de déminage, d'un caporal et de la maîtresse-chien bosniaque, il ne cesse de commenter la situation et le paysage en se glissant intelligemment dans la peau de l'ennemi : « Tu vois, si j'étais eux, je me tiendrais embusqué par là-bas [il me montre, à une centaine de mètres à peine, un muret de pisé à l'ombre d'une ligne de mûriers], bon, je tirerais sur la patrouille et m'enfuirais à mobylette. Là, ils nous feraient vraiment mal... Mais ils ne le font pas et j'comprends pas pourquoi... » Il est presque déçu.

On croise des villageois ; deux militaires se chargent de les questionner sur un certain Ayoub, un taleb potentiellement actif et dangereux. Le major veut que les gens sachent que cette personne est recherchée par les Canadiens, afin qu'elle quitte les environs, ce qui priverait les insurgés de sa connaissance en explosifs. « Chaque insurgé a un territoire attitré, et tout ce qui peut les marginaliser ou les rendre moins influents sur leurs terres nous intéresse ! » m'explique Pruneau.

Alors que nous cheminons sur la piste longeant le canal central de Haji Lalay, un incident se produit : le chien bosniaque, dont la laisse n'était pas tenue assez courte, se rue sur un enfant de 2 ans dissimulé à notre vue par l'angle droit d'un mur. Au final, il y a plus de peur que de mal : l'enfant n'a pas été mordu. Alors que les militaires se confondent en excuses et offrent l'expertise de l'auxiliaire médicale, un des hommes présents, au discours le plus revendicatif, se trouve être un des indicateurs du COP ! « S'il vous plaît, ne faites plus de patrouilles », aurait-il imploré. Sur ce territoire particulièrement hostile, où aucune action civilo-militaire n'a pu être envisagée, les Canadiens utilisent les services (rétribués) de trois indicateurs dont l'efficacité dans le secteur de Nejat semble avoir été prouvée pour ce qui est des emplacements de certains IEDs, des activités des insurgés et de l'emploi du temps de certains d'entre eux.

Alors qu'en décembre dernier Martin cognait sur la COIN, cinq mois plus tard il a l'air de s'être ravisé : « Ouais, maintenant j'en suis sûr, c'est efficace, de la façon dont on la fait, cette COIN, mais le problème, c'est que c'est pas sexy. C'est même chiant ! Quand tu penses que moi, depuis que j'suis ici, j'ai pas tiré une seule balle. Pas une ! »

Martin hausse les épaules. Ce n'est pas si grave, pour lui, de ne pas avoir tiré (il l'aurait fait si l'occasion s'en était présentée), en revanche il se pose des questions sur la nature de cette guerre : « Moi, j'suis pas ici par conviction, tu peux le dire dans ton bouquin ; j'suis ici parce que c'est mon tour, c'est tout », grommelle-t-il sur un chemin de terre alors que nous rentrons vers la COP, après trois heures de patrouille à pied à travers huit villages[1]. Cette histoire de métier « pas très excitant », à des années-lumière de l'image qu'on se fait de l'activité des militaires quand on songe aux guerres qu'ils mènent loin de chez eux au nom de nos gouvernements, est bien la clé, Pruneau en est lui aussi convaincu : « Quand ton job n'est pas sexy, c'est que t'as fait un bon travail », l'ai-je entendu dire à plusieurs reprises à la façon un peu abrupte des militaires quand ils évoquent (sans vraiment raconter) la complexité de leurs missions, de moins en moins militaires.

Croteau et moi observons l'arrivée du camion de ravitaillement en provenance de la FOB. De la nourriture, une pompe à douche, plusieurs dizaines de caisses de bouteilles d'eau minérale, dont au moins un tiers sera offert aux Afghans. « Ça m'étonnerait bien que les Ricains leur fassent cadeau de tout ce que nous, on leur donne, grince Martin. Pourtant, ils en ont pris l'habitude... »

À 18 heures, c'est la réunion de peloton dirigée, en l'absence du capitaine Jean-François Legault[2], dit « Jeff », par l'adjudant Steve Chagnon, 37 ans, qui achève son troisième tour en Afghanistan. On discute des nouveautés depuis décembre.

---

1. La « patrouille en carré » commence par Haji Habibullah, puis traverse Haji Malim Mohammed, Charkhab, Akbar, Haji Lalay, Quallawal, Haji Abdul Habid et Saidan Kelacha.

2. Nouvellement promu capitaine.

Pour tous, l'arrivée de deux pelotons du kandak 6 de l'ANA, mieux équipés et mieux entraînés, a fait la différence. « Leur posture vis-à-vis de la population est meilleure, ils se portent volontaires pour des patrouilles, sont davantage proactifs, soutiennent qu'on peut compter sur eux », affirme Chagnon, tout en préparant sa chique. « On leur a donné des leçons sur les détecteurs de métal, et ils ont trouvé eux-mêmes des IEDs », renchérit Luc Levesque, 41 ans, sergent VBL[1], fier gaillard aux avant-bras tatoués, à la boule à zéro et au sourire désarmant.

Quelques frictions se sont tout de même fait sentir au niveau du partage de l'eau, m'avouent-ils. Rien de grave, mais elles sont caractéristiques du fossé entre les deux cultures. Depuis que les militaires afghans occupent des bases conjointes avec les Occidentaux, le gouvernement de Kaboul a communiqué haut et fort sur l'existence de mosquées sur ces bases mixtes après que la propagande talibane eut accusé les soldats du cru d'être devenus des « infidèles ». Depuis, le « face-à-face » se résume souvent à « Moi je baisse ma musique [au gymnase, par exemple], si tu baisses la tienne [l'appel à la prière du *mullah*, cinq fois par jour] », précise Levesque qui en a parfois ras-le-bol de « donner, donner, toujours donner

---

1. Véhicule blindé léger.

sans rien recevoir en retour, pas même un remerciement ».

Poussant loin son désir de mixité, en début de rotation, le major avait même prévu que les Afghans et ses propres hommes fassent cuisine commune. « Même pas en rêve ! » lui ont-ils répondu. Aujourd'hui, ils en rigolent.

Inévitablement, on en vient à quasi-philosopher sur la guerre en général :

« Après toutes ces opérations, il va rester des séquelles pour des années dans nos têtes, dans les leurs... En Haïti, par exemple, je me demande à quoi ça aura servi, ce qu'on a fait...

— 70 % des IEDs qu'on trouve ici sont à déclencheur, il faut tirer sur un fil. Mais t'imagines s'ils réussissaient à les rendre indétectables ? On seraient carrément foutus...

— Ouais, mais regarde la Bosnie, la Croatie, tente d'argumenter le major qui ne se laisse jamais abattre. Là bas, ça va beaucoup mieux maintenant ! »

Dès qu'on parle politique en général ou de la situation en Afghanistan, les visages se ferment, les têtes se baissent. Les militaires préfèrent me laisser parler. Et eux de soupirer : pas facile d'admettre que ce qu'on accomplit avec soin n'est qu'une petite goutte d'eau...

En fin d'après midi, on passe du côté afghan du COP, à l'autre bout de l'école désaffectée. Dans la vaste pièce de vie du commandant afghan, des ventilateurs, des tapis, des matelas rembourrés qui courent le long des murs. Ici, ni climatisation ni lits superposés logeant tout le monde à la même enseigne. Mohammad Mir, le jeune commandant de l'ANA (24 ans), nous reçoit en remplacement de son supérieur (en vacances), accompagné du sergent-major Lyonn, 33 ans. Ancien champion de l'équipe nationale de volley-ball, Mir paraît extrêmement en forme, comme j'ai rarement eu l'occasion de voir un soldat afghan. Normal, s'esclaffent ses homologues canadiens : il est le seul à utiliser la salle de gym des Canadiens qui s'étaient plaints que trop d'Afghans s'y pressaient, parfois pour ne rien faire. À cause de l'exiguïté du local, il fallait s'organiser. « C'est tout vu, aurait rétorqué le commandant, je serai le seul à venir : comme ça, c'est réglé ! » L'interprète des militaires canadiens est un Pachtoune de Kandahar et peine parfois à comprendre ce que disent les deux officiers qui sont, eux, tadjiks.

S'engage un dialogue tout en sourires et rigolades (l'ambiance est on ne peut plus sympathique) qui laisse cependant un goût amer aux Canadiens :

« Bon, comment on fait pour demain [vendredi, jour de repos pour les Afghans] ? Quel sera le moment le plus approprié pour faire passer les messages à la population ? demande Steve Chagnon.

— Mais… euh… mes soldats n'ont pas particulièrement besoin de parler à la population », répond le sergent-major. (Malaise.)

Le commandant se rend compte de la bourde : « Non, non, c'est d'accord pour la patrouille de 14 à 17 heures : on va la faire, puisqu'on avait promis ! »

S'ensuivent deux demandes de la part des Afghans : d'abord concernant un frigo – ils n'en ont pas et ont bien vu que les Canadiens en possédaient –, puis, plus difficile à réaliser, une assistance pour leur construire un cabinet médical, ce qui paraît un peu beaucoup à Steve Chagnon et Luc Levesque, les deux représentants des 22[1].

« Parfois, ils donnent l'impression qu'on leur doit tout, alors que c'est le contraire ! Moi j'ai perdu des frères ici, c'est pas une promenade de santé, tout de même ! s'insurge Levesque. Mais, reprend-il aussitôt, pragmatique, si on n'adopte pas l'attitude ouverte de ce soir, ça ne marche pas. Et c'est pas dans notre intérêt ! »

---

1. Finalement, les Canadiens ont cédé sur le frigo, mais pas sur le cabinet médical. Cette dernière demande a été refusée parce que personne du corps médical côté afghan n'était capable de s'en servir adéquatement, qu'on manquait de place sur le COP pour accueillir un cabinet de ce genre, et que l'ANA paraissait en autosuffisance avec sa propre ambulance.

Ne se rendant pas compte qu'il a passé les bornes et pourrait être perçu par les Canadiens comme arrogant, le sergent-major afghan va même jusqu'à suggérer qu'ils construisent un mirador supplémentaire, arguant du fait que « les taliban sont bien venus se battre jusqu'à Kandahar » – sous-entendu : « ils pourraient parfaitement nous attaquer ici ».

Malgré les apparences, l'ANA ne se sent toujours pas en sécurité sur ce COP.

## 12

## FEMMES POLITIQUES PACHTOUNES

### *2008-2011*

*Shaheeda craint de ne pas savoir qui pourrait tuer les siens — Rana appartient au ministère le plus pauvre du pays — Gulalai estime que les taliban valaient mieux que les moudjahidine.*

Dans Kandahar éprouvée par l'évasion de prisonniers de juin 2008, je retrouve Shaheeda Hussein, rencontrée quatre ans plus tôt, avec laquelle je n'étais pas parvenue à garder le contact. Participante des *Loya Jirga* dès les prémices du nouveau régime (en 2002 et 2003), elle n'a pas été élue à la députation, mais n'a eu de cesse de critiquer le régime. Ancien médecin, ayant vécu une quinzaine d'années à Quetta, au Pakistan, où elle a collaboré avec diverses agences internationales présentes dans les camps de réfugiés du Baloutchistan, Shaheeda s'est en quelque sorte « recyclée » comme ardente militante des droits des femmes dans une ville réputée des plus conservatrices.

Dès mon arrivée, je n'ai d'autre solution que me rendre chez elle cachée sous mon *châdri*, essayant tant bien que mal de marcher comme une femme afghane dans le labyrinthe de ruelles en terre battue adossées au bazar central. Pour que personne ne me repère, mieux vaut que le chemin à parcourir soit relativement court.

D'abord surprise, Shaheeda me reconnaît aussitôt dès que j'ôte mon voile. Elle est heureuse de me revoir. Nous nous asseyons sur les tapis disposés à même le sol de sa chambre pour les hôtes ; un de ses fils nous apporte aussitôt du thé et des gâteaux. Alors seulement la conversation peut débuter.

D'abord Shaheeda explique son échec à l'élection législative du 18 septembre 2010 par un manque de financement et d'influence, mais aussi de références sur la scène politique à Kaboul. Parce que ses propos tranchent sur ceux des autres femmes – qui ne sont souvent que des faire-valoir des différents partis, obligés d'en faire figurer sur leurs listes, d'après la loi électorale et la Constitution, en théorie une des plus libérales au monde –, rares sont les politiciens qui ont réellement envie de collaborer avec elle.

Sa peur consécutive à l'évasion collective surmontée (« Il y avait quand même, parmi ces prisonniers, des criminels et des bandits, même si beaucoup d'autres étaient des innocents maintenus en prison par les organes de l'État dans l'attente d'hypothétiques procès »), Shaheeda n'affiche aucune surprise, « car ici tout le monde est du côté des taliban ! », et tempête face à l'incompréhension des opinions publiques occidentales : « Où est le succès des troupes armées quand un tel événement a lieu ? » Quelques mois auparavant, elle était allée dans la prison en question pour rendre visite aux treize femmes détenues et s'enquérir de leurs besoins : six étaient suspectées de complicité de meurtre, une autre était enceinte et emprisonnée parce que son mari doutait qu'il fût le père, les six dernières étaient accusées d'extorsion de fonds sous couvert de magie noire. Ces détenues furent les premières à être libérées dans une indescriptible liesse par les taliban, lui a dit le fils de l'une d'elles.

Dix jours plus tôt, raconte Shaheeda, une femme travaillant pour une ONG afghane a été assassinée en plein jour alors qu'elle traversait une place sous son *châdri*. « Et cela n'a choqué personne ! Autre exemple : je marchais dans la rue après être passée dans une librairie, quand un homme barbu d'une soixantaine d'années m'a saisie par la tête et secouée avec violence ; seul le propriétaire de la boutique où je venais d'acheter un livre a osé me venir en aide. »

Il y a quelques années, Shaheeda ne m'avait pas caché ses inclinations royalistes, fréquentes dans le Sud afghan. Mais l'absence de déclaration du roi depuis son retour[1], voire son insistance à ne pas s'exprimer sur la situation du pays jusqu'à sa mort, l'a déçue, et elle s'est peu à peu éloignée de cette mouvance.

Depuis qu'elle a remarqué que des motocyclettes parfois la suivent, Shaheeda se sent limitée dans ses mouvements « Classique : je reçois aussi des messages par textos m'accusant d'être "vendue aux États-Unis", et des menaces orales de types qui me forcent à écouter par téléphone des poèmes taliban. Si quelqu'un voulait me tuer ici chez moi, je pense qu'il n'y aurait pas l'ombre d'un policier pour me défendre ! D'ailleurs, si Karzai est incapable de se protéger à Kaboul, vous imaginez ce qu'il en est ici ! »

Dans ce contexte de violence accrue, la famille de Shaheeda (son mari et ses huit enfants) l'implore de moins s'exprimer publiquement, notamment de cesser de critiquer à la fois le gouvernement et les taliban.

Khalid, 26 ans, son fils aîné, a écouté en silence toute notre conversation. Ingénieur diplômé, il est employé d'une entreprise publique de construction. Dégoûté par la situation politique, il rêverait que les jeunes comme lui descendent

---

1. Dernier roi d'Afghanistan, Zaher Shah, déposé en 1973 et revenu dans son pays en 2002, est décédé le 23 juillet 2007 à Kaboul avec le titre de Père de la nation. Il avait exclu de se présenter à la moindre élection.

s'exprimer dans la rue, mais doute que ce soit possible, par peur des représailles.

Rana Tarim est une autre figure féminine de Kandahar. En 2009, dans son bureau, c'est une photo de Zaher Shah, non du président Karzai, qui est affichée au mur.

Ancienne directrice d'orphelinat, elle a fort à faire à la tête du directorat des femmes de la province, et bien peu de moyens pour s'acquitter de sa lourde tâche : s'imposer en tant que médiatrice dans les conflits touchant les femmes, à la fois au sein des familles et dans la sphère publique. Dans un pays comme l'Afghanistan, la question de l'aide aux femmes est cruciale, d'autant que c'est un sujet dont tout les acteurs, sur la scène politico-militaro-socialo-humanitaire, ont compris qu'il pouvait susciter une générosité accrue des donateurs. Une pléiade de rapports ont été rédigés sur la question, détaillant des myriades de projets dont se sont emparés autant d'ONG, pas toujours en adéquation avec les us et coutumes locaux.

Une question continue à faire couler beaucoup d'encre : dans une société aussi conservatrice que l'Afghanistan, pour toucher les femmes, ne vaudrait-il pas mieux passer d'abord par les hommes ? C'est ce que beaucoup de mâles afghans, employés par ces ONG, pensent. Au risque de choquer, Rana Tarim n'est pas du tout de cet avis : « Non, pour impliquer les femmes, il faut que des femmes s'adressent directement à d'autres femmes. Le problème est que la plupart des donateurs prêtent davantage attention au contenant qu'au contenu. »

« J'appartiens au ministère le plus pauvre du pays, ce qui tend bien à prouver que nous ne sommes pas corrompues », énonce-t-elle en m'accueillant. À 36 ans, pas facile de succéder à Safia Hama Jan, nommée à ce poste en 2002, tuée en pleine rue par un tireur à moto en septembre 2006. Rana rappelle que si les exécutants de l'assassinat ont été arrêtés, les commanditaires, eux, sont toujours libres, après récupération par les taliban de la propagande – pour eux positive – liée à l'événement.

En 2010, Rana Tarim a perdu son poste. Forcée de quitter ses fonctions pour se présenter au Parlement, elle n'a pas été élue mais n'a pu les reprendre. En décembre, je lui rends visite chez elle, en plein centre de Kandahar, dans une bâtisse mitoyenne du bâtiment des forces de sécurité de l'État, privée d'électricité. Il me faut prendre des notes à la lueur de la lampe torche apportée par un de ses fils, blottie contre un réchaud à gaz qui peine à réchauffer la pièce réservée aux hôtes.

Sur le plan sécuritaire, curieusement, Rana Tarim considère la situation meilleure qu'il y a un an : d'abord parce que c'est la « trêve hivernale » côté taliban, mais surtout à cause de l'ampleur des opérations militaires dirigées contre eux. Cependant, ce qui la préoccupe par-dessus tout, c'est son propre échec aux élections, d'autant que ce n'est pas le premier. Rana s'était présentée sans succès en 2003, lors des premières législatives, un échec qu'elle a imputé à la fraude, omniprésente : une autre femme, « qui avait offert 20 000 dollars, ainsi qu'une voiture neuve, au chef de la commission électorale locale prétendument indépendante », avait raflé « son » siège. Puis ce fut la parenthèse imprévue au ministère des Femmes, l'idée de la nommer là étant venue aux autorités locales en la voyant assister à l'enterrement de celle qui avait été assassinée. Mais Rana a tenu à se présenter à nouveau : ç'a été le cas en 2010[1] sur les conseils des anciens et d'Ahmed Wali Karzai, demi-frère du président, tout-puissant à Kandahar mais contesté parmi l'élite politique du pays et par les organisations internationales. « Dès le début du processus, j'ai nourri des doutes ; je sais que mes voix ont été attribuées à quelqu'un d'autre : c'est ce qu'ont constaté mes propres observateurs à qui je faisais davantage confiance qu'à ceux de la commission électorale. J'ai adressé mes plaintes à

---

1. Les élections législatives se sont déroulées le 18 septembre 2010.

Kaboul et suis en train de me battre pour faire valoir mes droits. »

Rana baisse la tête. « Pendant les élections présidentielles, on a constaté une forte division entre Pachtounes, Tadjiks et Hazaras. Karzai a été réélu uniquement parce qu'il est pachtoune. Le chef de la commission électorale est un Tadjik, selon moi un raciste, prêt à tout pour que davantage de gens de son ethnie soient représentés au Parlement. Les vainqueurs ont dépensé des sommes faramineuses, je n'en ai sûrement pas versé assez ! » se lamente-t-elle.

Dans ce contexte, les élections ont-elles un sens ? Rana en doute. De plus, elle a reçu et reçoit encore, elle aussi, toutes sortes de menaces par téléphone, *via* des intermédiaires, et craint que son fils aîné ne soit kidnappé. Du coup, celui-ci reste cloîtré à la maison.

« Oui, en tant que femme, j'ai peut-être plus d'ennemis que peut en avoir un homme », réfléchit-elle. Mère de six enfants, elle vit séparée de leur père, ce qui n'est pas usuel en Afghanistan et lui cause des problèmes supplémentaires. Rana affirme que Ahmed Wali Karzai lui a proposé différents postes, dont celui de directrice de la Croix-Rouge qu'elle aurait refusé. A-t-elle vraiment envie de faire partie d'une équipe aussi corrompue ?

« Dans certains cas, pour se protéger les uns des autres, on peut avoir besoin de ce type de gouvernement, fût-il corrompu, », admet dans un éclair de lucidité cette femme qui reste fière d'avoir réussi, à son niveau, « à régler des problèmes de femmes dans une société qui bafoue encore quotidiennement leurs droits, malgré toutes les bonnes paroles ». Alors qu'elle a quitté son poste depuis huit mois, les femmes de la ville continuent à s'adresser à elle plutôt qu'au chef de la police, un homme qu'elles n'osent rencontrer pour ne pas aller à l'encontre des principes de la société pachtoune.

Début 2011, Rana Tarim a été nommée sénatrice de la région de Kandahar par Ahmed Wali Karzai.

En mai 2011, à Kaboul, je revois Gulalai Nour, une Pachtoune qui vient d'être réélue députée du Nord (de la ville de Mazar-e-Sharif). Cette après-midi elle rentre d'une journée chargée au Parlement. Éreintée, elle est ravie que son mari, un homme d'affaires, la ramène chez eux, une belle maison excentrée, couverte de tapis, aux faux plafonds à corniches équipés de spots diffusant une lumière tamisée. Pour me servir une tasse de thé au samovar électrique, il lui faut passer un rapide coup de fil à son employé de maison, absent ce jour-là : Gulalai ne trouve pas les tasses ! La cheminée est couverte de photos encadrées, dont celle de ses deux fils entourant le président Hamid Karzai à un pince-fesses. Tous deux poursuivent des études supérieures à Hambourg. Le plus jeune vient de repartir après un stage de quatre mois au ministère des Finances.

Gulalai aussi m'entretient longuement sur la dureté de la campagne électorale : « Les seigneurs de la guerre convoitent ces postes pour conserver une immunité, la concurrence est rude ; cinq personnes de Mazar ont été élues uniquement grâce à leur argent ! » Gulalai n'est pas satisfaite du paysage politique afghan : « Il n'y a pas de vrai leader, dénonce-t-elle. Chacun ne travaille que pour soi ou son clan, pas pour l'Afghanistan. L'entourage de Karzai assure ses arrières pour le compte de sa famille et de sa tribu. Je ne suis pas contre Karzai lui-même, car pour le moment il est encore le meilleur. Humainement parlant, il est acceptable, mais ceux qui se trouvent à ses côtés ne sont pas honnêtes. C'est vrai, Karzai est faible, mais il a le mérite de l'assumer : il dit que s'il était plus fort, l'atmosphère serait moins paisible, dans le pays et entre tribus. »

Gulalai revient d'un voyage gouvernemental en Thaïlande, axé sur le planning familial. Elle semble avoir du mal à comprendre (et à accepter) pourquoi son pays va si mal : « Quand je demande aux gens dans les villages pourquoi ils ne veulent pas d'école, ils n'osent me répondre : tous sont transis de peur. Ils pensaient que les étrangers finiraient par traduire les criminels en justice, or il n'en a rien été, ils les ont même soutenus pour qu'ils restent au pouvoir ! » Ainsi Mohammed Atta, un seigneur de la guerre du temps du *djihad*, est gouverneur de la région de Mazar depuis dix ans : « Quand j'ai vu comment ses hommes me mettaient la pression, jamais je n'aurais pensé être élue… Je sais qu'Atta lui-même ne me considère pas comme membre du Parlement. » Gulalai avoue se sentir bien seule dans sa circonscription où, pour des raisons de sécurité, elle n'a pu se rendre qu'une fois depuis les élections. Sa permanence existe, mais elle est constamment fermée.

Elle aussi redoute le départ des étrangers, qui n'ont pas vocation à rester indéfiniment, mais la perspective de ce départ fait renaître le spectre de la guerre civile. « Ce sera comme au début, avant que la Coalition ne se déploie. » Puis elle lâche : « En définitive, les taliban valaient mieux que les moudjahidine ! Quand les taliban sont entrés dans Kaboul en 1994, les gens étaient vraiment contents ! C'est Al-Qaida qui a tout gâché en se mettant à combattre le monde entier depuis chez nous. »

En mai 2011, je parviens, non sans difficultés, à retourner voir Shaheeda, de plus en plus isolée au sein de la société civile kandaharie. Depuis notre dernière rencontre, elle a été victime d'une crise cardiaque et retourne périodiquement se faire soigner en Inde. Plus désabusée que jamais, elle se remémore la phrase lancée à Zalmay Khalilzad[1], quand il était ambassadeur des États-Unis à Kaboul, à propos de « cette guerre qui ne nous appartient pas ». Certes, des dizaines de routes ont été construites, des centaines de projets humanitaires ont vu le jour, des écoles ont été ouvertes, mais « on continue à nous tuer, à nous arrêter, à détruire notre pays. Alors, comment peut-on saluer le résultat de cette présence étrangère ? ».

Shaheeda, qui il y a quelques années se montrait plutôt favorable à la présence militaire occidentale, a bien déchanté : « On ne sait pas vraiment ce que font les Canadiens en Panjway ou les Français à Surobi. Ce dont on est sûr, c'est qu'ils agissent pour leur propre intérêt, lequel est inconnu de nous. On sait aussi que Karzai n'a aucune autorité sur ces puissances étrangères, il n'est qu'un pantin entre leurs mains, et ça nous attriste. »

Guère convaincue du départ des militaires à la date prévue, 2014, Shaheeda revendique un « Afghanistan pour les Afghans, dirigé par des Afghans », et s'étonne qu'on mentionne encore l'existence des taliban : « Quels taliban ? On ne sait

---

1. Diplomate américain, Zalmay Khalilzad, d'origine afghane pachtoune, a été ambassadeur en Afghanistan (2003-2005), en Irak (2005-2007), puis aux Nations unies (2007-2009). Il est aujourd'hui à la tête d'un *think-tank* conservateur aux États-Unis.

même pas qui ils sont ; en revanche, ce qu'on sait c'est que notre pays a été dépecé, qu'il est la proie de gangs et de seigneurs de la guerre à qui on a abandonné tous les pouvoirs. »

Forcée de rester la plupart du temps cloîtrée chez elle, Shaheeda, une des seules femmes à représenter et à défendre le droit des minorités et des femmes dans le Sud afghan, ne manque pas de courage. Ancien instructeur à l'Académie de police, son mari ne travaille plus, son fils est ingénieur. Shaheeda craint que tous deux se fassent éliminer, sans même pouvoir savoir par qui.

# 13

## Dernière incursion de l'autre côté du miroir

### *été 2011*

*Observer sans être vue, accroupie derrière le portail – Mes pas dans ceux d'Ahmed, je serre les pans de mon châdri – Un repas partagé chez les taliban – L'affolement d'Arif, l'étudiant ingénieur – Les rêves humanistes d'Ahmed.*

À nouveau je passe de l'autre côté du miroir, à nouveau je ressens cette excitation mêlée de crainte à rejoindre mes amis afghans *outside of the wire*[1], dans la vraie vie, à Kandahar. En me levant, j'ai remisé ma tenue militaire pour enfiler tunique orange et pantalon blanc achetés au bazar de Kaboul voici trois ans. Même sans le voile qui parachève ma métamorphose, je fais sensation à KAF où pas une femme afghane n'a droit de cité.

Sur le parking « Visiteurs », toujours aussi peu pratique, car éloigné du terminal, je retrouve Ahmed, fidèle au poste. Son turban est fièrement

---

1. Derrière les barbelés de protection, autrement dit en dehors de la base militaire.

noué, le *patu*[1] négligemment jeté sur l'épaule ; sa barbe, soigneusement taillée. Dans la voiture qu'il a une fois encore empruntée à un ami, nous filons chez lui, vers ce centre-ville bruissant de rumeurs plus apocalyptiques les unes que les autres. La psychose semble reine.

Dans la maison où l'électricité fait toujours défaut un jour sur deux, alors que je me suis assoupie, terrassée par la chaleur, l'épouse et les quatre filles d'Ahmed se relaient pour m'éventer avec un couvercle de bassine en plastique. Fatiguée, l'une passe le relais à l'autre, tandis que, dans mon demi-sommeil, je m'évertue à tenter de discerner de qui il peut s'agir : Sheherazade ? Fatima ? Gulalai ou Shaheeda ? Aujourd'hui est théoriquement un jour avec électricité, mais à 17 heures toujours rien. Entre midi et 17 h 30, le climat estival étouffant empêche presque toute activité « normale ». Ramollie, la ville dort.

En début de soirée, la canicule quelque peu retombée, l'épouse d'Ahmed me fait signe de monter sur la terrasse. Le seul bâtiment qui nous surplombe est une clinique inachevée : pas de crainte d'être vues. Là, elle a préparé ma couche pour la nuit, un matelas duveteux posé à même une natte, et, face à moi, celui d'Ahmed avec qui

---

1. Foulard de laine en hiver, de coton en été, porté par les hommes par-dessus leur turban.

je dînerai et que je regarderai fumer sa pipe à eau rapportée de Dubaï avant qu'il ne redescende s'étendre à même le sol de la cour intérieure, parmi les siens.

Du haut du balcon intérieur, Ahmed presse une des filles de lui monter sa radio ondes courtes pour qu'il puisse me tenir au courant de l'« affaire DSK » qui, malgré le changement de monde, a réussi à parvenir jusqu'à mes oreilles. Sur l'un des murs de la terrasse – celui surplombant la rue –, un trou de la largeur d'un gros doigt a été creusé à même la brique : en se collant à la paroi brûlante, on peut tranquillement observer l'extérieur sans être vue. J'écris « vue » au féminin, car ce sont avant tout les femmes qui se glissent devant cette anfractuosité pour regarder l'extérieur ; les hommes, eux, n'en ont nul besoin, ils entrent et sortent à leur guise. En bas, un autre œilleton pratiqué dans la porte de fer donnant sur la ruelle est opportunément placé à hauteur d'un adulte accroupi. Latifa, l'épouse, l'utilise sans cesse pour discerner qui vient, en voiture ou à pied, ou observer son fils jouer à l'extérieur ; ses filles, quant à elles, regardent leur père rentrer la voiture dans le garage d'en face à ciel ouvert, et moi je lorgne par pur plaisir, pour les imiter.

Ce soir, je vois des hommes laver leurs voitures à grande eau : des hommes, rien que des hommes. Ici, le fossé entre espace public et sphère privée est vertigineux, mais il faut s'en accommoder. Je me dis en outre que si j'étais un homme, je n'aurais pas accès à ces moments de bonheur simple qui me font oublier d'où je viens, alors que je me trouve pourtant en terrain jugé « hostile » où nul Occidental ne s'aventure.

Je vais m'endormir sous la voûte céleste avec pour tout compagnon, sur le toit brûlant, un coq et deux poules dans un enclos, et, au-dessus, une lune pleine, d'une luminosité telle que je pourrais lire à son éclat. Les hauts murs de brique me renvoient la chaleur absorbée dans la journée, des rafales de vent m'envoient des claques torrides.

À 2 h 35, je suis réveillée par une violente explosion ; ma couche en a tremblé. Je ne peux m'empêcher de penser à une mine posée non loin. En pleine ville ? Le lendemain, j'en parle à Ahmed qui n'a rien entendu. Trop habitué. Et, surtout, « puisque ce n'est pas nous la cible, à quoi sert-il de s'en préoccuper ? Pas la peine de paniquer les enfants ». Il a sans doute raison. Voilà comment on s'habitue à la guerre, et comment on y survit.

À 6 h 05, le lendemain, mon flanc est déjà chauffé par les premiers rayons du soleil qui vient de se glisser par-dessus la balustrade, les premières mouches s'égaillent sur mon bras, la clameur de la ville a repris : l'accalmie nocturne a été de courte durée. Notre coq a chanté à perdre haleine, en écho à celui des voisins. Sur ordre du père, la maisonnée est restée quasi silencieuse pour ne pas me déranger : une prouesse, avec deux jeunes enfants. On me dit que l'électricité est revenue dans la nuit, ce qui a provoqué du mouvement, les enfants préférant se couler à l'intérieur et s'allonger sous les ventilateurs du plafond. À mon tour de n'avoir rien entendu. D'après les informations, l'explosion de la nuit était une bombe enterrée sur le bas-côté de la route, qui a piégé une patrouille de l'ANA. Deux soldats afghans sont morts à 700 mètres de mon toit sans que personne n'y prête la moindre attention.

À 8 heures précises, un chauffeur (membre de la famille d'Ahmed) vient chercher les quatre filles pour les conduire à l'école. Il les ramènera à la mi-journée. Cette organisation coûte quelque 150 dollars par mois à leur père, mais au moins est-il sûr qu'elles sont en de bonnes mains. À la rentrée 2011, son fils aîné, qui aura 6 ans et demi, fréquentera enfin la classe élémentaire d'un établissement privé pour garçons. Ahmed rêve pour lui d'études longues, et plutôt en Inde qu'à Dubaï. La plus grande démocratie du monde n'est pas trop éloignée et le niveau de l'anglais y est excellent. Dubaï est trop cher, trop « occidentalisé » à ses yeux. L'Europe et les États-Unis, il n'y songe même pas, non par manque de moyens (il économiserait), mais parce qu'il pense que son fils s'y perdrait – c'est la conclusion qu'il a tirée de son court séjour en Europe (France, Allemagne, Belgique, Hollande et Danemark). Certes, il a rassasié sa curiosité pour les cultures et civilisations différentes, mais, déçu et dérouté, il n'y est resté que trois semaines alors que son visa de touriste lui accordait trois mois.

Depuis février, Ahmed est employé d'une grande entreprise de construction irakienne où il occupe un mystérieux poste de « conseiller social ». Parlant couramment l'arabe, il est d'une aide inestimable pour les hommes d'affaires arabes désireux de s'implanter en terre pachtoune, de même qu'il l'est pour moi, quoique différemment. Ahmed a déjà apporté un précieux concours à ses employeurs en fournissant des armes sans licence aux nombreux gardes en charge de la sécurité, en sorte que les taliban ne puissent pas se procurer les listes de détenteurs, apparemment partagées avec les autorités…

Ce matin, Ahmed me conduit en Arghandab, district situé au nord de la ville, auquel on accède en franchissant la fameuse rivière quasi asséchée. Nous avons retrouvé un de ses amis qui nous servira de « guide » pour cette expédition, et nous nous frayons un passage vers la sortie de la ville à travers d'inextricables encombrements : c'est l'heure de pointe. Des carrioles à cheval élargies par leurs chargements de rouleaux de tapis, des voitures au coffre ouvert laissant apparaître leur lot de femmes accroupies, brinquebalées, en *châdri* brun, gris pâle, blanc ou bleu, des mobylettes pétaradantes, des estafettes délabrées, des *rickshaws* à grelots encombrent notre file. On croise une patrouille de soldats américains à pied. En contre-bas, sur la gauche, le tombeau inachevé d'un mollah, puis un nouveau long convoi militaire américain nous ralentit. Enfin, on vire à droite, sur la route en direction de l'Uruzgan, en longeant un canal où de charmantes fillettes hirsutes pataugent, accompagnées de leurs grands frères qui lavent leurs mobylettes à grande eau.

Nous avons rendez-vous en toute discrétion chez un villageois de Khwaja Mulk, ami d'un ami d'Ahmed, qui a accepté de me recevoir. Si le « commandant » taleb du coin apprend qu'une étrangère a pénétré dans cette maison, il y fera mettre le feu, prévient d'emblée mon hôte, davantage préoccupé parce qu'il ne trouve nulle part où garer notre voiture (d'un côté de la route, le canal ; de l'autre, des habitations serrées) que par l'extrême tension relevant pour lui de la routine. Dans ce village, la population est classiquement prise entre deux feux : des éléments actifs talibans la terrorise en préparant des attaques depuis son territoire, et elle est symétriquement soumise à la pression des forces de la Coalition. Le village a été bombardé à plusieurs reprises par des avions de chasse américains et les victimes ont été nombreuses.

En parvenant sur cette route, j'ai reconnu les lieux. J'avais emprunté cette voie asphaltée par des militaires américains deux jours plus tôt, quand je quittais la FOB canadienne pour revenir à KAF. Pruneau ne m'ayant pas trouvé de place sur un hélicoptère Chinook, il m'avait fallu opter pour la route. C'est avec une équipe de *linebackers* américains, un convoi de neuf super-véhicules de « nettoyage de routes » en matière de mines et autres engins explosifs, qu'à vitesse très réduite j'avais traversé d'est en ouest le district de Panjway pour terminer par un « crochet » en Arghandab, territoire sous contrôle américain. « Des deux côtés de l'asphalte, il n'y a que des taliban », m'avait soufflé, impressionné, le chef de la patrouille, un réserviste de 28 ans, chauffeur de poids lourds dans le Minnesota.

Le problème de la voiture résolu (notre « guide », l'ami d'Ahmed, s'en est occupé), nous traversons à pied un pont de fortune sur le canal. L'air brûlant de la matinée est suffocant, il faut pourtant avancer sur quelque trois cents mètres en longeant des habitations en pisé. Je marche dans l'ombre d'Ahmed, mes pas dans les siens, tête baissée, comme il est de rigueur. Je me concentre sur ma démarche pour ne pas attirer l'attention. Tout est jaune autour de moi : le sol, les murs des maisons, le ciel ; je sens mon *châdri* se gonfler au rythme des bourrasques de sable cinglantes. Plutôt que de m'angoisser, les drôles de mouvements de mon vêtement – ma carapace protectrice ? – m'instillent une certaine assurance. De la main gauche je serre les pans du voile devant moi pour ne pas m'empêtrer dans ses plis, de la droite je tiens mon sac, emprunté à la femme d'Ahmed, dont le plastique brillant et les décorations tressées font très couleur locale.

Enfin, c'est la bonne maison. Ahmed baisse la tête pour se faufiler sous l'embrasure de bois, je m'engouffre derrière lui, il verrouille la porte. Nous nous installons dans la pièce destinée aux hôtes, relativement fraîche grâce aux murs épais et à de fines ouvertures. Le mobilier est rudimentaire : outre deux vélos, trois matelas courent le long des murs. L'image d'un leader spirituel assassiné par l'Alliance du Nord sous le régime des taliban révèle l'appartenance politique de la maisonnée. Elle encadre des photos touristiques de mosquées du pays, et les horaires des cinq prières de la journée. Ici, les conditions de vie sont rudes : pas d'électricité, pas d'eau à moins de 30 mètres de profondeur.

Le maître de maison fait son apparition ; partagé entre son sens de l'hospitalité et la peur, il reste sur la réserve. Son père fait partie des « anciens » du village, régulièrement consulté à ce titre par les militaires américains lors de *shouras* à la mosquée. En attendant les deux « leaders » taliban, on nous sert du thé vert brûlant, de l'eau fraîche avec du sirop et des glaçons dans une écuelle à soupe. Ahmed me fait signe que je peux commencer à poser quelques questions. La conversation est lente, ponctuée par ses traductions. En aucun cas je ne dois accélérer le rythme ni manifester la moindre impatience, au risque de faire capoter la rencontre.

L'homme, un ancien moudjahid, paraît quelque peu timide. Il confirme qu'une quinzaine d'individus de son village sont morts il y a un an, non pas du fait d'un bombardement, mais en combattant contre les Américains. « Ils sont devenus des martyrs », précise-t-il.

Non, il n'y a ici aucune école, aucun hôpital ou clinique. La seule école (pour garçons) a fonctionné jusqu'en 2006, mais tout a changé quand les Américains se sont installés dans le district. En fait, ce village, comme beaucoup d'autres, n'est contrôlé par personne : formellement, on n'y trouve aucun signe de la présence gouvernementale, ni d'ailleurs aucun signe de présence talibane. Seule la route est « gouvernementale, précise-t-il, mais, l'après-midi, plus personne ne l'emprunte. Elle était truffée d'IEDs jusqu'à ce que les Américains l'asphaltent. C'est d'ailleurs le seul projet qu'ils ont réussi à développer ici ». Oui, les villageois sont satisfaits de perdre moins de temps pour se rendre au bazar, mais, pour autant, ils n'ont pas changé de bord.

Nous sommes rapidement rejoints par deux jeunes hommes, la trentaine : visiblement, ceux qu'on attendait. Je ne commets pas l'impair de leur tendre la main, mais reste au sol, paume sur le cœur, tandis qu'ils congratulent Ahmed, assis à la place d'honneur, moi à sa droite. Des garçonnets nous apportent des œufs au plat et des crudités assorties de *nân*[1] maison. Ahmed fait d'abord rire les visiteurs en déclarant : « Bon, vous voyez, c'est une femme[2]... En plus, inutile de la kidnapper, car elle ne représente rien ni personne ! Vous savez, les Français ne sont pas trop puissants... [Hochements de tête.] Et en plus, elle, elle travaille toujours toute seule. »

La présentation est osée, mais ça marche : les deux compères se dérident tout en ne se risquant toujours pas à me regarder, ce à quoi je suis habituée. Puis Ahmed leur rapporte longuement mes

---

1. Pain.

2. De peur qu'ils se rétractent, en arrangeant par téléphone notre visite, sciemment, il ne leur avait pas précisé ce détail.

« faits d'armes » en Tchétchénie et en Irak, ce qui impressionne toujours ce type d'interlocuteurs, et les met à l'aise. C'est une tactique déjà éprouvée par Ahmed et moi dans ce genre de situation.

Dans l'embrasure de la porte sur cour, j'entrevois les fillettes de la maison qui se pressent tour à tour dans le meilleur angle pour m'entrapercevoir. J'imagine ce qu'elles vont raconter aux femmes, à la cuisine... Quelle excitation pour elles !

Enfin les deux taliban se mettent à parler tout en me regardant prendre des notes :

« On n'a aucune confiance dans ces militaires, qu'ils soient canadiens ou américains.

— D'ailleurs ça nous est bien égal, d'où ils viennent...

— Ils nous ont fait des promesses à n'en plus finir, que du blabla, à commencer par le fait qu'ils allaient réparer notre mosquée, tu parles !

— En fait, on comprend pas vraiment ce qu'ils veulent... Ils disent qu'ils sont là pour gagner contre les taliban, mais ça, c'est foutu, ils n'y arriveront jamais... Les taliban sont partout et ils sont trop puissants !

— Et puis les gens sont de plus en plus contre les étrangers, parce que qu'est-ce qu'ils ont remporté comme succès ? Non, moi je dis qu'ils sont bien pires que les Russes !

– Ouais, leurs méthodes sont pas les mêmes, mais le résultat, lui, est le même : ils nous tuent. »

Je leur rappelle tout de même l'inégalité criante entre la force de frappe des armées régulières occidentales et celle des taliban-villageois.

« Peut-être, mais nous, on a une arme imparable : les attentats-suicides, faciles à organiser ici depuis nos maisons...

– Ouais, y en aura encore beaucoup, et même de plus en plus, ça, c'est sûr !

– Bon, déjà on les a secoués avec nos IEDs, et on continuera à en mettre plein partout, mais les attentats-suicides, ça, ils n'aiment pas...

– Non [l'un des deux hoche la tête], c'est pas des bonnes personnes, vraiment ! En plus, c'est des voleurs, on les déteste !

– D'ailleurs, regardez, les Américains sont critiqués dans le monde entier pour ce qu'ils ont fait ici !

– Moi, je dis bravo pour l'opération à Kandahar[1] et pour l'évasion de la prison. Justement, grâce aux commandos-suicides, c'est maintenant la ville la moins stable du pays : tant mieux !... L'ANA et l'ANP ne sont rien sans l'aide des Américains : dès qu'elles vont se retrouver seules, elles seront foutues ! »

---

1. Allusion aux affrontements entre forces afghanes et taliban les 7 et 8 mai 2011, en plein centre-ville.

On a fini de manger. Ahmed, le plus âgé, prononce rapidement quelques mots de prière qui, je le sais, mettent un terme à l'entretien. Mieux vaut d'ailleurs ne pas trop s'attarder.

« On voit que vous aimez l'Afghanistan, sinon vous ne seriez pas ici... », prend tout de même le temps de me glisser l'un des deux visiteurs avant de s'en aller.

Nous allons chercher Arif devant le portail de l'université où il nous a donné rendez-vous. Originaire de Jalalabad, dans l'est du pays, région frontalière du Pakistan, ce jeune homme de 28 ans est depuis cinq ans « expatrié » dans le Sud pour ses études d'ingénieur, zone où les combats n'ont pas cessé depuis dix ans et souffrant d'une telle réputation parmi le reste de la population afghane que rares sont ceux qui s'y aventurent. Mais Arif n'avait pas le choix : ayant échoué aux examens qui lui auraient ouvert les portes d'une autre université, comme celle de sa province ou de Kaboul, il a dû se résigner à venir ici pour ses années d'études. Si « tout se passe bien », comme il dit, d'ici deux mois il aura décroché son diplôme. Mais, en attendant, il lui faut trouver de l'argent pour se nourrir, et surtout préparer son mariage qui sera fêté lors de son retour à Peshawar, capitale de l'émigration afghane au Pakistan.

D'après les normes locales, 28 ans, c'est déjà tard pour convoler. Aussi Arif met-il les bouchées doubles comme « ingénieur de projet » pour une entreprise de construction locale créée et gérée par un Kandahari plus jeune que lui. Il m'avait donné son numéro de téléphone alors que je participais à une patrouille canadienne dans le district de Panjway. À l'instar de quelques autres – ici la concurrence est rude –, cette entreprise a trouvé le filon : les forces de la Coalition internationale qui, depuis 2009, après bien des errements, ont modifié leur stratégie et pratiquent la COIN, la « contre-insurrection », censée, en faisant « tache d'huile », modifier les relations avec les autochtones, développer la « gouvernance » et l'économie locales. Toutes les troupes engagées sur le terrain ont alors déployé de nouvelles équipes chargées de mettre en œuvre cette COIN.

Arif, lui, est simple employé de l'USCC – University Student's Construction Company –, une structure parmi des dizaines d'autres semblables, créée en 2009 pour bénéficier des largesses des militaires canadiens.

Arif navigue entre les deux camps : il a l'occasion de frayer avec les militaires pour son travail, et, à ce titre, est en droit de redouter des « représailles » de ceux qui considèrent son attitude comme une « trahison », mais, sa casquette d'ingénieur remisée au placard, il redevient le pauvre étudiant provincial qui vit dans un foyer et craint pour sa vie au jour le jour.

Alors que Faiz Mohammed, le *contractor* kandahari, empochera pour ce projet près de 280 000 euros, une grosse somme, l'ingénieur Arif devra se contenter de « 500 dollars mensuels », donc 1000 pour les deux mois de supervision des travaux, avoue-t-il d'une voix blanche à bord de notre voiture, alors que, sur la suggestion d'Ahmed, nous nous dirigeons vers les faubourgs nord de la ville, à la recherche d'un « coin tranquille » où parler, peut-être à l'ombre des mûriers d'un verger de l'Arghandab appartenant à son oncle.

Mais un des problèmes majeurs de la ville est aujourd'hui, justement, de trouver un « coin tranquille » ! À Kandahar, la chape de plomb, le renfermement, la méfiance sont tels qu'il est mal vu, pour qui que ce soit, de s'exposer en compagnie d'une femme (étrangère qui plus est, même si mon habit, local jusqu'au bout des chaussures, ne me trahit pas ; car la tradition nous dessert : une femme autochtone ne parle pas avec des hommes en public). On exclut d'emblée les endroits où nous serions observés et trop repérables. Pas de « café » au sens occidental du terme dont l'anonymat nous aiderait : ici ce genre de lieu n'existe pas et tout le monde se connaît plus ou moins.

Second problème : Ahmed, chez qui je loge, est exposé face à ce quasi-inconnu : nous devons déployer des trésors d'ingéniosité pour brouiller les pistes. Ainsi, ce n'est pas son vrai nom, rien ne sera dit à Arif qui permettrait de l'identifier, et nous faisons croire que je réside dans une *guesthouse*. Même son « oncle » en Arghandab est fictif.

Ne reste plus que la voiture dans laquelle, au surplus, on peut profiter de la climatisation. Mais encore faut-il avoir une destination, ne pas tourner en rond ni stationner : trop dangereux. Cette atmosphère me rappelle les pires moments passés en Irak en 2007, quand la guerre civile battait son plein et qu'il ne restait que l'intimité des familles pour ne pas devenir fou. Ou bien encore le début des années 2000 en Tchétchénie, quand on n'avait plus rien d'autre à faire que se taire pour survivre. Chaque guerre passe par ce type de moments où le temps, comme arrêté, paraît suspendu dans une angoisse mortifère.

Dans un bon anglais, Arif me raconte son quotidien passé avant tout à rechercher des contrats au coup par coup avec des *contractors* afghans qui le sous-paient. « Ils gardent l'essentiel pour eux, mais versent aussi leur part aux taliban pour qu'ils les laissent travailler », explique l'étudiant. De nombreuses tractations ont également lieu en sous-main avec le *malik* ou tout autre représentant de l'administration locale. « Finalement, ils se foutent que le travail soit bien fait, et n'engagent des ingénieurs que pour donner une image sérieuse aux étrangers. La seule chose qui compte pour eux, c'est d'empocher le maximum et de passer au projet suivant tant que les militaires sont là ! »

Comment Arif perçoit-il la contre-insurrection, reposant sur l'hypothèse que, les locaux étant rémunérés par les étrangers, leur loyauté n'irait plus aux taliban ? Cette seule idée le stupéfie.

Mais bientôt tout change. Ayant réalisé que nous nous engagions vers les faubourgs nord où chaque village est infesté de taliban plus ou moins actifs, l'attitude de l'étudiant, assis à la gauche du conducteur (je suis derrière sous ma burqa de nylon bleu), se modifie, son regard s'affole, il n'arrive même plus à répondre à mes questions. Partagé entre le plaisir de faire la connaissance d'une étrangère anglophone et l'angoisse d'être repéré, donc de tout perdre, son travail, sa vie peut-être, Arif est mort de peur, tout simplement.

Ainsi va la vie dans la deuxième ville afghane où plus aucune règle n'a cours, où les parents de jeunes enfants, tel mon logeur Ahmed, n'envoient pas même leurs garçons à l'école, de peur de les perdre (alors les filles, pensez...), et où pas un jour ne se passe sans que d'effroyables rumeurs ne se répandent dans la mégapole, comme la crainte que les taliban ne soient en train de planifier une vingtaine d'attaques simultanées, ou qu'ils reprennent en main l'administration régionale. On est bien loin des rapports optimistes et rassurants envoyés depuis Kaboul dans le monde entier par les services de communication de la Coalition.

À 18 h 30, aujourd'hui, l'électricité est faible, mais on en a juste assez pour regarder le petit téléviseur posé dans un coin à même le sol. Toute la maisonnée (sauf Ahmed, encore sorti, et sa mère qui garde le nourrisson) est passionnée par un feuilleton indien en ourdou, tout droit sorti de Bollywood. Peu après le quatrième appel à la prière de la journée, sitôt le soleil basculé de l'autre côté du mur, à l'ouest, c'est toujours le même rituel : Latifa hisse ma couche sur la terrasse ; la natte, restée toute la journée à même le sol, dégage elle aussi de la chaleur. En l'absence du patriarche, les enfants se chamaillent, l'épouse et la mère bavardent. Dès qu'il arrive, le niveau sonore se fait moindre, chacun reste sage, prêt à le servir. Je remarque que Latifa ne porte plus de bracelets, comme il y a huit ans, la première fois que je l'avais vue, mais elle reste coquette, arborant des tenues seyantes aux couleurs assorties.

Quand Ahmed rentre à la maison (il passe de longues heures au-dehors à préparer le terrain pour moi), il me rejoint en haut et s'allonge sur son tapis, toujours le même, qu'il a lui-même tissé, adolescent, pendant l'exil au Pakistan. Il m'a même montré ses erreurs de tissage (interversion de couleurs) et en rigole aujourd'hui. Nos deux coussins sont face à face. Ainsi peut débuter la soirée, à deviser sous la voûte étoilée, alors que la touffeur ne se dissipera qu'au plein cœur de la nuit.

Ahmed estime qu'il sera « riche » dans six à huit mois, lorsqu'il aura remboursé les quatre voitures achetées « à crédit » à des amis, qu'il loue au prix fort à la firme de construction pour laquelle il travaille aujourd'hui. Cette entreprise, comme bien d'autres, est apparue dans le sillage des Américains : depuis deux ou trois ans, au grand dam des *contractors* locaux se retrouvant refoulés au statut de sous-contracteurs, le nombre des intermédiaires arabes a explosé. Ahmed perçoit un salaire de 1 500 dollars par mois, ce qui lui permet de vivre normalement, mais il espère bien que la compagnie lui proposera par la suite un autre poste dans le monde arabe. Il ne serait pas contre le fait de s'expatrier en famille pour quelque temps.

Ahmed est un provocateur-né : en plein cœur de l'« affaire du Coran[1] », il avait choqué ses collègues et amis arabes en leur affirmant que « s'il était roi d'Afghanistan, il en ferait même brûler un par an ». D'abord ils se sont récriés, ont

---

1. Début avril 2011, des troubles éclatent à Kandahar après qu'un pasteur de Floride américain a brûlé le livre saint du Coran aux États-Unis. Ils provoquent la mort d'au moins 10 personnes et font 83 blessés.

eu du mal à l'écouter et l'ont même traité de *kafir*[1], puis il a réussi à se faire entendre. Voici ce qu'il leur a dit : « Au contraire, ce genre d'acte unifie et renforce les musulmans, car s'ils sont poussés dans la rue par l'indignation, ils peuvent même provoquer des révolutions. Exactement ce qu'il nous faut ! » Aux yeux d'Ahmed, ce type de provocation serait bénéfique au *djihad*, et non l'inverse. Malin, il leur avoue même comment il s'y prendrait concrètement : « Jamais je ne brûlerais le Livre sacré, au grand jamais ! Non, en fait, je prendrais un gros dictionnaire d'anglais sur lequel j'apposerais une fausse couverture du Coran. »

C'est aussi un insatiable curieux. Depuis qu'il a rencontré un Géorgien de Tbilissi à Dubaï, ainsi qu'un Bagdadi, le père de famille ne cesse de rêver aux deux villes comme destinations de repos. « Ah, quand pourrai-je donc voyager tranquillement, profiter de la vie et de mes amis ? Quand donc cette folie cessera-t-elle ? Et quand donc viendras-tu me rendre visite non pas parce que c'est la guerre, mais comme à une vieille connaissance ? »

Je connais le refrain de ses récriminations. Elles sont semblables à celles de tous mes amis de pays en guerre.

---

1. Terme arabe désignant celui qui n'est pas musulman.

En Afghanistan, Ahmed ne peut même plus se « promener ». Depuis bien longtemps il ne s'est pas rendu dans les deux plus belles régions du pays à son goût, le Kounar et le Nouristan, dans le Nord-Est. Un de ses amis dont le père a été tué par les Américains est commandant d'un groupe d'insurgés appartenant au réseau Haqqani ; ce dernier ne cesse de lui téléphoner pour lui demander de venir le voir. « Après la guerre », répond Ahmed invariablement.

Nos conversations tournent toujours plus ou moins autour du même thème : que pourrait-il faire, quelle activité entreprendre pour gagner de l'argent honnêtement et régulièrement ? Non pas pour acheter des maisons, des voitures, adopter un style de vie plus clinquant, mais pour acquérir respect et pouvoir. « Un chef de tribu qui est censé exercer le pouvoir n'a rien, s'il n'a pas d'argent. C'est ça le nouvel Afghanistan, finalement, comme partout ailleurs », bougonne-t-il en tétant son narguilé. Il a l'intime conviction que le seul moyen de s'en sortir serait de produire quelque chose, n'importe quoi de « porteur », mais, de toute façon, il lui manque le capital initial. « Regarde la Chine, qui a dépassé le Japon et est maintenant la première économie mondiale : c'est parce qu'elle produit ! Même des choses inutiles, même de piètre qualité. » Ne serait-ce que les carafes dans lesquelles sa femme nous sert du jus de fruit, « avec un bon logo, on ferait un carton, j'en suis sûr ». Il a déjà eu de longs (mais stériles) débats avec nombre de ses riches amis commerçants kandaharis : « Ils préfèrent tous acheter à bas prix en Chine et payer le transport jusqu'ici plutôt que produire. J'essaie de les convaincre, mais ils ne voient que le court terme ! »

Que ferait Ahmed s'il devenait riche ? À quoi emploierait-il son argent ? Sous les étoiles de Kandahar, entre des salves de kalachnikov et le ballet de deux hélicoptères Apache au-dessus de la PRT américaine, non loin (combats ? mariage ? nul ne le sait), l'homme expose ses rêves : il lancerait d'abord une station de télévision avec des jeux et des lots à gagner, qui tiendraient en haleine toute la population, assure-t-il, et puis il créerait une université privée. Mais, comme cela ne risque pas d'advenir, il est prêt à se « rabattre » sur l'idée d'une simple station de radio locale pour laquelle il n'aurait besoin que de 100 000 dollars. Malheureusement, là encore, ça coince : ceux qu'il a tenté de convaincre et qui ont l'argent le considèrent comme fou et lui rétorquent : « Mais, si tu as tant de bonnes idées, pourquoi es-tu si pauvre et toujours sans emploi ? »

Retour à la case départ : humilié, Ahmed peine à trouver sa place dans la société afghane contemporaine, surtout depuis qu'il est rentré de Dubaï, il y a un an et demi. L'espace d'un instant, des sirènes de police hurlantes me transportent à Manhattan où elles meublent le paysage sonore. Non, en France, leur tonalité est différente, dois-je expliquer à Ahmed.

À travers le sol vitré d'un coin de la terrasse, on épie un instant sa famille, concentrée autour du feuilleton indien diffusé à la télé, en bas. Les enfants sont allongés devant le poste, son épouse passe, s'arrête un instant face à l'écran, disparaît dans la cuisine, repasse. Ahmed montre beaucoup d'affection pour ses quatre filles qu'il éduque lui-même dès qu'il en a le temps : pas seulement en lecture, écriture ou rudiment de calcul ; il les entretient aussi sur des sujets d'histoire, de géographie, de civilisations afghane ou étrangères. Ce ne sont que des pré-adolescentes, mais leur père est déjà couvert de demandes en mariage. Non, il ne cédera pas : il faudra d'abord que chacune termine des études. Pour devenir institutrices ou, mieux, pour travailler dans une clinique privée qui leur appartiendrait. Mais, pour cela, il faut encore et toujours de l'argent.

Las, Ahmed descend rejoindre les siens pour dormir. Il prendra sa place sur la natte où les huit membres de la famille sont rassemblés. Le bébé (second et dernier garçon) est lové dans un couffin, sous une moustiquaire, entre son père et sa mère, les deux plus jeunes enfants sont à côté de leur mère, la fille aînée au milieu, perpendiculairement à eux. De l'autre côté, on trouve la grand-mère flanquée de la troisième fille qui a encore besoin qu'on lui raconte des histoires de djinns ou de fantômes, celles-là mêmes qu'elle contait en son temps à Ahmed.

ÉPILOGUE

## Comment en sortir

En ce début du XXI<sup>e</sup> siècle, il plaît au grand public occidental de se représenter la guerre comme au cinéma. Normal : la plupart de nos contemporains n'en ont vécu aucune, la France ayant la chance de connaître la paix depuis soixante-six ans.

La guerre en Afghanistan a été médiatiquement « à la mode » à l'automne-hiver 2001, quand, dans l'hystérie post-11-Septembre, les grandes nations, Amérique en tête, s'y précipitèrent, accusant ce lointain pays de tous les maux, notamment d'avoir abrité les terroristes qui avaient fomenté les fameux attentats. Quelques mois plus tard, en Irak cette fois (mais sans la France), une nouvelle « aventure » militaire monopolisait l'attention de la meute médiatique, suivie par sa cohorte de politiques, d'experts et d'observateurs du monde entier. La force de frappe monumentale des coalisés, leur arrogance en termes d'objectifs déclarés quasiment atteints alors qu'on n'en était qu'au début (on se souvient de la bannière « Mission accomplie » déployée sur un porte-avions américain) monopolisaient les actualités du matin au soir. C'était *En attendant Godot*[1] version militaire ! Il ne fallut donc point s'étonner quand, de retour en Afghanistan quelques années plus tard, les médias réalisèrent à leur plus grande surprise que la situation n'était pas des meilleures. Depuis lors, chacun (médias, militaires, politiques, opinions publiques) est entré dans une routine propre aux guerres longues. Tout conflit qui dure finit par lasser et on préfère finalement l'oublier : chercher à le comprendre (et à l'expliquer) sans avoir suivi la cohorte d'événements complexes menant à l'embrouillamini relève de l'impossible pour des médias obnubilés par l'ultra-court terme, voire l'instantané. C'est qu'en Afghanistan aussi, pour tenter d'élucider le présent, il faut se pencher sur le passé tant proche que lointain.

Près de dix ans après l'engagement là-bas des forces françaises, il n'y a toujours pas de débat dans notre pays. Du reste, il n'y a rien dont on puisse être fier. La France s'est retrouvée embarquée en Afghanistan sans avoir vraiment réfléchi, prise de

---

1. Pièce s'inscrivant dans le « théâtre de l'absurde », écrite en 1948 par Samuel Beckett et publiée en 1952 aux Éditions de Minuit.

court et sommée de réagir quand pour la première fois un allié de l'Otan avait été attaqué sur son sol. Sans enthousiasme, le pouvoir politique qui vivait sous le régime de la cohabitation (Chirac-Jospin) décida alors de mettre en œuvre ce qui était prévu dans ce cas précis. Dès le départ, la France s'engagea presque à reculons, en tout cas plus modestement que les autres grandes puissances. Le président Chirac n'était pas convaincu et s'en tint au strict minimum : à Kaboul les Français seraient regroupés sur l'aéroport[1].

Quelques mois plus tard, l'entrée en masse des forces des États-Unis en Irak a fait oublier l'Afghanistan. Les Américains sont furieux de l'attitude diplomatique française ainsi que du refus de Paris de participer militairement à ce nouveau conflit. Lors du sommet du G8 réuni à Évian en juin 2003, le président Chirac se voit contraint de faire un geste pour apaiser les relations bilatérales : il accepte d'envoyer des forces spéciales françaises sur le terrain afghan. Ces forces n'agiront pas comme bon leur semblera, elles opéreront sous commandement local américain qui les « testera » avant de les utiliser. Ainsi, deux cent cinquante hommes du Commandement des opérations spéciales (COS) sont déployés dans le grand Sud à

---

1. Selon l'expert militaire Jean-Dominique Merchet, afin de pouvoir éventuellement évacuer le plus rapidement possible...

Spin Boldak, sur la frontière avec le Baloutchistan pakistanais. Ils y resteront jusqu'à l'été 2006[1]. Leur mission est exclusivement politique : se réconcilier avec les Américains.

Au fil des ans, la mission afghane se révélant plus compliquée – et plus longue – que prévu, les Américains, doublés des états-majors français, tentent de faire pression sur l'Élysée pour augmenter les effectifs à Kaboul, mais Chirac reste prudent. Il tient par exemple à ce que les avions français demeurent stationnés hors du territoire afghan[2], et qu'ils bombardent le moins possible. À l'été 2006, une grosse opération contre les taliban dans la zone sud[3] engage les forces militaires canadiennes qui réclament de l'aide aux Alliés. Les Canadiens ont besoin d'être relevés, mais nul ne semble vouloir s'impliquer. Selon l'expert en questions militaires Jean-Dominique Merchet, c'est à ce moment que Jean-Louis Georgelin, alors chef d'état-major particulier du président Chirac, lui conseille d'en être. « Pas question », répond le chef de l'État. Georgelin s'en veut de ne pas avoir assez insisté ; pour lui, nous avons laissé tomber nos alliés.

---

1. Le COS sera à nouveau envoyé en Afghanistan en janvier 2010 dans la région de Kapisa.

2. Les avions de combat français sont basés à Manas, au Kirghizstan, et à Dushanbe, au Tadjikistan, deux pays situés au nord de l'Afghanistan, en Asie centrale ex-soviétique.

3. Opération *Medusa*.

Tout change avec l'élection de Nicolas Sarkozy en 2007 : les effectifs militaires sur le terrain sont doublés, les avions se mettent à bombarder, bref l'armée française accepte sa totale intégration dans la machine de guerre américaine. L'équipement militaire a été révisé de fond en comble : tout ce que l'on peut trouver de plus moderne en termes d'armements se retrouve en terre afghane.

Le 18 août 2008, coup de tonnerre : une section de parachutistes français est prise en embuscade dans la traîtresse vallée d'Uzbin, au nord-est de Kaboul, où elle patrouillait en reconnaissance. En quelques heures à peine, dix militaires trouvent la mort sur ces pentes rocailleuses, dont l'un est égorgé[1]. Pour l'opinion publique française, le réveil est dur : tout le monde avait oublié cette sale guerre d'Afghanistan. Après un torrent de réactions, le président Sarkozy se rend compte que ses compatriotes ne soutiennent pas cet engagement militaire. Il est même contraint de refuser d'envoyer d'autres renforts demandés par les États-Unis en la personne du nouveau président démocrate, Barack Obama, soucieux de tenir ses promesses de campagne.

Un mois après la nomination par les Américains, en janvier 2009, d'un « envoyé spécial pour

---

1. Cf. le récit détaillé de l'embuscade par Jean-Dominique Merchet, *Mourir pour l'Afghanistan*, Jacob-Duvernet, 2008.

l'Afghanistan et le Pakistan[1] », la France souscrit en février 2009[2] à la doctrine « Af-Pak[3] » dont le but est de souligner que la stratégie mise en œuvre en Afghanistan est indissociable de ce qui se passe dans le pays voisin, le Pakistan : elle marque ainsi son acceptation de la doctrine opérationnelle des États-Unis. La structure française est initialement dirigée pendant six mois par un « représentant spécial », le député UMP Pierre Lellouche, qui sera suivi de Thierry Mariani, autre député UMP du Vaucluse. Aujourd'hui, ce poste est vacant, montrant le peu d'importance que les hautes sphères de l'Élysée semblent en définitive lui accorder. Plus gênant : les nombreux rapports sans langue de bois produits par l'équipe encore en place au Quai d'Orsay restent lettre morte et nul ne sait s'ils sont vraiment lus par leurs destinataires ni si Alain Juppé, ministre des Affaires étrangères depuis le 27 février 2011, sera capable de modifier, voire de supprimer cette « barrière ».

Dix ans après une entrée en guerre fracassante, le silence autour des opérations militaires françaises en Afghanistan est assourdissant. Comme si les 4 000 Français déployés combattaient à plus de 5 000 kilo-

---

1. Cet envoyé américain était, jusqu'à sa mort le 13 décembre 2010, le diplomate, ancien ambassadeur et ancien secrétaire d'État adjoint pour l'Asie, Richard Holbrooke.

2. La Grande-Bretagne et l'Allemagne auront la même initiative.

3. Afghanistan-Pakistan.

mètres de chez eux dans une quasi-indifférence[1]. Et même si, dans les rangs de l'armée, certains ne sont pas mécontents de pouvoir tester *in situ* des armements de plus en plus sophistiqués et une logistique très lourde, la raison d'être de cette mission ainsi que son déroulé demeurent particulièrement opaques. Depuis 2002, près de 50 000 soldats français sont passés par l'Afghanistan, certains y ayant servi plusieurs fois. Après plus de deux décennies de missions humanitaires et de paix dans les Balkans, ce nouveau théâtre offrant de multiples opérations de combat est idéal pour que l'armée de terre déploie son savoir-faire. La grande différence est qu'aujourd'hui les hommes engagés ont choisi leur destin : ce ne sont plus des appelés. En Indochine aussi, rappelle Jean-Dominique Merchet, la guerre, menée par des volontaires « loin d'une métropole qui avait déjà bien d'autres soucis en tête », avait révélé un immense décalage.

La couverture médiatique du conflit afghan se fait rare et, surtout, elle se répète : tous les grands médias français ont envoyé – pour certains à plusieurs reprises – un journaliste sur le terrain, « embarqué » avec les militaires. Mais un pan béant de la réalité fait défaut : que pensent les Afghans de ce qui se passe chez eux ? Comment réagissent-

---

1. Le 7 septembre 2011, le nombre de morts français s'élèvait à 75 hommes.

ils ? Qui sont les néo-taliban ? Il est toujours difficile de fournir une information indépendante des
sources gouvernementales en temps de guerre,
mais, dans ce cas précis, l'absence de volonté de
produire des reportages de qualité sur le long
terme est frappante. Du coup, l'opinion, lassée de
voir toujours les mêmes images sur les efforts militaires, semble se désintéresser du sujet.

En fait, c'est l'inverse : les « consommateurs »
d'informations en manquent et sont incapables de
se représenter une guerre qu'on ne leur montre ni
ne leur explique vraiment. Cette absence élargit le
fossé entre opinion publique et militaires, lesquels
se sentent oubliés de tous. De plus en plus désabusés, ils regardent avec envie des vidéos accessibles sur le Net montrant qu'au Canada les
cercueils des tués sont accueillis sur les aéroports
et le long des rues avec force drapeaux et démons-
trations civiques. En France, c'est toujours le
même communiqué insipide lu par des officiels,
sans aucune couverture par les médias[1].

---

1. Grâce au « Programme d'intégration des médias aux Forces
armées canadiennes », un des plus libéraux au monde, des représentants des médias internationaux sont admis aux cérémonies de départ
*(ramp ceremony)* du cercueil d'Afghanistan, au cours desquelles un
officier prononce un discours personnalisé à propos de chaque disparu. Les médias sont également acceptés à l'arrivée au Canada et
l'événement est retransmis en direct à la télévision si les familles du
militaire décédé n'y sont pas opposées. Le Canada est le seul pays
de la Coalition à avoir autorisé un tel accès.

Un officier français récemment rentré d'Afghanistan[1] admet que le rôle de l'armée française est « minime » dans cette guerre ; mais il est convaincu que sa présence et celle de ses hommes ont été utiles, et que l'approche française « tient la route », même si d'autres sont tout aussi possibles et valables. Cet officier croit en l'existence de règles non écrites et se targue d'avoir eu à faire face à peu d'attentats-suicides ou d'IEDs dans son secteur, preuve, selon lui, que les combats se déroulaient « à la régulière ». En revanche, lui aussi regrette l'absence de débat et affirme ne s'être jamais reconnu dans la couverture médiatique française du conflit.

À partir de 2006, constatant que la victoire tarde, les médias n'évoquent plus de « succès », mais des « progrès ». Cinq ans après le début des hostilités, on se pose toujours les mêmes questions : où allons-nous ? Pourquoi ? Quelle est la véritable stratégie ? Même si des femmes siègent au Parlement afghan (c'est une obligation stipulée par la Constitution), un département « de la prévention du vice et de la promotion de la vertu » a été rétabli, l'insécurité politique, économique et criminelle règne, le président Karzaï n'impressionne plus. Les 41 000 militaires étrangers (toutes

---

1. Interview à Paris avec l'auteur, le 3 mars 2011. L'officier en question a souhaité conserver l'anonymat.

nations confondues) se laissent parfois surprendre par l'intensité des combats, les attentats-suicides commencent à faire des ravages, et la population locale blâme la présence de la Coalition : si les étrangers n'étaient pas là, rien de fâcheux ne se produirait.

En 2007, 50 000 soldats sont présents en Afghanistan, soit six fois plus qu'en 2002. De rares reportages paraissent dans la presse américaine à propos d'une nouvelle façon de combattre par le biais de laquelle on tenterait de gagner le cœur des Afghans[1]. Il s'agit d'unités hollandaises dont le but affiché est d'améliorer la gouvernance et les conditions de vie de la population. Reconstruction, mentorat, diplomatie sont les nouveaux mots d'ordre. En patrouille, les hommes évitent les zones hostiles et, s'ils sont attaqués, se retirent pour ne pas avoir à riposter. Là où ils le peuvent, ils ne portent pas de casque – le rêve inaccompli du major Pruneau ! En pratiquant la tactique classique de la « tache d'huile », les Hollandais remettent au goût du jour des théories tirées des leçons des opérations militaires en Algérie, en Indonésie, à Bornéo, au Vietnam et ailleurs. Les Américains avaient d'ailleurs déjà commencé à les mettre de nouveau en œuvre en Irak.

---

1. C. J. Chivers, « Dutch soldiers stress restraint in Afghanistan », *The New York Times*, 6 avril 2007. Les Hollandais se sont retirés d'Afghanistan après que leur gouvernement est tombé sur cette question.

L'année 2009 est celle de tous les changements. Le 18 février, le président américain Barack Obama promet 17 000 troupes supplémentaires. Les chiffres enflent : on est passé à 55 000 Américains et 37 000 Alliés. Le succès sera au rendez-vous quand les Afghans auront davantage envie de travailler avec l'armée qu'avec les taliban, affirment les militaires, mais il faut encore faire preuve de patience. Les projets militaro-humanitaires sont censés projeter une bonne image des forces étrangères et des gouverneurs locaux, mais ils jouent indirectement en défaveur du gouvernement central qui, du coup, n'est jamais à l'origine d'une amélioration des services de base tels que les routes, l'électricité, l'éducation.

Grâce au *surge*[1] d'Obama, en 2010 98 000 Américains se battent sur le terrain afghan, épaulés par 39 000 soldats de l'Otan. À écouter les officiels, la guerre serait quasi terminée. La parole politico-militaire nous abreuve de rapports sur la « bonne gouvernance », mais surtout sur l'insuffisance du volet militaire. En juillet, le district de Marja, dans le Helmand, supposé être un modèle de réussite de la contre-insurrection – la région avait été envahie par 15 000 soldats au mois de mars, à grand renfort de communication médiatique –, reste un « ulcère saignant », ainsi que l'avoue crû-

---

1. « Sursaut » ou renforcement des troupes américaines sur place.

ment le général Stanley McChrystal, peu avant d'être démis de ses fonctions et remplacé par David Petraeus[1].

En août, à la veille du scrutin présidentiel afghan, réapparaissent des articles sur les taliban et les femmes, illustrés en une par la fameuse photo d'une jeune fille sans nez, châtiée pour s'être enfuie de son foyer[2]. « Voilà ce qui se passera si nous quittons le pays », affirme l'hebdomadaire américain *Time*, oblitérant la triste réalité : cette jeune fille a subi cet atroce châtiment alors même que les troupes étrangères stationnaient dans le pays. On tend aussi à montrer, ce faisant, qu'on ne saurait se réconcilier avec ce genre d'individus et que des négociations ne sont pas les bienvenues.

Fin novembre 2010, l'armée américaine est restée plus longtemps que l'Armée rouge en Afghanistan. Cette guerre est avant tout une guerre contre le temps.

L'année en cours ne marque aucun retour à une couverture médiatique plus complète des événements. La seule « accroche » qui vaille est la ques-

---

1. Le général américain commandant les forces de l'Isaf en Afghanistan a été congédié le 23 juin 2010 par le président Obama après publication dans le mensuel américain *Rolling Stone* d'un article signé Michael Hastings dans lequel McChrystal ne mâchait pas ses mots et critiquait plusieurs membres de l'administration américaine. Il n'aura servi qu'un an à ce poste.

2. Fin 2010, ce cliché a obtenu le *World Press Photo*.

tion de savoir qui partira, et surtout quand. Le 23 juin 2011, les médias français annoncent à grand fracas la « décision de l'Élysée de se calquer sur le calendrier américain », au lendemain du discours de Barack Obama révélant les décisions américaines. Mais nul ne pose les questions embarrassantes : comment allons-nous partir ? Que laisserons-nous sur place ? Qu'en pensent les Afghans ? Que retirent-ils, eux, de notre présence de dix ans ?

Ainsi que le suggère une étude de la Rand Corporation, influent *think-tank* américain, l'opinion aux États-Unis soutient une guerre tant que l'Amérique y est perçue comme gagnante. Mais, en l'absence de couverture médiatique suffisante, comment peut-on se figurer qui gagne ou qui perd ? Qui est seulement capable de nommer une ou plusieurs batailles décisives ayant eu lieu en Irak ou en Afghanistan[1] ? De rares voix commencent à s'élever outre-Atlantique pour souligner la façon dont on ne gagnera pas cette guerre : en continuant dans la foulée de ce que l'on a fait jusqu'à présent[2]. « Ce sont des caméléons professionnels », admet même le général Petraeus à propos des habitants d'un village du district de

---

1. Sur ce sujet, lire l'excellent article de Stephen Carter, « Man of war », *Newsweek*, 10 et 17 janvier 2011.

2. Se référer à Bing West, *The Wrong War : Grit, Strategy, and the Way Out of Afghanistan*, Random House, 2011.

Nawa. On voit mal comment il pourrait en être autrement ! Les Afghans sont chez eux et ce qui les intéresse, c'est de savoir qui, des Afghans, va l'emporter – pas les étrangers !

En France on ne parle plus de l'Afghanistan depuis belle lurette. Dans la période récente, on relève tout juste un dossier[1] de *Marianne*, qui ose poser la question : « Que fait la France en Afghanistan ? » Dans son éditorial, Jean-Dominique Merchet note que d'autres en Europe, par exemple outre-Rhin, débattent couramment du bien-fondé de cette guerre. Que cache ce manque d'intérêt flagrant du personnel politique dans l'Hexagone ? Le malaise dans ses rangs est palpable. En dehors des lieux communs sur l'obligation de mener la guerre contre la terreur et de défendre le droit des femmes, personne n'articule un véritable discours sur ce conflit[2]. La retenue des grands médias audiovisuels, dont les rédactions se retranchent derrière le risque de la prise d'otages[3] – ce qui arrange bien le Quai d'Orsay

---

1. Le 8 janvier 2011.

2. Hormis quelques voix discordantes connues comme celles de Jean-Luc Mélenchon, Dominique de Villepin ou Nicolas Dupont-Aignan.

3. Le 29 juin 2011, Hervé Ghesquière et Stéphane Taponier, les deux journalistes français qui avaient été enlevés le 29 décembre 2009, ont été libérés. Sitôt après leur enlèvement, leur « inconscience » avait été dénoncée par l'Élysée, propos contre lesquels on ne peut que s'insurger avec force : ces journalistes ne faisaient sur le terrain que leur travail.

et la présidence –, y serait-elle pour quelque chose ? Espérons que la campagne pour l'élection présidentielle de 2012 se saisira enfin du sujet et débattra pour défendre ou dénoncer la participation à cette guerre. L'annonce d'un calendrier de retrait des troupes françaises confirme que, sur ce sujet, notre pays est totalement dépendant des États-Unis, et n'envisage leur départ qu'en concordance avec celui des Américains ; ce qu'a toujours confirmé le général en retraite Vincent Desportes, en charge de la formation supérieure des officiers, à la tête du Collège interarmées de défense : « Quand vous êtes actionnaire à 1 %, vous n'avez pas le droit à la parole ! »

## *Contre-insurrection* versus *contre-terrorisme*

Contre-insurrection et contre-terrorisme sont d'exacts contraires, or les troupes alliées ont trop longtemps hésité entres les deux pour se mettre finalement à les pratiquer tous les deux, semant une confusion inouïe parmi les populations locales.

Le contre-terrorisme consiste *grosso modo* à combattre les « méchants » essentiellement par le biais d'opérations spéciales, en s'aidant de drones comme le Predator dont le nombre de sorties s'est trouvé multiplié depuis 2010. La contre-insurrection, elle, a pour but de protéger les « gentils » en faisant d'abord longuement leur connaissance, en instaurant autant que possible une relation de confiance mutuelle tout en restant sur ses gardes. Sur le long terme, cette tactique exige des ressources énormes tant du point de vue financier – pour mettre en œuvre des projets d'aide à la communauté – que du point de vue des réseaux à créer dans le but de tabler sur un partenaire fiable, ce qui, en Afghanistan, n'a jamais fait l'unanimité...

Au cours de cette guerre, le fossé entre soldats qui se battent vraiment (essentiellement des équipes restreintes de forces spéciales n'opérant que la nuit, ce que les Afghans n'ont cessé de déplorer) et troupes d'infanterie comme celles du major Pruneau, qui s'échinent à contrôler leur espace de bataille du mieux qu'elles peuvent, res- pectant à la lettre les règles d'engagement et les grands principes de la contre-insurrection, n'a cessé de s'élargir. Pourtant, selon Leon Panetta, directeur de la CIA jusqu'au printemps 2011[1], l'Afghanistan n'abriterait qu'entre soixante et cent membres du groupe terroriste Al-Qaida : n'aurait- il pas été plus approprié de mener exclusivement une politique de contre-terrorisme, comme en

---

1. Il a été remplacé par Robert Gates, ex-secrétaire à la Défense, dont il occupe le poste aujourd'hui, à la limite d'un jeu de chaises musicales inédit entre Défense et services de renseignement américains.

Somalie ou au Yémen, plutôt qu'un tel gigantesque effort de contre-insurrection ?

La contre-insurrection défendue par le général Stanley McChrystal a été fortement inspirée par des stratèges français de la période coloniale, convaincus qu'une présence continue des militaires auprès des populations locales contribuerait à la longue à se débarrasser de l'insurrection. Cependant, en Afghanistan, la présence des Alliés n'est jamais continue ; de plus, note à juste raison Gilles Dorronsoro, expert reconnu de l'Afghanistan[1], « les capacités tactiques des taliban ont été, comme souvent, sous-estimées », et « les postes de la Coalition sont des isolats dans un milieu hostile[2] ». Dans ma FOB canadienne archi-retranchée par rapport au bourg de Bazar-e-Panjway, j'avais eu cette impression d'évoluer dans un monde à part vivant à son rythme, se contentant de côtoyer celui des Afghans.

Dorronsoro propose une liste des failles révélées par cette stratégie : contrairement à ce que croient les militaires étrangers, les taliban ne sont pas une

---

1. Gilles Dorronsoro est chercheur, spécialiste de l'Afghanistan et de la Turquie. Rattaché au Centre d'études et de recherches internationales de Paris (Ceri), il est actuellement invité au Carnegie Endowment for International Peace, à Washington.

2. Cf. Gilles Dorronsoro, « À propos du "Shape, Clear, Hold, Build" ; notes sur les failles de la stratégie américaine », *Afghanistan Info*, n° 65, octobre 2009.

force étrangère à une population afghane qui leur demanderait protection – c'est là un des éléments qu'il me faut inlassablement expliquer à chacun de mes retours. En Afghanistan, plus particulièrement dans le Sud, la population ne se pose pas la question d'accepter ou pas les taliban, elle ne fait pas de différence entre elle et eux, elle ne considère pas les poseurs de bombes comme des « mercenaires » au sens prêté à ce mot par les Occidentaux (comme par exemple les Ougandais ou les Sud-Africains employés par les compagnies de sécurité privées américaines).

Si la COIN, ainsi qu'aiment à le souligner les militaires, a été efficace en Malaisie, le fait ne s'est pas reproduit ailleurs. D'autant moins qu'en Afghanistan les Canadiens et autres Alliés n'ont pas procédé au « contrôle de la population » par le quadrillage complet des quartiers, comme le firent naguère les Français en Algérie : ils n'en avaient ni les effectifs ni l'envie, cette technique étant considérée par trop intrusive. Pour des raisons dites éthiques, l'heure n'est plus à « écrabouiller ». Sous couvert de la COIN, on s'est peu à peu acheminé vers du contre-terrorisme. Le général David Petraeus s'est vanté de tuer un plus grand nombre d'ennemis, les forces spéciales ont intensifié leurs frappes et sont pour ainsi dire parvenues à éradiquer l'appareil politico-militaire taleb, les drones ont multiplié leurs sorties – bref, pour tâcher d'amener les taliban affaiblis à la table des négociations, on en est revenu à davantage de destruction.

Les Afghans subissent ainsi deux types de guerres : la guerre de jour, où l'on s'expose, où l'on essaie de former des soldats et des policiers, où l'on tente de faire respecter la force, et... la guerre de nuit, où tous les dérapages sont possibles et où les bonnes intentions de la journée se trouvent effacées. Bref, selon le bon mot d'un analyste de l'état-major français[1], on s'accommode de cette drôle de COIN, « moyen dégradé pour sortir de ce merdier... », afin de parvenir à une « non-victoire décente[2] » !

## Pourquoi ça ne fonctionne pas

Comment concilier des missions quasi contradictoires consistant d'une part à combattre les insurgés et d'autre part à créer des liens avec les villageois du coin ? Une contre-insurrection réussie

---

1. Interview avec l'auteur à Paris, le 28 février 2008. Mon interlocuteur a souhaité s'exprimer anonymement.

2. « Le gouvernement et l'administration de Hamid Karzai restent le talon d'Achille de la nouvelle stratégie américaine trop tardivement adoptée. Une décente non-victoire est-elle encore possible ? » Cette expression, fort opportune, est de Gérard Chaliand. Cf. « L'hégémonie absolue de l'Europe et des États-Unis s'estompe », *Le Monde*, 1er juin 2010.

suppose d'avoir gagné la confiance. Or, malgré les milliards de dollars engloutis[1], la coalition internationale et le gouvernement afghan n'y sont pas parvenus. Au mieux, localement, la population est restée neutre. Difficile de se soustraire à l'infernal cercle vicieux : montrer que le développement est possible, mais pas sans sécurité, laquelle dépend largement du soutien de la population. Quant aux taliban, contrairement aux soldats étrangers, ils n'estiment même pas avoir besoin de gagner : il leur suffit de continuer à résister contre les volontés que cherchent à imposer les nations qui les combattent. Remplissant le vide de l'État afghan, ils rendent déjà la justice dans un certain nombre de districts.

La France s'est déployée dans la région de Kapisa en juillet 2008. Par voie de presse[2], Nicolas Le Nen, commandant du 27e bataillon de chasseurs alpins, avait alors tenté de convaincre : « La situation sécuritaire a été améliorée ; signe de collaboration : les habitants viennent dire aux militaires où sont les caches d'armes et d'explosifs,

---

1. À chaque conférence internationale sont promises des sommes gigantesques, dont seule une partie sera effectivement reçue par Kaboul, et une fraction encore bien moindre par la population sous forme de projets ou d'aides humanitaires. En juillet 2010 s'est tenue la huitième rencontre de ce type depuis la conférence de Bonn, juste après la chute du régime des taliban en 2001. Pour la première fois, elle a eu lieu en Afghanistan.
2. Cf. *Le Figaro*, 7 juin 2009.

parfois aussi les IEDs », affirmait-il. Puis sont venus les chiffres : « Nous avons distribué 60 tonnes d'aide humanitaire, donné 2 200 consultations médicales, 85 000 euros de dépenses dans des chantiers comme la réfection d'une clinique, une école, une mosquée, la construction d'une passerelle, d'un canal d'irrigation. Les taliban sont en train de se couper de la population. » Ce panorama simpliste tranche avec la complexité de la réalité : la population joue double jeu, elle prend ce qu'on lui donne, tout en ne freinant aucunement – faute de pouvoir le faire – les exactions des insurgés.

Après des mois de tergiversations, la COIN ne s'est pas révélée assez probante. Selon Gilles Dorronsoro, elle n'a été appliquée que dans quelques districts, et « les opérations de l'automne 2010 autour de Kandahar ressemblent plus au *search and destroy* de la guerre du Vietnam qu'à la conquête des *hearts and minds*. L'envoi de quatorze tanks Abrams à Kandahar donne une idée de l'intensité des combats qui explique le nombre croissant de réfugiés et de pertes civiles. Cet échec tient à la résistance non anticipée de l'insurrection qui a conduit Petraeus à revenir à une conception très classique de la guerre comme destruction physique de l'adversaire[1] ».

---

1. Gilles Dorronsoro, « La stratégie actuelle conduit-elle à une escalade ? », *Afghanistan Info*, n° 67, novembre 2010.

Sur le terrain, les soldats admettent avoir la désagréable impression de se livrer à un sempiternel jeu du chat et de la souris : « L'ennemi s'est adapté à chaque nouveau véhicule que nous avons importé, à chaque nouvelle patrouille à pied. En réponse, nous aussi avons modifié nos comportements, mais c'est là un cercle vicieux », m'a confié Philippe Masse, adjoint au commandement de la compagnie du major Pruneau.

« Ce n'est pas notre guerre, c'est celle des Afghans ! » commence-t-on à entendre dans les cercles militaires français, lassés que certaines factions « utilisent nos forces armées pour leurs propres buts », comme l'avaient fait en leur temps les djihadistes, moudjahidine et autres représentants de l'ISI pakistanais. Personne ne peut empêcher les militaires de se demander si leur présence ne nourrit pas la guerre.

En contre-insurrection, « tout ce qui est pris est gagné, à condition de réussir à le garder ». Or, c'est là tout le problème : en Afghanistan, d'abord par manque d'effectifs, mais aussi parce que les forces de la Coalition paient les errements stratégiques des premières années, les taliban ont souvent reconquis le terrain. Le temps joue plutôt en faveur de l'ennemi : rapide aux yeux des Afghans, le temps de la rotation militaire semble bien long aux soldats qui, tels des prisonniers, sitôt arrivés, comptent les jours qui leur restent à tirer.

D'autre part, les sources de financement des taliban sont multiples : ils engrangent des revenus du trafic de l'opium, mais aussi de l'extorsion frappant les commerces légaux (ou illégaux), et de toutes sortes d'activités criminelles annexes, telles les rançons. Les humbles échoppes acquittent ainsi des « licences de travail », les entrepreneurs locaux versent des « paiements de protection » – pudiquement appelés « frais de facilitation » par les Occidentaux – pour s'assurer que leurs projets ou leurs convois ne seront pas attaqués.

Enfin la légendaire adaptabilité de l'adversaire a été constamment sous-estimée par les militaires et, *de facto*, par les politiques. Aujourd'hui, le mouvement taleb a « métastasé » vers le nord, au-delà des poches pachtounes traditionnelles, ce que le général Petraeus persiste à ignorer. Ce stratège militaire ne semble pas non plus percevoir que les taliban sont en train de devenir un mouvement de revendication sociétale séduisant jusqu'aux Pachtounes du nord de l'Hindou-Kouch, et qu'il est inutile de réfléchir à une quelconque « partition » ethnique du pays, comme en rêva un temps l'ambassadeur américain Robert D. Blackwill[1].

---

1. Celui-ci a servi comme envoyé présidentiel de George W. Bush en Irak, ainsi que comme coordinateur pour l'administration Bush des politiques américaines en Afghanistan et en Iran. Il est à la retraite depuis 2004.

## Drôles de méthodes

Fin 2008 « fuitait » une info selon laquelle, pour obtenir des renseignements, la CIA aurait distribué à certains chefs de villages reculés des comprimés de Viagra. Cette information a été reprise dans un simili-samizdat circulant sur la Toile[1] par un capitaine américain de la Garde nationale du Maryland qui a déjà effectué deux « tours » en Afghanistan. Dans cet « essai » très bien accueilli par les soldats, Carl Thompson détaille la frustration, fustige l'incompétence et la corruption régnant dans les rangs afghans, ainsi que l'incapacité des soldats américains à appréhender la nature de cette guerre.

Dans le chapitre « Éléments du pouvoir. Comment évaluer l'influence ? », le capitaine dresse une liste des moyens potentiels pour faire changer de bord un chef de village soupçonné d'être de mèche avec les insurgés ; avant de le « retourner », il estime capital de répondre à ces questions : « Ce taliban a-t-il mis ses fils dans des *madrasas* de l'autre côté de la frontière au Pakistan ? À qui ses filles sont-elles mariées ? A-t-il des problèmes sexuels avec sa femme ? Peut-être peut-on lui faire passer

---

1. Carl Thompson, *Winning in Afghanistan*, avril 2009.

discrètement quelques pilules de Viagra pour qu'il change d'avis ? »

Rendue perplexe à cette lecture, j'ai cherché à vérifier l'existence de la méthode côté taliban : elle m'a été confirmée.

J'ai rencontré tour à tour deux des plus grands spécialistes de la contre-insurrection : l'Américain John Nagl et l'Australien David Kilcullen, tous deux ex-militaires dont les certitudes théoriques se sont évanouies à l'examen de la pratique en Afghanistan.

Le lieutenant-colonel Nagl, considéré comme l'un des architectes des méthodes contre-insurrectionnelles en Irak et en Afghanistan, est l'auteur d'un livre remarqué dont il a complètement réécrit la préface après son expérience en Irak[1]. Il est aussi l'un des principaux coauteurs du « Manuel de contre-insurrection » de l'armée américaine, publié en 2006. Nagl est convaincu que pas moins de 600 000 soldats sont nécessaires pour avoir raison de 25 000 insurgés en armes, soit environ 1 soldat ou policier pour 50 civils, proportion qui n'a bien sûr jamais été atteinte en Afghanistan.

---

1. Il s'agit de *Learning to Eat Soup with a Knife : Counterinsurgency Lessons from Malaya and Vietnam*, Chicago University Press, 2002. Aujourd'hui, Nagl préside le Centre pour une nouvelle sécurité américaine, un *think-tank* de Washington. En avril 2007, nous avions présenté conjointement nos deux livres à l'occasion du symposium annuel Colby des écrivains militaires aux États-Unis. J'étais la seule civile invitée à cette occasion.

Kilcullen a été le conseiller en contre-insurrection de David Petraeus entre 2006 et 2008 en Irak (je l'avais rencontré à Bagdad[1]), où il a imposé la création de petits postes de combat disséminés pour protéger la population des grandes villes. Or, en Afghanistan, ces postes, souvent isolés parce que uniquement accessibles par la voie des airs, étaient tous situés hors des villes. Pourtant, dans le Sud afghan, le gros de la population est massé à Kandahar et à Lashgar Gah, les capitales des provinces de Kandahar et du Helmand.

En 2009, Kilcullen a publié dans l'*International Herald Tribune*[2] un article proposant un moratoire sur les attaques au drone sur le sol pakistanais, arguant que ces frappes aliénaient la population. Aux yeux de l'analyste, le coût de ces opérations, qui ont créé une mentalité d'assiégés parmi les civils pakistanais qui, en ces lieux, sont souvent pachtounes et renforcé *de facto* l'influence des extrémistes, est supérieur à ce qu'elles rapportent. Les exactions des taliban sont certes impopulaires, mais moins que celles d'un ennemi sans visage – le pendant des « fantômes » que disent combattre les soldats occidentaux – qui tue sou-

---

1. Cf. Anne Nivat, *Bagdad Zone rouge*, Fayard, 2008, p. 217 et suiv.

2. David Kilcullen et Andrew McDonald Exum (officier de l'armée américaine en Irak et en Afghanistan entre 2002 et 2004), « More harm than good », *International Herald Tribune*, 19 mai 2009.

vent davantage de civils que d'insurgés. Sans compter le problème juridique inhérent à de telles frappes : les pilotes de drones de la CIA, opérant majoritairement depuis le territoire américain, sont des civils directement engagés dans des actions militaires offensives, ce qui les rendrait passibles de poursuites s'ils venaient à être identifiés. En somme, font remarquer certains observateurs, ces pilotes s'apparenteraient à des « combattants illégaux », soit exactement la même dénomination utilisée par les Américains pour désigner les terroristes et assimilés qu'ils pourchassent.

Par leurs méthodes, les Ocidentaux ne cessent de se créer de nouveaux ennemis sans s'en rendre compte ni en tenir compte.

## *Ambiguïtés au sein de l'ANA et de l'ANP*

En janvier 2009, des rapports commandés par la nouvelle administration Obama révèlent que les Américains n'ont pas sérieusement soutenu sur le plan financier la formation des forces afghanes avant 2007. Jusqu'à cette date, l'armée afghane avait toujours été citée en exemple réussi d'un *nation-building* en Afghanistan post-taliban. En fait, son succès, comme en maints autres domaines, avait été surévalué. Selon les formateurs de l'Otan, neuf soldats locaux sur dix ne sont pas capables de lire les instructions relatives à l'usage d'un fusil d'assaut, et sont incapables de conduire une voiture. Les commandants détournent souvent la solde[1] de leurs recrues – depuis deux ans, elle est virée électroniquement sur les comptes en banque –, les soldats vendent leurs bottes, couvertures et armes au bazar local, voire aux taliban.

La principale faiblesse réside dans la logistique des unités de combat, encore sous-développée, les engagés ne possédant en général aucun diplôme ni aucun autre choix de vie. L'ANA manque cruellement de chefs capables, et sa capacité à planifier et organiser des opérations complexes laisse trop souvent à désirer, note Antonio Giustozzi, spécialiste de l'Afghanistan[2]. « Il y a encore trop d'officiers incompétents et peu impliqués au niveau du bataillon et plus bas[3] », souligne l'expert. Les critères de réussite du cours de base en six semaines ont certes été un peu durcis, mais, selon Giustozzi, le vrai problème est d'une autre nature : sur place, les soldats alliés font plus du protectorat que du mentorat. « Les mentors agissent presque comme

---

1. Le soldat de base reçoit 165 dollars mensuels + 45 dollars de prime de combat.
2. Antonio Giustozzi est chercheur au Crisis States Research Center de la London School of Economics.
3. *Id.*, « The future of the Afghan National Army : problems and reforms », *Afghanistan Info*, n° 66, mars 2010.

des superviseurs, voire des officiers qui commandent, parce qu'il leur faut bien combler le vide de l'insuffisante préparation de la plupart des officiers afghans. Et cela va sans doute induire de la dépendance. »

D'autre part, la question de la composition ethnique reste capitale : au sein de l'ANA, les Tadjiks sont surreprésentés aux dépens des Hazaras et des Ouzbeks ; quant aux Pachtounes, ils sont très sous-représentés, et ceux qui ont choisi de servir proviennent de l'Est et du Nord plutôt que du Sud (à cause de leurs sympathies pour les taliban ou de la peur que ceux-ci leur inspirent, on ne trouve dans l'armée afghane guère plus de 3 % de Pachtounes du Sud). Pourtant, c'est bien le Sud qui est le principal théâtre de cette guerre ! De plus, comme j'ai pu le constater, les Tadjiks commandent souvent les unités de combat, ce qui induit des conséquences particulières dans l'échange avec les populations locales. La plupart des chefs des tribus pachtounes considèrent l'ANA comme un détachement d'envahisseurs, au même titre que les troupes étrangères.

Mais les plus gros problèmes de cette armée relèvent des innombrables rivalités personnelles et ethniques qui sévissent dans ses rangs : au ministère de la Défense, chacun tente de bloquer la promotion de l'autre ou de sa tribu, tout en essayant de promouvoir les siens. Le corps des officiers est fracturé par d'épineuses rivalités. Le général Abdul Rahim Wardak[1], par exemple, est certes un Pachtoune, fils de général, mais il est considéré comme un « Gucci moudjahid[2] », lequel venait très rarement sur le terrain combattre les Soviétiques. Alors que Bismillah Khan, chef d'état-major des armées jusqu'en 2010, est un Tadjik pandchiri, fervent combattant depuis sa plus tendre enfance. Khan s'est allié à Abdullah Abdullah, ennemi juré du président Karzai, un Tadjik arrivé second aux dernières élections présidentielles et qui refuse une quelconque réconciliation avec les taliban. Tadjiks, Hazaras et Ouzbeks, qui ont tous souffert sous l'hégémonie des Pachtounes taliban, sont également opposés à une telle réconciliation.

Enfin, la loyauté des commandants de l'ANA est souvent remise en question, de même que leurs méthodes de travail, différentes de celles des militaires occidentaux. La tendance est à se contenter du minimum. Mais, « sans soutien aérien, ni possibilité d'évacuation sanitaire, ni logistique suffisante, nous réagirions sans doute comme eux », avouent franchement des militaires alliés.

En janvier 2011, l'effectif total des troupes afghanes s'élevait à 150 000 hommes, l'objectif étant d'atteindre près de 172 000 hommes en

---

1. Ministre de la Défense depuis fin 2004.
2. L'expression est d'Antonio Giustozzi.

octobre 2011. Le budget du pays étant bien insuffisant pour subvenir au fonctionnement annuel de l'ANA, les Alliés seront sans doute contraints de régler la facture pour les nombreuses années à venir. N'est-ce pas plus acceptable pour nos opinions publiques que de perdre des dizaines d'hommes en Afghanistan ?

Quant à la police nationale afghane (ANP), elle se trouve dans une situation bien pire, frôlant le scandale : les Américains ont acheté à ces policiers des uniformes et des armes, ils leur ont construit des académies, ont engagé des « contracteurs de défense » chargés de la formation des recrues, mais le programme n'en reste pas moins un vrai désastre[1]. La plupart des recrues sont des villageois illettrés, n'ayant jamais mis les pieds en classe, et le délai de huit semaines fixé par les ministères de la Défense et des Affaires étrangères américains pour former un policier a dû être réduit à six semaines afin de pouvoir accueillir davantage de recrues. C'est la course au chiffre ! Même après avoir raté le test des armes à feu, pratiquement tout un chacun est admis. Alors que les policiers sont au centre de la stratégie de sortie de guerre des Américains, moins de 12 % de leurs unités

---

1. Cf. Christian Millet, Mark Hosenball et Ron Moreau, « The gang that couldn't shoot straight. Six billions dollars later, the Afghan national police can't begin to do their job right », *Newsweek*, 5 avril 2010.

seraient capables de mener à bien leurs propres opérations. Autre dilemme essentiel : quel genre de formation auraient dû recevoir ces futurs policiers ? Fallait-il les former à un strict travail de police (ce qu'ont toujours souhaité les Européens), ou les initier au contre-terrorisme (ce que préfèrent les Américains) ?

En mai 2011, on tâtonne toujours : dans le district de Tagab sous contrôle des militaires français, des unités de Road Maintenance Team ont été transformées en Afghan Local Police (ALP[1]). Qu'est-ce que cela veut dire ? Les unités ALP sont censées soutenir les forces de sécurité afghanes grâce à des équipes locales placées sous l'autorité du chef de la police et du chef de district. Ces équipes bénéficient d'une formation encore plus courte, mais dispensée par des militaires français. C'est là une décision controversée : pour beaucoup grâce aux ALP, des aspirants policiers « ratés » se seraient mués en groupes de miliciens sans passer le moindre concours ni subir la moindre préparation. Doutant de l'efficacité de cette nouvelle procédure, les Canadiens basés dans le district de Panjway ont décidé, eux, de n'en rien faire.

---

1. À l'été 2010, pour pallier l'absence de policiers, le programme ALP a été validé par le président Hamid Karzai. Ces nouvelles structures sont placées sous la responsabilité du ministère de l'Intérieur afghan.

Autre phénomène gênant : au cours des années récentes, les attaques perpétrées par des membres de l'ANA ou de l'ANP contre des forces de la Coalition se sont multipliées. Depuis mars 2009, au moins 57 personnes (dont 32 Américains) ont été tuées dans dix-neuf attaques au cours desquelles des membres des Forces nationales de sécurité afghanes ont retourné leur arme contre des Occidentaux. La Coalition a d'abord tenté de minimiser les faits, prétendant qu'il s'agissait de disputes internes dues au « stress du combat, à la fatigue, au fossé culturel », etc., mais, en juin 2011, l'armée américaine s'est décidée à envoyer en Afghanistan quatre-vingts agents de renseignement pour contribuer à empêcher l'infiltration des unités par des taliban[1].

## Des principes qui nous choquent

En Afghanistan, on n'a jamais vu autant d'enfants à l'école, le secteur privé est en plein développement (quatre compagnies aériennes, quatre opérateurs de téléphonie mobile), les cyber-cafés pullulent, les loyers dans la capitale sont à la hausse, le prix des terrains aussi, mais 69 % de la

---

1. Cf. Ray Rivera et Eric Schmitt, « US sending training agents to Afghanistan to stem infiltration of local forces », *The New York Times*, 10 juin 2011.

population n'a toujours pas accès à l'eau potable, un enfant sur cinq meurt avant l'âge de 5 ans, et l'opinion publique est dans l'ensemble favorable à un retour à la *charia* et aux exécutions publiques.

Que cela nous plaise ou non, la plupart des Afghans n'enverront pas leurs filles dans des écoles où elles peuvent être vues par des hommes (chez les Pachtounes, la culture de la non-promiscuité entre hommes et femmes étrangers à la famille est très forte). Dans plus de 80 % des districts ruraux, les filles sont absentes de l'école élémentaire, des établissements pour filles ont été brûlés, et on a projeté de l'acide sur le visage d'écolières. 28 % seulement des enseignants sont des femmes, et 10 % des filles obtiennent un diplôme.

En signe d'ouverture, Karzai a proposé aux taliban de participer aux élections législatives de décembre 2010 ; personne parmi eux n'a osé se présenter. Mais certains ministres comme Abdu Hadi Arghandiwal, en charge de l'Économie et président de la faction ultraconservatrice du Hezb-e-Islami, ont du mal à dissimuler leur mentalité : à ses yeux, hommes et femmes ne peuvent fréquenter ensemble l'université. À l'instar des taliban (et de très nombreux Pachtounes), le ministre pense que les femmes ne sauraient quitter leur foyer sans être accompagnées par un homme de leur famille. Le conseil religieux de la province de Hérat, imité par celui du Badakhshan, a d'ailleurs édicté une

règle interdisant aux femmes de quitter leur maison sans être escortées par un homme de leur
famille. D'autres provinces pourraient suivre cet
exemple.

Ce qui apparaît aux Occidentaux comme
d'odieuses restrictions à la liberté des femmes est
souvent justifié localement comme moyen de les
protéger contre l'insurrection. Les autochtones ne
souhaitent pas forcément un retour au pouvoir des
taliban, mais ils ont l'impression que les Occidentaux veulent leur imposer un régime dit « démocratique » auquel ils ne comprennent rien. Ils
réclament aussi une justice sévère mais efficace.
Avant « c'était dur, mais c'était la paix », entend-on
dire souvent. « On pouvait laisser son échoppe
ouverte toute la nuit sans qu'il se passe rien. » J'avais
relevé les mêmes propos à Bagdad.

L'incompréhension entre Occidentaux et
Afghans est si profonde qu'on a parfois l'impression d'assister à un dialogue de sourds : depuis cet
après-midi de juillet 2002 où une cérémonie de
mariage fut endeuillée par de puissantes bombes
alliées, faisant 48 morts et 117 blessés en Uruzgan
(dont beaucoup de femmes et d'enfants), les
« dommages collatéraux » ne cessent de faire scandale. En juillet 2008, 47 personnes, dont la jeune
mariée, ont été tuées en se rendant à une fête de
mariage dans l'est du pays. Ces attaques et leurs
conséquences forment le leitmotiv de la propa-

gande talibane qui se nourrit de sentiments anti-
américains : certains Afghans déclarent préférer
mourir dans la guerre civile plutôt que sous les
bombes américaines.

Grâce à des drones bourrés de caméras, l'avia-
tion américaine conduit des études sur le *pattern of
life* de leaders taliban, entre autres cibles, afin de
minimiser ces « dommages collatéraux ». Pendant
des jours, voire des semaines, elle observe leurs
allées et venues[1], guettant le moment propice
pour décider, en présence d'avocats militaires,
quand l'attaque pourra être déclenchée sans
mettre en danger des vies innocentes. Mais toutes
les frappes ne peuvent être à ce point méticuleu-
sement planifiées. En mai 2011, suite à un nouvel
incident, le président Karzai a de nouveau stig-
matisé les bombardements provoquant la mort de
civils : si cela continue, a-t-il dit, « nous serons
forcés de prendre des décisions unilatérales ». Ces
menaces ont agacé et pris de court l'ensemble de
la communauté internationale, pourtant habituée
aux écarts de langage du chef de l'État afghan.
En guise de réponse, devant une assemblée de
200 étudiants, le 19 juin, à Hérat, l'ambassadeur
américain Karl W. Eikenberry, habituellement sur
la réserve, a déclaré : « Quand on s'entend traiter

---

1. Telle la préparation à l'opération de commandos américains
qui exécutèrent Oussama Ben Laden le 2 mai 2011.

d'occupants, voire pire, et qu'on voit mettre plus bas que terre nos généreux programmes d'aide, taxés d'être à la source d'une formidable corruption, notre honneur est blessé, et on sent faiblir l'élan pour poursuivre. » Les relations entre le président afghan et les États-Unis n'ont jamais été aussi mauvaises.

Enfin, même s'il est prouvé que les dommages collatéraux sont provoqués à plus de 70 % par les insurgés (et non par la Coalition), ces derniers, imités en cela par les populations locales, considèrent qu'ils ont pour cause première la présence d'étrangers. Les Afghans ne blâment donc pas les taliban d'être à l'origine de ces morts, comme préférerait le croire la communauté internationale. Ils ne sont pas habitués à la façon dont les Occidentaux agissent au nom de la démocratie. Ils en sont même heurtés, et en souffrent. Quand feu Ahmed Wali Karzai, demi-frère du président, fut accusé de trafic de drogue par le vénérable *New York Times* et présenté comme un vulgaire *dealer*, le général Khodaidad Khodaidad, ministre en charge de la lutte contre le trafic de stupéfiants, répliqua immédiatement en dénonçant le sombre rôle des troupes étrangères dans ce trafic, accusant les contingents américain, britannique et canadien de « taxer » la production d'opium dans les régions placées sous leur contrôle.

## Un dilemme récurrent : négocier ou pas ?

Le peuple afghan lui-même est partagé sur la question, ce qui explique les erreurs et tâtonnements de son gouvernement depuis près de dix ans. Cependant, la création en septembre 2010, par le président Hamid Karzai, d'un Haut Conseil pour la paix[1], tendrait à prouver que le pouvoir afghan et ses protecteurs étrangers auraient enfin assimilé la possibilité de ne pas écarter cette éventualité.

En juin 2010, une *jirga*[2] de la paix, qui avait essuyé quelques tirs de roquettes en plein centre de Kaboul, avait préparé le terrain : on y avait évoqué un plan axé sur la « réintégration » des combattants désireux de déposer les armes, et sur la création d'un fonds qui financerait les actions de reconversion. Restait le problème de la protection des futurs repentis dont se plaignent d'ailleurs ceux qui en ont fait l'expérience[3].

---

1. Constitué de soixante membres tous nommés par le président afghan, on y trouve d'anciens présidents, des figures du *djihad* antisoviétique des années 1980, mais aussi des chefs de tribus et ex-membres des taliban et du Hezb-e-Islami, dont les membres sont aujourd'hui considérés comme des insurgés. Ce Haut Conseil est dirigé par Burhanuddin Rabbani.

2. Assemblée de la paix constituée de représentants des tribus et de la société civile afghane.

3. Cf. Alissa Rubin, « Few Taliban leaders take Afghan offer to switch sides », *The New York Times*, 19 juin 2011.

Une fois de plus, une des principales difficultés vient de ce que, par mauvaise volonté ou ignorance, la communauté internationale ne s'adresse pas aux bons interlocuteurs : la génération de la « vieille garde » talibane originaire de Kandahar – tels feu le mollah Naqib ou ses affidés, le mollah Zaeef, etc. – est perçue par les Américains comme la plus liée à Al-Qaida, et se trouve donc au centre de ce processus. Or les Américains se trompent : ce sont des éléments plus jeunes, souvent à un niveau beaucoup moins élevé dans la hiérarchie, qui sont non seulement les plus actifs sur le terrain, mais aussi les plus fanatisés[1]. Pour instaurer un réel dialogue, il faudrait de toute façon faire appel à un tiers, peut-être une entité indépendante, laquelle ne serait issue ni du gouvernement ni des pays impliqués dans la Coalition.

En mai 2011, le mollah Malang[2], toujours au fait de la situation du côté taleb, me confirmait que des négociations étaient bel et bien en cours avec certains dirigeants taliban, ce que les Américains ont fini par reconnaître à la mi-juin,

---

1. Cf. chapitre 2 où l'on apprend que les neveux d'Ahmed, des Afghans de 20 ans, sont tous deux membres d'Al-Qaida. Lui-même, sympathisant taleb, dit ne pas pouvoir les contrôler.

2. Interview avec l'auteur, Kaboul, 22 mai 2011. Le mollah Malang est un ex-commandant moudjahid mythique du secteur de Kandahar entre 1979 et 1989.

même si, *dixit* le secrétaire d'État Robert Gates, ces pourparlers n'en sont qu'« à un stade préliminaire[1] ». D'après Malang, le dialogue achoppe toujours sur le même point : « Nous, taliban, ne baisserons les armes que si Abdul Rashid Dostum, Fahimi, Khalili et les autres[2] nous emboîtent le pas », répètent-ils, visant ainsi directement des membres influents du gouvernement Karzai. Malang est convaincu que les efforts et l'argent dépensés en l'espace d'une décennie par les militaires étrangers n'ont fait que prolonger la guerre : « Tuer des leaders taliban ne mettra jamais fin à la guerre ; ça fera une pause, et puis ça recommencera, comme quand on écoute de la musique avec la télécommande. Il suffit d'appuyer sur *pause*, et puis sur *play*[3]. »

## L'« afghanisation » comme pis-aller

Il faut quitter l'Afghanistan, tout le monde en est d'accord, y compris dans les rangs de l'armée française ; le problème est de savoir comment.

---

1. Cf. Ginger Thompson, « Gates acknowledges talks with Taliban », *The New York Times*, 20 juin 2011.
2. Dostum est un ancien chef de guerre moudjahid, chef du bureau du commandant en chef de l'ANA ; Fahim est un ex-ministre de la Défense, colistier de Karzai ; Khalili est vice-président.
3. Interview avec l'auteur.

Sans surprise, la France s'est ralliée au calendrier américain fixant l'année 2014 comme date-butoir. L'espoir est de pouvoir alors compter 395 000 membres des forces afghanes de police et de l'armée. Si ce chiffre n'est pas atteint, il sera difficile de partir en transférant complètement la sécurité à ces forces. En l'absence de résultats tangibles et d'une nette victoire, les pays engagés au lendemain des événements du 11 septembre ont été contraints de chercher un moyen de se retirer la tête haute : l'« afghanisation », comme les Russes l'avaient pratiquée en leur temps, apparaît comme la seule réponse.

Cependant, contrairement à la propagande des très efficaces départements de communication des armées, dont se nourrissent la plupart des médias, à l'heure où les Occidentaux annoncent leur retrait, les taliban, eux, recrutent sans problèmes. Les seuls succès de la Coalition semblent avoir été locaux, tactiques et de court terme. En revanche, là où ont eu lieu ces opérations d'envergure dont on nous a rebattu les oreilles[1], il n'y a pas de gouvernement afghan stable et efficace, *in the box*[2],

---

1. Ainsi Marja, dans le Helmand, qui a fait l'objet d'une couverture médiatique sans précédent dans les médias anglo-saxons.

2. La notion de « gouvernement dans une boîte » a été inventée par Stanley McChrystal : il s'agit, pour les militaires, d'avoir sous la main au moins un gouverneur de district et un chef de la police prêts à prendre leurs fonctions sitôt l'opération militaire achevée. Le gouverneur est souvent un Afghan revenu d'exil, ce que les autochtones n'apprécient pas.

pour prendre la relève. C'est bien que l'« afghani-sation » de la sécurité est plus ardue à mettre en œuvre que prévu.

Ces pâles tentatives des politiques occidentaux pour essayer de convaincre leurs opinions publiques, mais surtout leurs propres troupes − sans victoire concrète dont ils pourraient se vanter − me rap-pellent la désastreuse situation de l'armée fédérale russe en Tchétchénie au lendemain de la cam-pagne contre les rebelles indépendantistes, quand le Kremlin laissa la sécurité se dégrader, faisant croire à une opinion lasse et dégoûtée que la « tchétchénisation » était bien la solution, préten-dument parce qu'il n'y avait personne avec qui dialoguer. C'était faux, seule la volonté manquait. Cette attitude unilatérale ne fit que renforcer chez les Tchétchènes le sentiment que les Russes les considéraient comme des moins que rien, ce mépris de toujours étant source de heurts constants.

Chez les taliban afghans, ce sentiment est éga-lement sous-jacent, et, comme en Tchétchénie ou en Irak, mes autres « terrains » de prédilection, l'« afghanisation » masque ici l'absence de volonté des Alliés d'admettre leur part de responsabilité dans une situation qu'ils ont largement contribué à rendre inextricable.

# OUVRAGES DE RÉFÉRENCE

Michael BARRY, *Le Royaume de l'insolence. L'Afghanistan (1505-2001)*, Flammarion, 2002.

Didier BIGO, Laurent BONELLI et Thomas DELTOMBE (dir.), *Au nom du 11-Septembre. Les démocraties à l'épreuve de l'antiterrorisme*, La Découverte, 2008.

Smedley BUTLER, *War is a Racket*, Feral House, 1935, réédition en 2003.

Sir Olaf CAROE, *The Pathans*, Oxford University Press, 17ᵉ édition, 2009.

Pierre CENTLIVRES, *Chroniques afghanes (1965-1993)*, Archives contemporaines, 1998.

Pierre CENTLIVRES et Micheline CENTLIVRES-DEMONT, *Revoir Kaboul*, Zoé, 2007.

Gérard CHALIAND, *Le Nouvel Art de la guerre*, L'Archipel, 2008.

Général Vincent DESPORTES, *Le Piège américain. Pourquoi les États-Unis peuvent perdre les guerres d'aujourd'hui*, Economica, 2011.

Gilles DORRONSORO, *La Révolution afghane*, Karthala, 2000.

Bernard DUPAIGNE, *Afghanistan, rêve de paix*, Buchet-Chastel, 2002.

Bernard DUPAIGNE et Gilles ROSSIGNOL, *Le Carrefour afghan*, Folio, 2002.

Louis DUPREE, *Afghanistan*, Princeton University Press, 1980.

Benoît DURIEUX, *Relire « De la guerre » de Clausewitz*, Economica, 2005.

David B. EDWARDS, *Before Taliban. Genealogies of the Afghan Jihad*, University of California Press, 2002.

David GALULA, *Contre-insurrection. Théorie et pratique*, Economica, 2007.

Antonio GIUSTOZZI, *Empires of Mud. Wars and Warlords in Afghanistan*, Columbia University Press, 2009.

Antonio GIUSTOZZI, *Koran, Kalashnikov, and Laptop. The Neo-Taliban Insurgency in Afghanistan*, Columbia University Press, 2008.

Larry P. GOODSON, *Afghanistan's Endless War. State Failure, Regional Politics and the Rise of the Taliban*, University of Washington Press, 2001.

Olivier HUBAC et Matthieu ANQUEZ, *L'Enjeu afghan*, André Versaille, 2010.

Jean-Charles JAUFFRET, *Afghanistan 2001-2010. Chronique d'une non-victoire annoncée*, Autrement/Frontières, 2010.

Seth G. JONES, *In the Graveyard of Empires. America's War in Afghanistan*, Norton, 2010.

William LANGEWIESCHE, *La Conduite de la guerre*, Allia, 2008.

Nicolas LE NEN, *Task Force Tiger. Journal de marche d'un chef de corps français en Afghanistan*, Economica, 2010.

Alexandre de MARENCHES et Christine OCKRENT, *Dans le secret des princes*, Stock, 1986.

Jean-Dominique MERCHET, *Mourir pour l'Afghanistan. Pourquoi nos soldats tombent-ils là-bas ?*, Jacob-Duvernet, 2010.

*Journal du bourbier afghan*, présenté par Jean-Dominique Merchet, Jean-Claude Gawséwitch, 2011.

François MISSEN, *Le Syndrome de Kaboul. Un Afghan raconte*, Edisud, 1980.

John A. NAGL, *Learning to Eat Soup with a Knife. Counterinsurgency Lessons from Malaya and Vietnam*, Chicago University Press, 2002, nouvelle préface en 2005.

Anne NIVAT, *Lendemains de guerre en Irak et en Afghanistan*, Fayard, 2004, Le Livre de Poche, 2007.

*Bagdad Zone rouge*, Fayard, 2008.

*Islamistes, comment ils nous voient*, Fayard, 2006, Le Livre de Poche, 2010.

Jean-Christophe NOTIN, *La Guerre de l'ombre des Français en Afghanistan, 1979-2011*, Fayard, 2011.

Ahmed RASHID, *Descent into Chaos. The United States and the Failure of Nation Building in Pakistan, Afghanistan, and Central Asia*, Viking, 2008.

Barnett R. RUBIN, *The Fragmentation of Afghanistan. State Formation and Collapse in the International System*, Yale University Press, 2002.

Capitaine Carl THOMPSON, *Winning in Afghanistan*, Internet, avril 2009. Cf. l'excellent blog « At War » du *New York Times*, nourri quotidiennement sur les différentes guerres en cours : http://atwar.blogs.nytimes.com/2011/01/27/what-theyre-reading-different-accounts-of-the-afghan-war. Voici le lien avec le texte lui-même : http://graphics8.nytimes.com/packages/pdf/world/atwar/winninginafghanistan1.pdf.

Pierre SERVENT, *Les Guerres modernes racontées aux civils… et aux militaires*, Buchet-Chastel, 2010.

Bertrand VALEYRE et Alexandre GUÉRIN, « De Galula à Petraeus – l'héritage français dans la doctrine américaine de contre-insurrection », *Cahiers de la recherche doctrinale*, Centre de doctrine d'emploi des forces, janvier 2011.

André VELTER, Emmanuel DELLOYE et Marie-José LAMOTHE, *Les Bazars de Kaboul*, Hier et demain, 1979.

Bing WEST, *The Wrong War : Grit, Strategy, and the Way Out of Afghanistan*, Random House, 2011.

Abdul Salam ZAEEF, *Prisonnier à Guantanamo*, EGDV, 2008.

Merci

à tous mes amis afghans anonymes

Nadjib Baba, pour le dialogue ininterrompu, Daud Wahab, Shafi, Naseem Mohammed Pashtoon, Sultan Sharifi, la « bande de Kaboul » (Rahmatullah, Hafizullah, Zaher, Younas, Frotan), Jérôme Veyret, Éric de Lavarène, Laure Raoust et Louis, Besmellah, *alias* Ahmed, Farouk Baroukzai.

à mes amis militaires :
Melina Archambault, Steve Chagnon, Martin Croteau, Pascal Croteau, Annie Djiotsa, Stéphane Guillemette, Éric Landry, Étienne Leprohon, Philippe Masse, Jay Mineault, Frédéric Pruneau, Julie Turcotte, Henri-Martin Saint-Louis.

à tous les autres, qui ont ouvert leurs carnets d'adresses, répondu à mes inlassables questions et cru en mon projet. Par ordre alphabétique : Max Abderrahmane, Pierre Berjot, Micheline et Pierre Centlivres, Frédéric Journès, aujourd'hui à l'ONU, Jean-François Fitou, aujourd'hui au Kosovo, Matthew Fisher (une encyclopédie sur l'armée canadienne), Laurence Levasseur, Yves Manville, Jean-Dominique Merchet, Caroline Morin (à l'origine de tout à Montréal) et Terence White.

à mon éditeur, Claude Durand, ainsi qu'à Hélène Guillaume et Chantal Marion, une équipe à laquelle je reste fidèle.

à Franz-Olivier Giesbert, Michel Colomès, Étienne Gernelle et Pierre Beylau au *Point*

# TABLE

*Prologue*
De l'utilité (parfois) de passer à la télévision.......... 9

1. La dernière mission – *hiver 2009*...................... 29
2. De l'autre côté du miroir – *hiver 2010*............... 73
3. À Kandahar – *été 2008*................................ 91
4. Du côté de Khost et des zones tribales
   pakistanaises – *été 2008*........................... 123
5. La course à la présidence – *août 2009*.............. 147
6. Détour par Bamyan – *été 2009*....................... 167
7. Chez feu le commandant Massoud – *été 2009*...... ¹99
8. Dubaï – Kaboul – *2008-2009*........................ ?15
9. Retour à Kandahar – *2009-2010*.................... 231
10. Drôle de « zone de guerre » – *2010-2011*.......... 261
11. Retour du côté de chez Pruneau – *été 2011*...... 295
12. Femmes politiques pachtounes – *2008-2011*....... 355
13. Dernière incursion de l'autre côté du miroir
    – *été 2011*........................................ 369

*Épilogue*
Comment en sortir.................................... 395

*Cartes*
Afghanistan............................................ 8
Kandahar et ses districts ............................ 90

*Ouvrages de référence* ............................. 437

*Cet ouvrage a été imprimé
par CPI Firmin-Didot
Mesnil-sur-l'Estrée
pour le compte des Editions Fayard
en octobre 2011*

*Photocomposition Nord Compo
Villeneuve-d'Ascq*

Dépôt légal : novembre 2011
N° d'édition : 36-57-3020-9/02 - N° d'impression : 107998
*Imprimé en France*